Henry V

SHAKESPEARE

———

Henry V

●

PRÉSENTATION
DOSSIER
CHRONOLOGIE
BIBLIOGRAPHIE

par Éric Dayre

TRADUCTION
NOTES

par Sylvère Monod

GF Flammarion

SOMMAIRE

———

Dans ses drames historiques, Shakespeare présente une chronique suivie des désordres que connut l'Angleterre entre la fin du XIVᵉ et la fin du XVᵉ siècle. Il y approfondit le débat entre la morale et la politique, entre l'Histoire et la Providence. Les sources de Shakespeare sont les grands chroniqueurs de l'époque, Edward Hall et Raphael Holinshed, qui ont raconté les événements historiques de façon à justifier et légitimer l'ordre Tudor, en tentant de prouver d'une part que la Providence intervient dans l'Histoire pour abattre les rois criminels, et d'autre part que la paix intérieure du royaume et de ses sujets résulte d'une obéissance ou d'une allégeance [1] au souverain. Pour Hall et Holinshed, l'histoire de cette période a un sens : le meurtre de Richard II par le diabolique Bolingbroke a été le début d'une longue période de malheurs. Dieu a puni le pays pour cette usurpation initiale, et les Tudor sont venus racheter la faute après un siècle d'expiation. Dans ce contexte, Henry V occupe une position ambivalente, il est à la fois le contre-exemple et l'exemple du souverain Tudor : *contre-exemple* parce que, étant le fils de l'usurpateur Bolingbroke, il ne tire pas sa légitimité d'une lignée qui serait apparue au premier plan par le seul fait de ses mérites objectifs ; *exemple* parce qu'il fait parler ses mérites de grand roi guerrier au moment où l'Histoire requiert un homme de sa trempe. Il suffira au roi Tudor d'avoir à la fois toutes les qualités physiques et morales d'un Henry V et d'être issu du rétablissement de cet ordre qui avait été troublé autrefois par Bolingbroke pour former la figure du souverain – ou de la souveraine – idéal.

---

1. Sur cette notion, on lira le dossier, p. 251-252.

LE HENRY V HISTORIQUE

Avant la pièce de Shakespeare, il existe une chronique du roi Henry V. Le premier récit de la vie du roi Henry s'intitule *Gesta Henrici Quinti*, et fut écrit au cours de l'hiver et du printemps 1416-1417, alors que Henry était sur le trône. C'est un ouvrage anonyme qui raconte les premières années du règne, et les descriptions détaillées qu'on y trouve laissent penser que l'écrivain a été témoin de la bataille d'Azincourt et du retour triomphal de Henry à Londres. Ce texte nous présente un roi chrétien, c'est un panégyrique [1].

BIOGRAPHIE

Henry, surnommé parfois Plantagenêt, Lancaster ou Monmouth, naquit en 1386 ou 1387. La date est incertaine. Henry fut effectivement un roi guerrier. Il vécut jusqu'à l'âge de trente-cinq ans, et fut en guerre pendant vingt et un ans.

Henry est l'aîné et l'héritier de Henry de Derby, fils de Jean de Gand. À l'époque de la naissance de Henry, l'Angleterre est gouvernée par Richard II, fils d'Édouard, Prince noir de Galles. Henry appartient à une famille aristocratique importante et influente, il reçoit une éducation médiévale typique et complète, apprenant l'art équestre et la fauconnerie, le latin et la musique.

Lorsque Henry a onze ans, son père, qui vient d'être nommé duc de Hereford, est banni par le roi Richard II pour avoir comploté avec le duc de Norfolk, Thomas Mowbry. Cette « trahison » porte sur des questions de terre et sur la trop grande influence de la famille à la cour. Cousin germain du roi, le père de Henry est, en effet, au premier plan des dissensions et des factions à la cour de Richard II. Après six mois de bannissement, son père, Jean de Gand, meurt, et le roi, au lieu de donner les terres de Jean de Gand à Hereford, déclare que la propriété en revient à la couronne. Cette action sera fatale à Richard II. Elle aura pour effet de lui aliéner tous les propriétaires terriens

---

1. Pour un compte rendu précis et concis des événements de la guerre de Cent Ans, notamment de la deuxième partie de la guerre qui voit l'intervention de Henry V, on se reportera au chapitre IX de l'*Histoire d'Angleterre*, André Maurois, Fayard, 1937, p. 244-258.

d'Angleterre. Nombre d'entre eux soutiennent Hereford et prennent parti pour qu'il devienne roi à la place de Richard. Hereford était assez aimé, et au contraire de Richard, avait plusieurs fils qui pouvaient assurer la continuité du trône.

En 1399, ignorant les projets d'usurpation, Richard part pour l'Irlande afin de mettre personnellement fin à un soulèvement. Le jeune Henry, qui vit à la cour depuis le bannissement de son père, part avec le roi. Pendant l'absence de Richard, Hereford fait campagne à travers l'Angleterre, et s'acquiert le soutien du peuple. En octobre 1399, Henry de Hereford est couronné roi d'Angleterre et prend le nom de Henry IV. Son fils est nommé prince de Galles.

Les années d'adolescence de Henry vont le préparer aux guerres qu'il allait devoir mener comme roi. De l'âge de quatorze à vingt-quatre ans, il défendit son titre de prince de Galles contre Owain Glyn Dwr, le véritable prince de Galles, qui conduisit les Gallois dans une guerre de dix années contre la domination anglaise. Au cours de cette période, Henry mena plusieurs batailles, participa à la prise des châteaux de Conwy et d'Aberystwyth et se perfectionna dans l'art de la guerre. Prince ambitieux, intelligent, excellent guerrier, cet héritier du trône acquit une popularité sans précédent.

Endurci très jeune par les guerres et les combats, son caractère était entier. Ses opinions sur la politique de l'État, la querelle avec la France qui portait sur des questions de terre le mirent en porte-à-faux avec la politique de son père, et il fut banni de la cour en 1412. En 1413, Henry IV mourut et Henry fut couronné roi sous le nom de Henry V.

LE RÈGNE DE HENRY V

Nous évoquerons seulement les événements du règne de Henry V que Shakespeare a choisi de reprendre dans son drame.

Le roi Henry ne régna que neuf années, de 1413 à 1422. Il passa la plupart de son temps à l'étranger, à combattre les Français au cours de trois campagnes. La première, qui devait mener au siège d'Harfleur et à la bataille d'Azincourt, est la seule qui est évoquée dans la pièce. La seconde dura de 1416 à 1420, se termina par une paix de courte durée et par le mariage de Catherine et de Henry ; la troisième campagne, de 1421 à la mort du

5

roi en 1422, n'est pas évoquée par Shakespeare. La bataille d'Azincourt est en effet un point culminant de la carrière du roi, qui lui valut de renforcer son pouvoir à la cour. Avant Azincourt, il y avait eu Harfleur, la première campagne victorieuse de Henry en France. Les ambassadeurs français et anglais avaient passé des mois à négocier les provinces françaises que Henry V voulait rattacher à l'Angleterre : la Normandie, la Touraine, le Maine, l'Anjou, l'Aquitaine, le Poitou. Ces terres étaient déjà l'enjeu de la guerre menée par le grand oncle de Henry, Édouard, le Prince noir de Galles. Henry, le jeune roi soldat, savait qu'il possédait des forces et une ténacité suffisantes pour en obtenir le contrôle. À la fin de 1414 et au début de 1415, les ambassadeurs anglais revinrent de France sans être parvenus à l'accord que Henry avait exigé, et en prévenant que les Français commençaient à renforcer leurs défenses contre une attaque anglaise. Henry commença immédiatement à lever son armée. Au cours de ses préparatifs pour le débarquement, en juillet 1415, Henry découvrit une conspiration contre lui, impliquant quatre de ses lieutenants les plus proches. Edmond Mortimer, comte de March, Richard, comte de Cambridge, Sir Thomas Grey d'Heton (Northumberland), et Henry, Lord Scrope de Masham, confident du roi, furent exécutés en août 1415. Plusieurs raisons ont été avancées pour expliquer cette conspiration. La première : que Mortimer prétendait au trône ; mais les historiens estiment aujourd'hui que c'était Cambridge qui, pour des raisons financières et familiales, en était le principal instigateur.

Le port de Harfleur fut choisi comme point de débarquement, décision qui resta secrète puisque le principal port de Normandie n'était pas protégé par l'armée française quand Henry y débarqua. Henry fit le siège de la ville pendant cinq semaines, au cours desquelles il s'efforça de briser le moral de ses habitants, en empêchant tout approvisionnement et en bombardant les remparts. Le 22 septembre, les notables de Harfleur présentaient les clés de la ville au roi Henry. L'ordre que Henry donna de respecter les habitants fut suivi. Henry se mit ensuite à marcher vers Calais, mais il rencontra l'armée française.

AZINCOURT

Une pluie constante sur le chemin de Calais avait rendu les routes difficiles. Les six mille hommes de la troupe de Henry avaient parcouru néanmoins plus de trois cents kilomètres en dix-sept jours. Ils étaient fatigués, malades, le moral était au plus bas, et ils devaient faire face à une armée française bien armée et bien retranchée. Comprenant qu'ils devraient combattre, le soir du 24 octobre 1415, Henry ordonna le silence complet afin que ses soldats puissent se reposer. L'armée fut si calme que les Français pensèrent que les Anglais étaient partis. Le lendemain, après trois messes, Henry revêtit son armure, sans le heaume parce qu'il voulait que ses hommes voient son visage. Il harangua ses soldats, cinq mille archers et mille fantassins, qui allaient affronter vingt mille français. Son discours, à en croire l'auteur de la *Gesta*, faisait référence au fait qu'il n'était qu'un soldat et acceptait de mourir au combat, si telle devait être la volonté de Dieu.

Le champ de bataille avait la forme d'un coin de bûcheron. Les troupes anglaises en occupaient l'extrémité et les Français s'alignaient en arc de cercle. Henry donna l'ordre de ficher de grandes pointes de bois dans le sol afin de protéger ses arbalétriers, tandis que ses fantassins se préparaient au combat rapproché. Ce fut Henry qui prit l'initiative du combat. Chaque arbalétrier était capable de faire pleuvoir à peu près dix flèches à la minute sur les troupes françaises. Cette force de frappe considérable permit de repousser les Français jusqu'à la pointe du champ de bataille, ce qui eut pour effet de retrécir leurs rangs et de permettre aux Anglais de s'en rendre facilement maîtres. À mesure que les soldats français voyaient les corps de leurs camarades s'amonceler devant eux, ils battaient en retraite et se trouvaient soumis au feu des arbalètes. Au bout d'une heure, il fut évident que l'armée fatiguée de Henry avait gagné la bataille grâce à cette manœuvre habile. Sans l'arbalète, qui est capable de percer les armures, ce que ne peut faire un arc ordinaire, la victoire aurait été impossible. Malgré leurs fortes armures, un grand nombre de Français furent donc tués avant même d'avoir commencé à combattre. Mais le coup de grâce fut donné lorsque, contre tous les codes d'honneur, Henry ordonna qu'un certain nombre de prisonniers soient exécutés. Cette action avait deux objets : prévenir une contre-attaque des prisonniers, qui étaient plus nombreux que les Anglais, et signifier à la cour de France que Henry ne tolérerait aucun nouvel obstacle à ses revendications. La première campagne prit fin, et le retour de Henry en Angleterre fut triomphal.

LE MARIAGE AVEC CATHERINE

Le mariage de Henry et de Catherine de Valois, fille de Charles VI, eut lieu cinq ans après la bataille d'Azincourt et après la bataille de Rouen, la dernière grande bataille de Henry. Ce mariage venait conclure la deuxième campagne de France, au cours de laquelle Henry obtint toutes les provinces qu'il avait demandées à l'origine. Après de difficiles négociations avec la cour de France, il épousa Catherine au mois de mai 1420, se vit nommer Régent et la paix fut proclamée.

Cette paix fut de courte durée. En décembre 1421, alors que Catherine donnait naissance au futur roi Henry VI, Henry V était de nouveau en France pour une troisième et ultime campagne, tentant de prendre le contrôle de la ville de Meaux. Ce fut au cours de cette bataille que le roi tomba malade, épuisé par ses campagnes militaires. En août 1422, il était évident que son heure était proche. Il fit ajouter un codicille à ses dernières volontés, assurant à Catherine un solide revenu, et nommant les protecteurs de son jeune héritier âgé de huit mois. Il demanda également à être enterré dans l'abbaye de Westminster, l'église où il avait fait transférer en grande pompe les restes de Richard II. Il mourut à Vincennes le 22 août 1422, un mois avant l'anniversaire de ses trente-six ans.

LE *HENRY V* DE SHAKESPEARE : UNE HISTOIRE SYMBOLIQUE

RÉSUMÉ DE LA PIÈCE

À l'acte I, l'archevêque de Cantorbéry et l'évêque d'Ély tissent les louanges du nouveau roi et lui présentent les raisons de faire la guerre à la France. L'ambassadeur français est reçu, il est porteur d'un message hautain du dauphin de France ; il est renvoyé en France avec l'annonce d'un débarquement prochain de Henry V.

Dans la scène 1 de l'acte II, on découvre dans une rue de Londres de simples soldats issus du peuple, Bardolph, Pistolet et Filou. Après l'évocation bouffonne des travers de chacun et de leurs craintes face à la guerre qui se prépare, on apprend la maladie de Falstaff [1], le vieux compagnon de Henry avant qu'il ne devienne roi. À la scène 2 de l'acte II, le roi découvre le complot tramé contre lui par des proches et des confidents : Thomas, Richard et Henry ; il les condamne à mort et embarque pour la conquête de la France. La scène 3 nous ramène de Southampton à Londres, dans une taverne, où l'hôtesse apprend à Filou, Bardolph et Pistolet, la mort de Falstaff. À la scène 4 de l'acte II, Exeter annonce à la cour de France le débarquement de Henry sur le sol de France.

De fait, au prologue de l'acte III, nous découvrons le port de Harfleur assiégé par le roi Henry et, à la scène 2, nous assistons au discours de Henry V devant Harfleur au plus fort de l'assaut, cependant que, en contrepoint, la même scène nous est donnée à voir du côté des soldats qui combattent dans l'épaisseur de la bataille. Filou, Bardolph et Pistolet, sans être lâches, laissent parler leur peur et leur regret d'être au combat ; ils sont poussés en avant par le capitaine Fluellen. Enfin (scène 3), la ville chute et le roi ordonne que les habitants soient épargnés. La scène 4 nous transporte à Rouen, au palais du roi de France, où nous faisons connaissance de la reine Catherine, qui prend sa première leçon d'anglais. À la scène 5, la nouvelle que Henry a passé la Somme parvient au roi de France, lequel décide d'arrêter la marche de l'Anglais. La scène 6 est le théâtre d'échanges comiques entre Bardolph, Fluellen et Pistolet lors d'un combat en Picardie. On y voit aussi le roi en campagne, mener ses hommes, simples soldats ou officiers, avec vigueur, discipline et droiture. Enfin, c'est l'arrivée du messager du roi de France qui

---

1. Ce personnage, mentionné page 67 sous le nom de « Sir John », est présent dans les deux parties de *Henry IV* où il assure le registre comique. Sa disparition, dans *Henry V*, signe, selon Derek A. Traversi (« Henry the Fifth », *Scrutiny*, 1941), la transformation du roi qui abandonne les habitudes de sa folle jeunesse.

défie les Anglais. Henry répond qu'il ne cherche pas le combat mais qu'il ne se dérobera pas s'il doit combattre. La scène 7 de l'acte III opère un retour dans le camp français près d'Azincourt, et on écoute les propos plein de suffisance et de vanité qu'échangent le dauphin, le connétable, le duc d'Orléans et d'autres officiers.

L'acte IV débute dans le camp anglais, au cours de la veillée qui précède la bataille d'Azincourt. Les Anglais sont largement inférieurs en nombre, le roi encourage ses officiers, puis se retire pour prier. Suit une scène entre Pistolet, qui s'apprête à piller une tente, et le roi déguisé, que Pistolet ne reconnaît pas ; puis c'est le fameux dialogue entre le roi Henry et deux soldats, Williams et Bates : plaidoyer *pro domo* du roi et nouvelle justification de la guerre. La scène 2 de l'acte IV nous ramène dans le camp français qui présume de ses forces et montre un empressement désordonné à aller au combat. À la scène 3, on assiste à la célèbre harangue de Henry devant Azincourt. Puis la bataille débute : Pistolet fait prisonnier un soldat français, espérant en tirer quelque profit (scène 4) ; le camp français, totalement désorganisé, est en fuite (scène 5) ; dans le camp anglais, le duc d'Exeter fait le récit de la mort héroïque de Suffolk et du duc de York, cousin du roi (scène 6). Le roi donne l'ordre de tuer les prisonniers français, de peur qu'ils ne se rassemblent et contre-attaquent. À la scène 7, la défaite des Français est consommée. Le roi se révèle aux hommes qui ne l'avaient pas reconnu. La scène 8 de l'acte IV recense les morts du côté anglais et du côté français.

L'acte V nous transporte à nouveau dans le camp français où nous assistons à une scène de comédie entre les soldats anglais, Pistolet, Gower et Fluellen. Dans la scène 2, le roi Henry rencontre le roi de France ; le duc de Bourgogne intercède en faveur de la paix. La princesse Catherine est présentée au roi Henry, qui commence à la courtiser. La scène s'achève avec l'annonce du mariage entre Catherine et Henry, et la réconciliation des familles de France et d'Angleterre.

SHAKESPEARE ET L'HISTOIRE

Les idées politiques et religieuses qui guident l'historiographie de l'époque de Shakespeare sont complexes ; et la critique

shakespearienne a été souvent tentée de définir les drames historiques de Shakespeare comme autant de tentatives pour
mettre en forme une dialectique de l'ordre et du chaos, de
l'harmonie et du malheur. De fait, la notion d'ordre et le
triomphe final de cet ordre sont généralement considérés
comme les enjeux théoriques de ces pièces. On peut toutefois
s'interroger sur cette interprétation et, par exemple, à la suite
du livre de Jan Kott, *Shakespeare, notre contemporain* [1], montrer que :

> lorsque le nouveau prince est déjà parvenu tout près du trône, il
> traîne derrière lui une chaîne de crimes tout aussi longue qu'il y a
> peu de temps encore son prédécesseur légitime. Lorsqu'il coiffera
> la couronne, il sera tout aussi haï que l'autre. Il tuait ses ennemis,
> maintenant, il tuera ses anciens alliés. Et un nouveau prétendant au
> trône fait son apparition au nom de la justice violée. La boucle est
> bouclée [2].

Autrement dit, pour Jan Kott, ce n'est pas l'ordre qui prédo-
mine, mais le chaos comme principe, comme ordre caché : le
monde de Shakespeare serait le monde du chaos, ou à tout le
moins, un monde cruel dépeint sous la forme d'une épopée
négative. Cette perspective inhabituelle dans la critique shakespearienne nous conduirait à conclure que les individus royaux
ont moins d'importance que la nécessité qui préside à leur
ascension et à leur chute. L'idée de justice divine, les actes
nobles ou héroïques ne seraient là que pour créer l'illusion,
pour faire croire que l'Histoire et la politique sont subordon-
nées à des valeurs immuables. Une seconde conclusion s'ensuit
logiquement : l'idée même de valeur est un mensonge ; les
valeurs n'ont d'autre fin que de servir la violence, de la légitimer dans son déchaînement mécanique. Le roi est alors seulement celui qui s'aveugle au point de croire que sa « sublime »
personne pourrait mettre un terme à la violence qui s'est
déchaînée pour qu'il accède au trône. La naïveté du roi consiste,
en d'autres termes, à croire dans le caractère sacré de sa mission.

---

1. Jan Kott, *Shakespeare, notre contemporain*, Julliard, 1962, Petite Bibliothèque Payot, 1978.
2. *Ibid.*, p. 13.

Cette interprétation nous invite à analyser la conception de l'Histoire que Shakespeare met en œuvre dans ses drames historiques en portant une attention particulière à la représentation et à la définition des conflits, de leurs domaines, des situations dans lesquelles ils émergent, des personnes qui les présentent et, enfin, elle conduit à se demander pour quelle raison le théâtre reste chez Shakespeare en réalité ce qu'il est depuis toujours : un art de la représentation du conflit entre les hommes d'une part, mais également, entre les hommes et les lois qui les dépassent d'autre part.

Parce qu'il est un art qui met en correspondance le « dire », le « faire » et le « montrer », le théâtre interroge tous les domaines de l'action humaine et l'Histoire, puisqu'elle n'est pas complètement régie par un ordre, ni constamment désorganisée par le chaos, est le lieu de cette action humaine qui cherche à se définir et à se comprendre. Les prologues de chaque acte de la pièce évoqueront, parfois pour s'en excuser, la manière dont la scène théâtrale *concentre* le temps de l'Histoire réelle afin de se l'approprier.

Le théâtre sert donc à donner une *visibilité* à l'Histoire. Grâce au théâtre, la souveraineté va prouver qu'elle est visible, elle va se donner *ici et maintenant* son théâtre. Ainsi le double corps du roi – concret et symbolique à la fois [1] – sera-t-il visible ; ainsi l'Histoire quittera-t-elle le domaine de l'abstrait.

Shakespeare n'est pas un historien au sens moderne du terme. L'Histoire pour lui n'est pas une science, même pas un récit exact. C'est un réservoir de poésie, de thèmes, d'intrigues propres à attirer un public. L'Histoire des deux siècles qui ont précédé son époque a été sanglante et mouvementée, amplement racontée dans les chroniques de l'époque : *The Union of the Two Noble Families of Lancaster and York* (1548) d'Edward Hall et *The Chronicle of England, Scotland and Ireland* (1578-1587) de Raphaël Holinshed. Ces chroniques sont d'inspiration protestante et patriotique, ce qui influe grandement sur leur présentation du conflit avec la France.

---

1. Sur cette notion, on lira le dossier, p. 252-255.

LE SENS DE LA LOI SALIQUE

Ce n'est que dans la chronique de Holinshed qu'on trouve une référence à l'existence d'une loi salique. La loi salique, c'est-à-dire qui appartient au corps de loi des Francs Saliens [1], dispose que, lorsqu'un homme laisse des enfants, les mâles succèdent à la terre salique au préjudice des filles. Particulièrement, c'est une disposition qui exclut les femmes de la couronne de France, et qui fut consacrée lorsque la ligne directe des Capétiens manqua, et que les Valois furent appelés au trône. Dans *Henry V*, la loi salique est liée au problème de l'Église d'Angleterre, au temps où cette Église était encore catholique et, explicitement chez Shakespeare, à la question de la concurrence entre l'Église et l'État. La loi salique est le motif explicite de la guerre que Henry V va mener contre la France. L'Angleterre conteste aux Français le droit de faire valoir la loi salique, c'est-à-dire le droit de refuser à une femme de devenir souveraine. En posant ce problème, Shakespeare est d'emblée entendu à son époque : le fait qu'une femme soit interdite de règne est inadmissible pour un spectateur anglais qui a appris à vouer un culte virginal à la reine Elizabeth Ire. En contestant la loi salique brandie par les Français, Henry V semblait élaborer, avant la lettre, l'ordre Tudor qui a triomphé avec cette reine [2].

Comme l'argumentation est complexe, il faut en voir l'intégralité :

> Et la terre salique, prétendent faussement les Français, serait le royaume de France, et Pharamond le fondateur de cette loi qui exclut les femmes. Mais leurs propres auteurs affirment justement que la terre salique est en Allemagne, entre les cours du Sala et de l'Elbe. C'est là que Charles le Grand réduisit les Saxons, laissant derrière lui quelques Français établis, lesquels, tenant en dédain les femmes allemandes en raison de leurs mœurs parfois déshonnêtes, émirent cette loi que les femmes n'hériteraient jamais sur la terre salique ; mais la salique, entre Elbe et Sala, je l'ai dit, s'appelle à présent Meissen en Allemagne. Il appert donc bien que cette loi salique ne fut point inventée pour le royaume de France [3].

---

1. Peuplade germanique qui, à la veille des grandes invasions, occupait les régions couvrant l'actuel Benelux.
2. La lignée Tudor, en effet, est issue de Catherine de Valois.
3. I, 2, 40-55, p. 42-43.

On observe que ce motif est présenté au roi par deux personnages d'une Église qui était catholique à l'époque. Or, Shakespeare écrit après la réforme protestante, dans un climat où, pour un Anglican, l'ennemi n'est pas tant la France que la papauté dans toute l'Europe, et surtout en Espagne. Il faut donc avancer avec prudence dans l'analyse des intentions de Shakespeare sur ce point.

1. Le rétablissement de l'anglicanisme pendant le règne d'Elizabeth a rendu le catholicisme illégal. Donc, lorsque Shakespeare parle d'une époque où le roi était catholique – ce qui était le cas sous Henry V –, il ne se prive pas d'insérer une discrète critique de l'Église passée de l'Angleterre, et de justifier l'esprit de la réforme protestante. Les références au catholicisme romain sont claires dès le début de la pièce : l'archevêque de Cantorbéry et l'évêque d'Ely font en sorte que le roi ne mette pas à exécution une loi qui remonte à Henry IV, et par laquelle l'Église pourrait perdre la plus grande partie de ses possessions au profit de la couronne. Pour détourner l'attention du roi, l'archevêque aborde des questions non plus nationales mais étrangères, et trouve le prétexte de la loi salique devant le roi récemment couronné. Cette loi spécifie en effet que certaines terres qui, selon la lignée, devraient être anglaises, sont françaises. Or ces terres sont à elles seules bien plus riches que les biens de l'Église confiscables par la couronne suivant le décret de Henry IV. Le roi consent donc à oublier les biens de l'Église et à déclarer la guerre à la France pour reprendre les terres saliques (I, 2, 33-114).

Ces scènes d'introduction contiennent une critique de l'Église catholique, d'abord soucieuse de protéger ses propres intérêts. En d'autres termes, la guerre avec la France, et donc le drame *épique* du roi guerrier, commence par un mensonge : l'archevêque dirige Henry non pas vers Dieu, mais, par diversion, sur la France. Il y a dans ce coup d'envoi du drame de quoi prendre une distance critique avec les motifs de l'Histoire que Shakespeare s'apprête à représenter.

2. Les tirades de Cantorbéry et d'Ely s'achèvent par l'évocation du Prince noir de Galles [1] et de sa victoire à Crécy (I, 2, v. 107-110). Rappelons que la bataille de Crécy, qui a eu lieu en

---

1. Voir la lignée des rois d'Angleterre, p. 280.

1346, a été le tournant de la première partie de la guerre de Cent Ans. Il s'agit ni plus ni moins pour Henry V, en 1414-1415, de régler les conflits territoriaux et commerciaux que cette guerre n'a pas encore pu résoudre.

La nature exacte de ces conflits n'intéresse pas Shakespeare, qui choisit de les replacer sous le vocable de « tragédie » [1]. Ce mot, précisément, fait référence à la poésie de la guerre, si l'on entend par là que la guerre est l'occasion d'un chant épique, qui lui-même donne voix à la dimension symbolique du conflit. Shakespeare se fait ici le porte-voix de ce sentiment poétique des temps passés qui affecte l'imaginaire de la Renaissance [2], de ce temps où les événements appartiennent encore au balbutiement de ce que deviendra ultérieurement l'Histoire. Le passé est d'autant plus impressionnant, et donc d'autant plus susceptible de constituer un exemple qu'on peut dire de lui qu'il « joue une tragédie », qu'il a quelque chose de brutalement poétique.

Dans la rudesse de la référence passée se construit l'exemplarité de l'action contemporaine. Ainsi, dans la rudesse « tragique » du Prince Noir de Galles, Henry V a puisé les raisons de son action, et ainsi de suite, dans la rudesse « héroïque » de Henry, Shakespeare va placer la légitimité de l'ordre Tudor.

De fait, dans un tel horizon de pensée, il semble qu'il y ait toujours un archaïsme poétique que, d'un même acte, la création artistique et l'action politique doivent retrouver pour exister. Ce sentiment est par exemple encore présent chez Macaulay, historien du XIXe siècle triomphant, lorsqu'il évoque le pouvoir royal du Moyen Âge dans les termes d'un « art poétique » [3] balbutiant :

> C'est seulement dans une époque raffinée et spéculative qu'une politique se construit sur un système. Dans les sociétés encore grossières, le progrès du gouvernement ressemble au progrès de la langue et de la versification. Ces sociétés ont une langue, et souvent une langue riche et énergique ; mais elles n'ont aucune science grammaticale [...] elles ont une versification d'une grande puissance et d'une grande suavité, mais elles ne possèdent aucun canon

---

1. Explicitement en I, 2, 106, p. 44-45.
2. Voir « L'héroïsme de Henry V », p. 17-22, et dossier, p. 267-273.
3. Voir dossier, p. 261-265.

métrique. [...] De même que l'éloquence existe avant la syntaxe, et longtemps avant la prosodie, de même l'art de gouverner peut exister à un haut degré d'excellence bien avant que les limites des pouvoirs judiciaire, législatif et exécutif aient été tracées avec précision [1].

Autrement dit, la relative obscurité du sens qu'il faut donner à la loi salique fait globalement partie de ce sentiment poétique du Moyen Âge, où les lois ne valent pas tant pour ce qu'elles mettent en ordre réellement que pour ce qu'elles esquissent dans la pensée et la pratique d'un nouvel ordre. La question en filigrane est celle d'une loi, ou d'un texte, qui rende enfin *visible*, très exactement comme dans un théâtre, la personne du souverain. C'est aussi ce que semble suggérer la réplique suivante de Cantorbéry :

Ils voudraient *brandir la loi* salique pour s'opposer aux prétentions de votre altesse par les femmes, aimant mieux se cacher dans un brouillamini, que *montrer au grand jour* leurs titres contrefaits, usurpés sur vous et vos ascendants [2].

3. De la même façon qu'il faut, pour ainsi dire, conquérir la poésie obscure du haut Moyen Âge pour montrer au grand jour la modernité qui s'y est esquissée, il faut, pour effectuer un changement d'époque, parvenir à rompre la fausse continuité des temps passés. Ainsi, la question de la loi salique est la question de la paternité (dont on sait qu'elle est improuvable même quand elle est probable). C'est donc la question des mœurs féminines qui est posée. La reine Catherine n'est pas et ne sera pas susceptible de mœurs déshonnêtes. Elle est à elle seule la contradiction de la loi salique [3]. Avec elle commence une époque de l'Histoire où la paternité est assurée dans le mariage royal et où la question de la loi salique ne se pose plus.

---

1. Macaulay, *History of England*, t. I : *Before the restoration*, chapitre 1, Londres, Longman, 1852, p. 28 ; nous traduisons.
2. I, 2, 91-95, p. 44 ; nous soulignons.
3. Voir le dossier, p. 255-260.

L'« HÉROÏSME » DE HENRY V

LA FAUTE ORIGINELLE

La pièce se passe presque uniquement sur les champs de bataille ou dans les camps des soldats. Les trois premiers actes sont dominés par un patriotisme caractérisé. Le roi ne manque ni de morgue ni d'orgueil. L'ennemi français est ridiculisé. Il est vaniteux, sûr de sa victoire face à une armée anglaise trois fois moins nombreuse, mais certaine de son bon droit, même au plus profond de sa peur. Il faut toutefois remarquer ici qu'avant la bataille (IV, 1), une transformation s'opère chez le roi Henry V, qui humanise le personnage. Henry passe la nuit en prières, puis il se promène parmi ses soldats et se mêle à eux, les appelant ses frères. Il demande à Dieu d'oublier la faute de son père, Bolingbroke, l'usurpateur de la couronne :

> Pas aujourd'hui, Seigneur, oh, ne pense pas aujourd'hui à la faute commise par mon père en prenant la couronne [1].

Par son attitude, le roi Henry V tente de racheter ses origines. L'humanité de Henry V est celle d'un homme déchu, qui demeure le fils d'un usurpateur. Le poids écrasant de sa charge à la veille de la bataille participe, certes, du souci de préserver la vie humaine des soldats qui vont combattre, mais il trahit surtout cette sourde culpabilité. Même dans une œuvre où le règne de Henry V est magnifié et où la propagande lancastrienne est évidente, c'est encore la culpabilité qui occupe l'arrière-plan. Du reste, l'histoire de *Henry V* n'est pas ici un pur combat pour le bien ou la justice, mais l'enchaînement proprement tragique des conflits pour la domination et le pouvoir sur les hommes et leurs cités. C'est pourquoi Shakespeare a présenté, à travers la figure de Henry V, un roi « religieux » qui tente une expiation. Au cours de cette scène, entre prière et méditation, le roi invoque le « Dieu des batailles » et lui demande de conduire ses soldats à une victoire qu'il est seul à pouvoir permettre. Henry rappelle à Dieu ses actes concrets de dévotion et d'expiation :

---

1. IV, 1, 272-274, p. 160-161.

Je verse un salaire annuel à cinq cents pauvres qui, deux fois le jour, lèvent leurs mains ridées vers le ciel pour le pardon du sang ; et j'ai construit deux chantreries où les prêtres graves et solennels chantent sans cesse pour l'âme de Richard [1].

L'homme perce derrière Henry V, qui parle à Dieu, et lui parle directement, sans l'aide d'un prêtre, rappelant la posture et la sensibilité spirituelles du protestantisme – ce qui ne pouvait que séduire un auditoire anglican.

LA GESTE DU ROI GUERRIER

Les discours que Shakespeare a placés dans la bouche de Henry sont autant de métaphores où le personnage s'*expose* comme roi, comme soldat, comme ami, comme frère. Lors de celui qu'il prononce devant Harfleur, Henry se divise en plusieurs personnages. Il devient l'« ami » de ses soldats et leur demande de se joindre à lui, et non pas de le suivre. Puis il leur donne le conseil suivant : pour faire la guerre, il faut être comme des « tigres », c'est-à-dire déchaîner les forces animales de la nature, se rapprocher de la sauvagerie des éléments (être comme l'« océan furieux et dévastateur »). Non seulement le roi est un soldat, mais comme tout soldat, il doit rechercher la bête en lui.

Le discours développe ensuite le thème nationaliste : les Anglais nobles et aguerris avancent aux côtés des Gallois, des Irlandais. Tous forment le même pays, si fortement uni qu'il peut apprendre à faire la guerre à n'importe quel pays. Il souligne que tous les hommes présents sont d'ancienne lignée, que leur sang est courageux, qu'ils sont les fils de ces pères qui, « comme autant d'Alexandre », ont combattu dans les mêmes lieux trente ans auparavant. Enfin, il en appelle aux « braves campagnards (*yeomen*) d'Angleterre, leur demandant de montrer leur vertu et leur force. Par là même, il affiche qu'il les traite sur un pied d'égalité, qu'il est proche de son peuple, pour ainsi dire, un Anglais moyen.

Le roi n'évoque sa personne royale qu'à la fin de sa harangue, et pour demander, de façon significative, que Dieu soit avec « Harry, l'Angleterre et saint Georges », c'est-à-dire avec lui

---

1. IV, 1, 279-283, p. 160-161.

comme Anglais moyen, ensuite avec l'Angleterre qui est la synthèse nationale de tous les soldats et de leurs pays de naissance, et enfin avec le saint qui les protège tous. Dans cette scène, le roi guerrier trouve donc une forme de triple légitimité : humaine, nationale et sacrée à la fois, du plus bas vers le plus haut.

Cependant, la tirade, à y regarder de plus près, n'est pas une pure et simple glorification du roi héros. Le thème patriotique est développé dans les vers déclamatoires et peu subtils des chœurs qui n'ont guère d'autre fonction que de résumer l'opinion publique commune. Parfois certains traits ne sont pas dénués d'ironie ; ainsi le deuxième chœur (« Voici que la jeunesse de l'Angleterre est tout en feu, et les soieries du plaisir reléguées dans l'armoire. Voici que prospèrent les armuriers, et que l'idée de l'honneur règne sans partage au cœur de chaque homme [1] ») est suivi de la scène où Bardolph, Filou et Pistolet se rencontrent. Pistolet est celui qui dit :

> Compagnons d'armes, en France, comme des sangsues, les gars, pour sucer, pour sucer, pour sucer jusqu'au sang [2] !

Il faut pas accorder trop d'importance à la signification sociale de personnages comme Pistolet, Bardolph ou Filou ; ils sont d'abord des personnages comiques. Bates et Williams sont de leur côté des représentants typiques de la soldatesque, mais Shakespeare les a délibérément placés, et c'est avec une évidente ironie, parmi cette « fine fleur des cavaliers » célébrée dans le troisième prologue (prologue de l'acte III, 24). Après la guerre, la destinée du soldat n'est pas toujours glorieuse :

> Je me fais vieux, et de mes membres las l'honneur est chassé à coups de gourdin… Bah, je vais me lancer dans la débauche, non sans donner un peu dans le genre du coupe-bourse à la main leste [3].

Une ironie assez similaire est perceptible dans la longue adresse de Henry aux citoyens de Harfleur, où perce aussi le désaccord de Shakespeare. Ce passage, en effet, ne dissimule guère les termes d'une condamnation morale de la guerre :

---

1. Prologue de l'acte II, 1-5, p. 54-57.
2. II, 3, 46-48, p. 80-81.
3. V, 1, 76-78, p. 214-215.

[…] les portes de la merci seront murées toutes, et le soldat endurci, brutal et rude de cœur ira au gré de sa main sanguinaire, la conscience vaste comme l'enfer, fauchant comme herbe vos belles vierges fraîches et vos enfançons en fleur. Que m'importe, à moi, que la guerre impie, en ses atours de feu semblable au prince des démons, exécute avec son visage souillé tous les actes hideux qui escortent la ruine et la désolation ? […] Comment briser la néfaste licence quand elle dévale la pente dans sa course éperdue [1] ?

Certes Henry tente ici de dissuader les gens de Harfleur de se défendre et, dès que la ville sera prise, son premier ordre sera d'épargner toute sa population, mais Shakespeare dépeint bel et bien les horreurs de la guerre, dans leurs aspects les plus terribles. Le dramaturge ne perd pas une occasion de rappeler aux spectateurs qu'il y a plus d'une manière de réagir à une victoire militaire, et plus d'une manière de la comprendre. On peut par exemple juxtaposer les interprétations française et anglaise de l'ancienne bataille de Crécy afin de les comparer :

CANTORBÉRY. […] Édouard, le prince noir, qui sur le sol de France joua une tragédie, infligeant défaite à toute l'armée française, quand son puissant père, debout sur un coteau, souriait de voir son lionceau se repaître du sang de la noblesse française […] [2].

LE ROI DE FRANCE. […] Édouard […], le noir prince de Galles, cependant que son père, cette montagne dressée contre le ciel sur la montagne, couronné de l'or du soleil, voyait son héroïque postérité (et riait à sa vue) ravager l'œuvre de la nature et défigurer les modèles que Dieu et des pères français avaient formé en vingt années […] [3].

La différence d'appréciation tient entre le « se repaître » et le « défigurer ». Elle sépare l'idéal limité et inadéquat d'une virilité encore immature et celui, accompli et mélancolique, du guerrier plus mûr qui connaît l'horreur des massacres. C'est à l'aune de ses regrets et de son effroi devant la guerre que se mesure la vraie sagesse du guerrier. Ici, elle est plutôt du côté du roi de France.

La première harangue de Henry devant Harfleur – « Encore un coup sur la brèche, les amis, encore un coup ! » (III, 1, 1, sq.) –

---

1. III, 3, 10 sq., p. 104-105.
2. I, 2, 105 sq., p. 44-45.
3. II, 4, 56 sq., p. 84-85.

est un exemple de cette « immaturité ». Mais les défauts de ce discours sont intéressants parce qu'ils montrent l'écueil que doit absolument éviter le poète-dramaturge pour que sa pièce acquière une qualité et une dimension poétiques.

Cette harangue est *rhétorique* au mauvais sens du terme ; les images y sont forcées et dépourvues d'enchaînements naturels, elle ne soutient pas la comparaison avec celle que le roi adressera à ses hommes avant la bataille d'Azincourt (IV, 3). C'est pourtant cette première harangue qui est la plus célèbre, celle qui a le mieux *idéologiquement* réussi à incarner l'attitude d'un roi héroïque ; c'est-à-dire qu'elle est bien effectivement exemplaire d'une certaine politique de la royauté : la cruauté est nécessaire pour que le roi prenne une dimension littéralement surhumaine, et se confirme dans la figure de ce que les historiens et les philosophes appellent le double corps du roi.

Mais cette figure du roi héroïque sera balayée par le discours essentiel de la pièce : celui du duc de Bourgogne en faveur de la paix. En défendant, non pas simplement une paix équilibrée qui ferait purement et simplement suite à une guerre qui a justement rééquilibré les forces opposées, mais une paix qui a été *poétiquement* élargie aux figures du cosmos, le duc de Bourgogne se fait, quoique de manière discrète, le porte-parole de Shakespeare :

> Maintenant que mes efforts ont prévalu au point que face à face, les yeux dans les yeux, vous vous soyez salués en rois, qu'on ne me tienne pas rigueur si je demande en cette royale assistance quel obstacle, quel empêchement s'oppose à ce que la paix, nue, pauvre et déchirée, chère source des arts, de l'abondance, des joyeuses naissances, vienne, en ce plus beau jardin du monde qu'est notre France fertile, montrer son visage adorable ! Hélas, voici trop longtemps qu'elle est chassée de France et que toutes ses récoltes amoncelées pourrissent par leur propre fertilité. Sa vigne, joyeux réconfort du cœur, faute d'être émondée, périt ; ses haies, régulièrement taillées, lancent, comme des prisonniers hérissés de cheveux fous, des brins désordonnés […]. Et de même que nos vignes, nos jachères, nos haies, nos prés, infidèles à leur nature, retournent à l'état inculte, de même aussi, nos maisons, nos personnes et nos enfants, oublient ou n'apprennent pas, faute de temps, les connaissances qui devraient orner notre pays ; ils poussent en sauvages, comme les soldats qui ne font que ruminer des pensées de sang […]. C'est pour nous redonner notre ancien visage que vous êtes réunis, et mon discours

21

implore qu'on me dise quel obstacle empêche la gente Paix de bannir pareils maux pour nous rendre ses vertus bénies de jadis [1].

Une paix « cosmique » doit remplacer un apaisement « idéologique ». Ce très beau passage, à la fois fluide et riche, nous livre un discours plus poétique qu'idéologique, lequel est exempt des sentiments affectés qui pesaient sur le discours de Harfleur, et présente encore l'idéal d'une civilisation positive qui ne serait pas une abstraction mais une réalité de la culture (aussi bien du sol que de l'esprit) dans laquelle cette civilisation peut s'incarner.

Derrière ce discours, il y a une conception de la vie qui est typique de la Renaissance : il s'agit de redonner à l'homme son « ancien visage » comme dit la traduction française (v. 63), c'est-à-dire de retrouver cette « favour » que mentionne le texte anglais. « Favour » signifie à la fois « aspect », « visage », « bonté », « charme », « faveur », « latitude » et enfin « pardon ». Cette polysémie est typiquement renaissante. L'homme vrai, au sens de la Renaissance, possède un visage privilégié, il a retrouvé la faveur dont il jouissait à l'âge d'or. Dans ce texte, du reste, la métaphore de la culture est une métaphore filée de l'âge d'or. Il s'agit ici également d'inclure la force naturelle dans le plan d'une forme et d'une organisation divines de la vie ; de la vie humaine spirituelle et naturelle *à la fois*, telle que le platonisme et l'humanisme de la Renaissance l'ont imaginée.

LE ROI N'EST QU'UN HOMME

Henry V ne saurait donc être considéré comme une apologie ou une glorification du roi héros et guerrier. L'humanité du roi fait le sol de son héroïsme. Le critique Derek Traversi [2] juge justement le drame lorsqu'il laisse entendre que l'effet de la pièce est de mettre en relief certaines contradictions, humaines et morales, qui semblent être inhérentes à la notion de grand roi. Même si Shakespeare montre la camaraderie qui naît entre les compagnons qui vont partager un danger extrême, s'il met en évidence les qualités de promptitude d'un grand général

---

1. V, 2, 29 *sq.*, p. 216-219.
2. Derek A. Traversi, « Henry the Fifth », *Scrutiny*, IX, 1941.

d'armée et la proximité qu'il doit avoir avec ses hommes, il n'y a pourtant qu'une scène au cours de laquelle Henry devient un personnage véritablement sympathique (si – ou parce que – nous ne sommes pas en accord avec lui), et c'est la scène qui ouvre l'acte IV, dans laquelle le roi dans l'obscurité parle avec ses hommes avant la bataille d'Azincourt. Arrêtons-nous un instant à cette scène capitale.

Les thèmes ressemblent à ceux de la harangue de Harfleur ; mais le contexte est différent. Les soldats sont épuisés, les Français sont très supérieurs en nombre. La situation semble mal engagée, et la peur s'est installée dans le camp anglais. Voici qu'on parle çà et là de déserter. Henry part des sentiments de peur et s'en sert comme d'un miroir pour montrer à ses soldats que l'envers de la peur s'appelle l'honneur. Il parle seulement de l'honneur de combattre, et n'évoque pas l'honneur de la victoire — c'est là un trait génial de rhétorique. En avouant devant ses hommes qu'il désire l'honneur, il commet le péché capital d'orgueil : « [...] mais si c'est pécher que de convoiter l'honneur, je suis l'âme la plus coupable qui soit en vie » [1] ; il prend en charge tout l'orgueil de ses hommes qui n'osent pas avouer qu'ils ont ce même désir. Qu'est-ce que le roi-héros exprime par là ? — que l'Histoire est l'affaire de tout individu, pourvu que celui soit présent et soucieux de son honneur.

Harry exalte cet orgueil qui consiste à pouvoir dire « j'y étais ». Ce jour de la Saint-Crépin, ce jour comme les autres, se transforme en jour sanctifié par le combat, pas forcément par la victoire :

> Qui survivra à ce jour, et rentrera sauf chez lui, se dressera de tout son haut quand on invoquera ce jour, et se ranimera au nom de Crépinien [2].

Tous ceux qui vont combattre sont sanctifiés ; ils sont tous des rois, tous des frères du roi, frères de sang :

> Quiconque aujourd'hui verse avec moi son sang sera mon frère : si roturier qu'il soit, cette journée l'anoblira [3].

---

1. IV, 3, 28-29, p. 168-169.
2. IV, 3, 41-43, p. 170-171.
3. IV, 3, 61-62, p. 170-171.

Le discours de Harfleur (nous sommes tous des hommes moyens sous la bannière de l'Angleterre et de la religion) est accompli et inversé par celui d'Azincourt (nous sommes tous des rois). Ce renversement sublime est caractéristique de l'épopée incarnée par un héros national et individuel à la fois. Le héros est un symbole parce qu'il est, dans le même temps, fidèle à lui-même jusqu'à accepter de mourir, et qu'il incarne le groupe de ceux qui se sont identifiés dans un même destin, fût-il celui d'une mort collective.

Mais, sur ce point, Shakespeare n'hésite pas à faire ressortir les contradictions du personnage, en laissant parler, au côté du roi déguisé, un simple soldat :

> BATES. Il peut bien montrer tous les dehors du courage qu'il voudra ; mais je crois que, pour froide que sera la nuit, il aimerait mieux se trouver dans la Tamise jusqu'au cou ; et moi aussi j'aimerais qu'il y fût, et moi avec lui, quoi qu'il en advienne, du moment que nous serions tirés d'ici [1].

La conversation entre Bates et Henry est à la fois simple, éloquente et pleine de détails implicites. Elle montre le dilemme devant lequel se trouve un gouvernement quand la force devient l'instrument nécessaire de sa politique. Ce dilemme est réel, il n'a pas de solution simple. Lorsque le roi affirme que sa cause est juste et honorable, Williams l'interrompt (« Pour cela, nous n'en savons rien » [2]) et insiste longuement sur la grave responsabilité morale du chef de guerre :

> Mais si la cause n'est pas bonne, le roi lui-même aura de sérieux comptes à rendre, quand tous ses bras, ses jambes, ses têtes tranchées dans la bataille s'assembleront au jugement dernier, et crieront de concert [...] Si ces gens-là n'ont pas une bonne mort, il en cuira au roi qui les y a conduits, car lui désobéir serait contraire à tous les principes de la hiérarchie [3].

Henry tente de répondre, par des arguments qu'il serait trop long de citer ici, mais qui le mènent à cette conclusion :

> Les services de chaque sujet appartiennent au roi, mais l'âme de chaque sujet est son bien propre [4].

---

1. IV, 1, 112 *sq.*, p. 150-151.
2. IV, 1, 122, p. 152-153.
3. IV, 1, 126 *sq.*, p. 152-153.
4. IV, 1, 165-166, p. 154-455.

La mort individuelle du soldat ne concerne que ce soldat. Ce discours est d'impeccable théologie ; mais l'ensemble des arguments ne résout pas les interrogations et les angoisses. Les analogies qu'utilise Henry pour sa démonstration sont imparfaites : le maître qui envoie son serviteur faire un voyage au cours duquel ce serviteur est tué ne peut pas être l'équivalent d'une situation de guerre. Le roi demande à ses sujets de combattre, non pas de craindre d'éventuels bandits de grands chemins. L'argumentation s'interrompt pourtant avec le défi du gant et le célèbre monologue du roi, qui résume l'essence véritablement *tragique* de la royauté sur un ton sarcastique ou héroïque – ou les deux à la fois :

> Sur le roi ! De notre vie, de notre âme, de nos dettes, déchargeons-nous sur le roi ! Il nous faut tout endosser. Oh rude condition, sœur jumelle de la grandeur, exposée au souffle du premier venu qui ne ressent rien d'autre que ses propres coliques [1] !

Toutefois, le ton évolue et le monologue se termine sur la vision nostalgique d'une vie qui serait exempte de toute responsabilité ; car à la fin le roi seul est détenteur de la responsabilité, d'une responsabilité infinie, écrasante, qui ne se suspend jamais. Henri Fluchère [2] remarquait que tout en faisant les concessions nécessaires au sentiment patriotique, Shakespeare nous laisse voir que le problème politique, lié au problème moral, est loin d'être résolu par une campagne militaire victorieuse. En réalité, le problème politique, conçu purement et simplement dans les termes de la politique, est un problème insoluble [3].

En tout état de cause, Shakespeare reconnaît dans l'Histoire les questions les plus profondes de la nature humaine. Les pièces politiques de Shakespeare ont une qualité distinctive : elles participent de l'exploration de l'humain, une exploration de plus en plus profonde et fine, et qui conduit jusqu'aux

---

1. IV, 1, 211-217, p. 158-159.
2. *Shakespeare, dramaturge élizabéthain*, Gallimard, 1966.
3. Dans *Jules César*, écrit la même année que *Henry V*, et qui est moins assujetti au thème patriotique puisque l'action se déroule dans la Rome antique, Shakespeare abordera à nouveau les contradictions et les illusions impliquées dans l'action politique. Il sacrifiera César sur l'autel des apories du politique.

grandes tragédies. En 1601, *Hamlet* répondra à *Henry V* dont il approfondira les questions irrésolues en 1599. Le problème politique est ici la partie révélatrice et la plus insoluble du problème plus vaste de l'essence de l'homme.

Le mélange complexe des tons dans la pièce – de l'épopée de la conquête à la comédie en passant par l'arrière-plan tragique – tend à montrer que la sensibilité morale et l'action politique sont difficilement conciliables. Les implications de ce divorce sont un signe de la tragédie subtile de *Henry V*, et non point le signe que Shakespeare souhaite condamner Henry au nom de la morale. S'il s'agit de définir ce qu'est l'héroïsme de Henry, on voit bien que le roi est contraint par sa fonction à montrer des qualités qui confinent à l'inhumain. Mais l'inhumanité n'est pas une vocation, c'est une contrainte consciente. Lorsque, dans la scène première de l'acte IV, Henry débat des implications de la fonction royale avec Williams et Bates, il s'approche de l'esprit des grandes tragédies shakespeariennes :

> le roi n'est qu'un homme comme moi ; la violette a pour lui même parfum que pour moi ; le ciel même aspect à ses yeux qu'aux miens ; tous ses sens n'ont que des propriétés humaines ; ses pompes dépouillées à l'état de nudité, on ne voit plus en lui qu'un homme ; et bien que ses désirs planent plus haut que les nôtres, pourtant quand ils s'abattent, ils s'abattent d'une aile pareille [1].

L'argumentation est universelle ; elle dépasse la question de la royauté. La cérémonie royale est peut-être vide, et l'allégeance une demande disproportionnée au regard de la vérité humaine. La royauté est soumise en tout état de cause à la finitude humaine. Dans le meilleur des cas, le roi est vainqueur et contracte un mariage heureux qui nous fait entrer dans le théâtre de la comédie. Mais la comédie n'invalide pas la présence du tragique, tout juste peut-elle l'accompagner le plus longtemps possible. Shakespeare est le grand maître de cet accompagnement. Le héros est un être fini, comme tous les soldats sacrifiés. Derrière « Henry » s'annonce déjà le nom de « Hamlet ».

Éric DAYRE.

---

1. IV, 1, 97-102, p. 150-151.

HENRY V

The scene: first England, then France.

CHARACTERS IN THE PLAY

Chorus.
KING HENRY *the Fifth.*
HUMPHREY, DUKE OF
GLOUCESTER
JOHN OF LANCASTER, DUKE   } *brothers to the king.*
OF BEDFORD
THOMAS OF LANCASTER,
DUKE OF CLARENCE
DUKE OF EXETER, *uncle to the king.*
DUKE OF YORK, *cousin to the king, formerly Aumerle.*
EARLS OF SALISBURY, WESTMORELAND,
and WARWICK.
ARCHBISHOP OF CANTERBURY.
BISHOP OF ELY.
EARL OF CAMBRIDGE.
LORD SCROOP.
SIR THOMAS GREY.
SIR THOMAS ERPINGHAM, GOWER, FLUEL-
LEN, MACMORRIS, JAMY, *officers in King Henry's
army.*
BATES, COURT, WILLIAMS, *soldiers in the same.*
PISTOL, NYM, BARDOLPH.
BOY, *a Herald.*
CHARLES *the Sixth, King of France.*
LEWIS, *the Dauphin.*

La scène se passe d'abord en Angleterre, puis en France.

PERSONNAGES

Le Chœur.

LE ROI HENRY V *d'Angleterre.*

ONFROI, *Duc de Gloster.*

JEAN DE LANCASTRE, *Duc de Bedford.*

THOMAS DE LANCASTRE, *Duc de Clarence.*

} *frères du Roi.*

LE DUC D'EXETER, *oncle du Roi.*

LE DUC D'YORK, *cousin du Roi, précédemment Duc d'Aumerle.*

LES COMTES DE SALISBURY, DE WESTMORELAND ET DE WARWICK.

L'ARCHEVÊQUE DE CANTORBERY.

L'ÉVÊQUE D'ELY.

LE COMTE DE CAMBRIDGE.

LORD SCROOP.

SIR THOMAS GREY.

SIR THOMAS ERPINGHAM, GOWER, FLUELLEN, MACMORRIS, JAMY, *officiers de l'armée du Roi Henry.*

BATES, COURT, WILLIAMS, *soldats de la même armée.*

PISTOLET, FILOU, BARDOLPH.

Un valet. Un héraut.

CHARLES VI, *Roi de France.*

LE DAUPHIN LOUIS.

DUKES of BURGUNDY, ORLEANS, BRITAINE and BOURBON.
The Constable of France.
RAMBURES, and GRANDPRÉ, *French Lords.*
Governor of Harfleur.
MONTJOY, *a French herald.*
Ambassadors to the King of England.
ISABEL, *Queen of France.*
KATHARINE, *daughter to Charles and Isabel.*
ALICE, *a lady attending upon her.*
Hostess, formerly MRS. QUICKLY, *now Pistol's wife.*
Lords, Ladies, Officers, French and English Soldiers, Messengers, and Attendants.

30

LES DUCS DE BOURGOGNE, D'ORLÉANS, DE BRETAGNE ET DE BOURBON.
Le Connétable de France.
RAMBURES *et* GRANDPRÉ, *gentilshommes français.*
Le Gouverneur de Harfleur.
MONTJOIE, *héraut français.*
Des Ambassadeurs auprès du Roi d'Angleterre.
ISABELLE, *Reine de France.*
CATHERINE, *fille de Charles et d'Isabelle.*
ALICE, *dame de compagnie de Catherine.*
L'HÔTESSE, *précédemment Madame Regimbe, et mainte-nant femme de Pistolet.*
Seigneurs, .Dames, Officiers, Soldats français et anglais, Messagers et Serviteurs.

THE LIFE OF HENRY V

[1. Prologue]

CHORUS.

O for a Muse of fire, that would ascend
The brightest heaven of invention:
A kingdom for a stage, princes to act,
And monarchs to behold the swelling scene.
Then should the warlike Harry, like himself,
Assume the port of Mars, and at his heels,
Leashed in like hounds, should Famine, Sword, and Fire
Crouch for employment.   But pardon, gentles all,
The flat unraiséd spirits that hath dared
10 On this unworthy scaffold to bring forth
So great an object.   Can this cockpit hold
The vasty fields of France? or may we cram
Within this wooden O the very casques
That did affright the air at Agincourt?
O, pardon! since a crooked figure may
Attest in little place a million;
And let us, ciphers to this great accompt,
On your imaginary forces work...
Suppose within the girdle of these walls
20 Are now confined two mighty monarchies,
Whose high uprearéd and abutting fronts
The perilous narrow ocean parts asunder.
Piece out our imperfections with your thoughts:
Into a thousand parts divide one man,
And make imaginary puissance.
Think, when we talk of horses, that you see them
Printing their proud hoofs i'th'receiving earth:
For 'tis your thoughts that now must deck our kings,
Carry them here and there: jumping o'er times;
30 Turning th'accomplishment of many years
Into an hour-glass: for the which supply,
Admit me Chorus to this history;
Who prologue-like your humble patience pray,
Gently to hear, kindly to judge, our play.

['*exit.*'

32

LA VIE DE HENRY V

Entre LE CHŒUR.

LE CHŒUR.

Ah! que n'ai-je une Muse de feu, prête à s'élever au ciel le
plus radieux de l'imagination! que n'ai-je pour théâtre un
royaume, pour acteurs des princes, et des monarques pour
spectateurs de ces scènes sublimes! Alors Harry le belliqueux,
sous son vrai jour, prendrait l'aspect de Mars, tandis
qu'à ses talons, comme des chiens en laisse, Epée, Famine
et Feu mendieraient du service. Mais pardonnez, doux amis,
aux esprits plats, rampants, qui ont osé sur cette indigne
estrade produire un si grand sujet. En cette arène dérisoire,
les amples champs de France tiendront-ils? Ou pouvons-
nous même entasser en cet O de bois[1] les casques qui
semaient l'effroi dans l'air d'Azincourt? Oui! pardonnez!
Puisqu'un chiffre tordu peut être dans son coin la marque
d'un million, souffrez que, zéros de cette vaste somme, nous
stimulions votre imagination... Supposez qu'en l'enceinte de
nos murs soient pour l'heure enfermés deux royaumes
puissants, leurs fronts altiers dressés presque à se toucher,
séparés par l'étroit océan périlleux. A nos insuffisances
suppléez par vos pensées; divisez chaque homme en mille
pour créer une armée imaginaire. Croyez, quand nous parle-
rons de chevaux, que vous les voyez planter leurs fiers sabots
dans un sol consentant; car c'est à vos pensées d'équiper nos
rois; portez-les çà et là; enjambez les époques; resserrez les
actions de maintes années en une heure de sablier; à cette
fin, souffrez que je sois le Chœur de notre histoire, moi qui,
comme un Prologue, adjure votre humble patience d'écouter
gentiment, et de juger complaisamment, notre pièce.

'Il sort.'

33

[1, 1.] London. An antechamber in the King's palace

Enter the ARCHBISHOP *of* CANTERBURY *and the*
BISHOP *of* ELY.

CANTERBURY.
My lord, I'll tell you—that self bill is urged,
Which in th' eleventh year of the last king's reign
Was like, and had indeed against us passed,
But that the scambling and unquiet time
Did push it out of farther question.

ELY.
But how, my lord, shall we resist it now?

CANTERBURY.
It must be thought on... If it pass against us,
We lose the better half of our possession:
For all the temporal lands which men devout
10 By testament have given to the Church
Would they strip from us; being valued thus—
As much as would maintain, to the king's honour,
Full fifteen earls, and fifteen hundred knights,
Six thousand and two hundred good esquires:
And, to relief of lazars and weak age,
Of indigent faint souls past corporal toil,
A hundred almshouses right well supplied:
And to the coffers of the king beside,
A thousand pounds by th' year: thus runs the bill.

ELY.
20 This would drink deep.

CANTERBURY.
          'Twould drink the cup and all.

ELY.
But what prevention?

CANTERBURY.
The king is full of grace and fair regard.

ELY.
And a true lover of the holy Church.

CANTERBURY.
The courses of his youth promised it not...
The breath no sooner left his father's body,
But that his wildness, mortified in him,
Seemed to die too: yea, at that very moment,
Consideration like an angel came,
And whipped th' offending Adam out of him;
30 Leaving his body as a Paradise,
T'envelop and contain celestial spirits...

34

[I, I.]   Londres. Une antichambre du palais royal

Entrent L'ARCHEVÊQUE DE CANTORBÉRY *et*
L'ÉVÊQUE D'ELY.

CANTORBÉRY.
Seigneur, que je vous le dise : on agite ce projet de loi, le même
qui, en la onzième année du règne précédent, faillit passer,
que dis-je, contre nous passait, si les désordres et l'agitation
de l'époque ne l'avaient mis hors de question.

ELY.
Mais comment, seigneur, nous y opposer maintenant ?

CANTORBÉRY.
Il faut y aviser... Qu'il passe contre nous, et nous perdons
une bonne moitié de nos possessions ; car tous les biens
temporels que les dévots ont donnés par testament à l'Eglise
sont en passe de nous être arrachés ; voici la somme requise :
de quoi entretenir, pour l'honneur du Roi, non moins de
quinze comtes, quinze cents chevaliers et six mille deux
cents bons écuyers ; de plus, pour secourir lépreux, vieillards
affaiblis et pauvres indigents inaptes aux labeurs du corps,
cent hospices fort bien pourvus ; et avec cela, pour le trésor
du Roi, mille livres par an : tel est le projet.

ELY.
Ce serait une rude lampée.

CANTORBÉRY.
De quoi boire la coupe avec son contenu.

ELY.
Mais le remède ?

CANTORBÉRY.
Le Roi est plein de bonté et de justes égards.

ELY.
Et ami sincère de la sainte Eglise.

CANTORBÉRY.
Le train de sa jeunesse ne le présageait pas... A peine le
souffle avait-il quitté le corps de son père que déjà sa folie,
gangrenée au dedans, parut mourir, elle aussi ; oui, à cet
instant même, la réflexion survint telle qu'un ange et chassa
de lui à coups de fouet le vieil Adam pécheur, laissant son
corps pareil à un paradis, pour envelopper et contenir des

Never was such a sudden scholar made:
Never came reformation in a flood,
With such a heady currance, scouring faults:
Nor never Hydra-headed wilfulness
So soon did lose his seat—and all at once—
As in this king.

ELY.

           We are blesséd in the change.

CANTERBURY.

Hear him but reason in divinity;
And, all-admiring, with an inward wish
40 You would desire the king were made a prelate:
Hear him debate of commonwealth affairs;
You would say it hath been all in all his study:
List his discourse of war; and you shall hear
A fearful battle rendered you in music.
Turn him to any cause of policy,
The Gordian knot of it he will unloose,
Familiar as his garter: that, when he speaks,
The air, a chartered libertine, is still,
And the mute wonder lurketh in men's ears,
50 To steal his sweet and honeyed sentences:
So that the art and practic part of life
Must be the mistress to this theoric;
Which is a wonder, how his grace should glean it,
Since his addiction was to courses vain,
His companies unlettered, rude, and shallow,
His hours filled up with riots, banquets, sports;
And never noted in him any study,
Any retirement, any sequestration,
From open haunts and popularity.

ELY.

60 The strawberry grows underneath the nettle,
And wholesome berries thrive and ripen best
Neighboured by fruit of baser quality:
And so the prince obscured his contemplation
Under the veil of wildness, which, no doubt,
Grew like the summer grass, fastest by night,
Unseen, yet crescive in his faculty.

CANTERBURY.

It must be so; for miracles are ceased:
And therefore we must needs admit the means
How things are perfected.

ELY.

                 But, my good lord,
70 How now for mitigation of this bill
Urged by the commons? Doth his majesty
Incline to it, or no?

esprits célestes... Jamais homme ne fut fait sage si soudain;
jamais réforme ne survint comme un torrent, avec un cou-
rant si violent, pour balayer les fautes; jamais non plus mauvais vouloir à tête d'hydre n'eut si tôt fait d'être détrôné —
et cela tout d'un coup — que chez notre Roi.

ELY.

C'est bénédiction pour nous que ce changement.

CANTORBÉRY.

Ecoutez-le seulement disserter de théologie; alors, tout à
l'admiration, vous vous prendrez à souhaiter à part vous que
le roi fût fait prélat. A l'entendre débattre des affaires
publiques, on dirait qu'il en a fait toute son étude. Ecoutez-le
discourir de la guerre : vous entendrez une bataille terri-
fiante traduite en harmonie. Mettez-le sur une question de
politique, il en démêlera le nœud gordien sans plus d'embar-
ras que sa jarretière; au point que, quand il parle, l'air, cet
affranchi, reste coi, oui le muet vagabond s'attarde à l'oreille
des hommes, pour y dérober ses douces phrases à goût de
miel. Il faut donc que l'art et la pratique de la vie lui en aient
enseigné la théorie; et c'est merveille que Sa Grâce l'ait pu
glaner, alors qu'il s'adonnait à de vaines occupations, fré-
quentait des illettrés vulgaires, irréfléchis, et passait tout son
temps en débauches, banquets et jeux; jamais on n'observa
chez lui nulle étude, nul effort pour se retirer et s'enfermer
à l'écart des lieux publics et populaires.

ELY.

Le fraisier pousse sous l'ortie; et les baies salubres prospèrent et mûrissent mieux, environnées de fruits de vile
essence; ainsi le prince a-t-il celé ses méditations sous un
voile de dérèglement quand, sans nul doute, elles poussaient
comme l'herbe d'été, plus vite la nuit, cachées au regard,
mais douées intimement du pouvoir de grandir.

CANTORBÉRY.

Il faut bien qu'il en soit ainsi, car les miracles ont cessé, et
nous sommes contraints de reconnaître que rien ne s'accom-
plit sans moyen.

ELY.

Mais, mon bon seigneur, voyons pour l'heure comment
parer à ce projet qu'agitent les communes ? Sa Majesté y
est-elle ou non favorable ?

CANTERBURY.
                    He seems indifferent—
Or rather swaying more upon our part
Than cherishing th' exhibiters against us:
For I have made an offer to his majesty,
Upon our spiritual convocation,
And in regard of causes now in hand,
Which I have opened to his grace at large,
As touching France, to give a greater sum
80 Than ever at one time the clergy yet
Did to his predecessors part withal.
        ELY.
How did this offer seem received, my lord?
        CANTERBURY.
With good acceptance of his majesty:
Save that there was not time enough to hear,
As I perceived his grace would fain have done,
The severals and unhidden passages
Of his true titles to some certain dukedoms,
And generally to the crown and seat of France
Derived from Edward, his great-grandfather.
        ELY.
90 What was th' impediment that broke this off?
        CANTERBURY.
The French ambassador upon that instant
Craved audience; and the hour, I think, is come
To give him hearing: is it four o'clock?
        ELY.
It is.
        CANTERBURY.
Then go we in, to know his embassy:
Which I could with a ready guess declare,
Before the Frenchman speak a word of it.
        ELY.
I'll wait upon you, and I long to hear it.

                                    [they go

38

CANTORBÉRY.

Le Roi semble indifférent; ou peut-être incline-t-il plutôt de notre côté qu'il ne soutient contre nous les défenseurs du projet; car j'ai fait à Sa Majesté, lors de notre assemblée spirituelle, et eu égard aux affaires présentement en cours, une offre dont je me suis ouvert en détail à Sa Grâce; celle, touchant la France, de donner une somme plus grosse qu'aucune dont jamais jusqu'à ce jour le clergé se soit défait d'un coup au profit de ses prédécesseurs.

ELY.

Comment cette offre parut-elle accueillie, seigneur?

CANTORBÉRY.

Sa Majesté la reçut avec faveur; si ce n'est que le temps lui manqua pour écouter, comme je vis que Sa Grâce l'eût fait volontiers, le détail et le clair enchaînement de ses titres sûrs à certains duchés, et, plus généralement, à la couronne, au trône de France, titres qu'il tient d'Edouard, son bisaïeul.

ELY.

Quel incident vous a interrompus?

CANTORBÉRY.

L'ambassadeur français, à cet instant, demanda audience; l'heure est venue, je crois, de l'entendre; est-il quatre heures?

ELY.

Oui.

CANTORBÉRY.

Entrons donc pour connaître son ambassade; mais je pourrais l'énoncer par une prompte conjecture, avant que le Français en ait dit un seul mot.

ELY.

Je vous suis; il me tarde de l'entendre.

Ils partent.

KING HENRY *in his chair of state;* GLOUCESTER,
BEDFORD, EXETER, WARWICK, WESTMORE-
LAND *at a table below; attendants.*

KING HENRY.
Where is my gracious Lord of Canterbury?
EXETER.
Not here in presence.
KING HENRY.
                              Send for him, good uncle.
WESTMORELAND.
Shall we call in th'ambassador, my liege?
KING HENRY.
Not yet, my cousin: we would be resolved,
Before we hear him, of some things of weight
That task our thoughts, concerning us and France.

*The Archbishop of Canterbury and the Bishop of Ely enter
and make obeisance.*

CANTERBURY.
God and his angels guard your sacred throne,
And make you long become it!
KING HENRY.
                              Sure, we thank you...
      My learnèd lord, we pray you to proceed,
10 And justly and religiously unfold
      Why the law salic that they have in France
      Or should or should not bar us in our claim:
      And God forbid, my dear and faithful lord,
      That you should fashion, wrest, or bow your reading,
      Or nicely charge your understanding soul
      With opening titles miscreate, whose right
      Suits not in native colours with the truth:
      For God doth know how many now in health
      Shall drop their blood in approbation
20 Of what your reverence shall incite us to.
      Therefore take heed how you impawn our person,
      How you awake our sleeping sword of war;
      We charge you in the name of God, take heed:
      For never two such kingdoms did contend
      Without much fall of blood, whose guiltless drops
      Are every one a woe, a sore complaint
      'Gainst him whose wrongs gives edge unto the swords
      That makes such waste in brief mortality...
      Under this conjuration, speak, my lord:
30 For we will hear, note, and believe in heart,
      That what you speak is in your conscience washed

40

[I, 2.]   La salle du trône au palais

LE ROI HENRY *sur son trône;* GLOSTER, BEDFORD, EXETER, WARWICK, WESTMORELAND, *assis à une table, plus bas; des serviteurs.*

LE ROI HENRY.
Où est le vénéré seigneur de Cantorbéry?
      EXETER.
Il n'est point en cette salle.
      LE ROI HENRY.
Faites-le quérir, bon oncle.
      WESTMORELAND.
Faut-il appeler l'ambassadeur, sire?
      LE ROI HENRY.
Point encore, cousin; nous voulons être ôté d'un doute, avant que de l'entendre, sur de graves sujets qui nous préoccupent touchant la France et nous.

L'Archevêque de Cantorbéry et l'Evêque d'Ely entrent et font la révérence.

      CANTORBÉRY.
Dieu et ses anges gardent votre trône sacré et vous en fassent longtemps l'ornement!
      LE ROI HENRY.
En vérité, nous vous remercions... Mon docte seigneur, nous vous prions de parler pour exposer en toute justice et en conscience si cette loi salique des Français doit ou non faire obstacle à nos prétentions. A Dieu ne plaise, cher et loyal seigneur, que vous alliez modeler, gauchir, incliner votre opinion, ou charger par trop de finesse votre conscience éclairée en nous découvrant des titres mal fondés dont le bon droit ne s'harmoniserait pas naturellement avec le vrai. Car Dieu sait combien d'hommes aujourd'hui valides verseront leur sang à l'appui de ce que va nous inspirer Votre Révérence. Prenez donc garde, avant d'engager votre personne, de réveiller notre glaive endormi; oui, nous vous l'ordonnons au nom de Dieu, prenez-y garde : car jamais deux tels royaumes n'ont combattu sans répandre en abondance un sang dont chaque goutte innocente est un malheur, un grief amer contre

41

As pure as sin with baptism.

CANTERBURY.

Then hear me, gracious sovereign, and you peers,
That owe yourselves, your lives, and services
To this imperial throne... There is no bar
To make against your highness' claim to France,
But this which they produce from Pharamond:
"In terram Salicam mulieres ne succedant"—
"No woman shall succeed in Salic land":
40 Which Salic land the French unjustly gloze
To be the realm of France, and Pharamond
The founder of this law and female bar.
Yet their own authors faithfully affirm
That the land Salic is in Germany,
Between the floods of Sala and of Elbe:
Where Charles the Great, having subdued the Saxons,
There left behind and settled certain French:
Who holding in disdain the German women
For some dishonest manners of their life,
50 Established then this law—to wit, no female
Should be inheritrix in Salic land:
Which Salic, as I said, 'twixt Elbe and Sala,
Is at this day in Germany called Meisen.
Then doth it well appear the Salic law
Was not devised for the realm of France:
Nor did the French possess the Salic land
Until four hundred one and twenty years
After defunction of King Pharamond,
Idly supposed the founder of this law,
60 Who died within the year of our redemption
Four hundred twenty-six: and Charles the Great
Subdued the Saxons, and did seat the French
Beyond the river Sala, in the year
Eight hundred five... Besides, their writers say,
King Pepin, which deposed Childeric,
Did, as heir general, being descended
Of Blithild, which was daughter to King Clothair,
Make claim and title to the crown of France.
Hugh Capet also, who usurped the crown
70 Of Charles the duke of Lorraine, sole heir male
Of the true line and stock of Charles the Great,
To find his title with some shows of truth,
Though in pure truth it was corrupt and naught,
Conveyed himself as th'heir to th'Lady Lingare,
Daughter to Charlemain, who was the son
To Lewis the emperor, and Lewis the son
Of Charles the Great: also King Lewis the tenth,
Who was sole heir to the usurper Capet,

42

quiconque affûte par ses torts les épées si dévastatrices pour
la courte vie humaine... Après cette adjuration, parlez,
seigneur; nous écouterons, nous retiendrons, et nous croirons
de tout cœur que vos propos sont en votre conscience lavés
et purifiés comme péché par le baptême.

CANTORBÉRY.
Alors écoutez-moi, gracieux souverain, et vous, pairs, qui
devez votre personne, votre vie, vos services à ce trône majes-
tueux... Nul obstacle aux prétentions de Votre Altesse sur la
France, si ce n'est celui-ci tiré de Pharamond : « In terram
Salicam mulieres ne succedant »; « Nulle femme ne succédera
en terre salique. » Et la terre salique, prétendent faussement
les Français, serait le royaume de France, et Pharamond
le fondateur de cette loi qui exclut les femmes. Mais leurs
propres auteurs affirment justement que la terre salique est
en Allemagne, entre les cours du Sala et de l'Elbe. C'est
là que Charles le Grand réduisit les Saxons, laissant derrière
lui quelques Français établis, lesquels, tenant en dédain les
femmes allemandes en raison de leurs mœurs parfois déshonnêtes, émirent alors cette loi que la femme n'hériterait
jamais sur la terre salique; mais la Salique, entre Elbe et
Sala, je l'ai dit, s'appelle à présent Meissen en Allemagne.
Il appert donc bien que cette loi salique ne fut point inventée
pour le royaume de France; et les Français ne tinrent point
la terre salique jusqu'à la quatre cent vingt et unième année
qui suivit le décès du roi Pharamond, tenu à tort pour le fondateur de cette loi, lequel roi mourut l'an quatre cent vingt
et six de notre rédemption, Charles le Grand réduisant les
Saxons et établissant les Français au-delà du Sala en l'an
huit cent cinq... De plus, disent leurs auteurs, le roi Pépin,
lequel déposa Childéric, fit valoir, comme héritier légal
descendant de Blitilde, laquelle était fille du roi Clotaire,
ses prétentions à la couronne de France. Hugues Capet encore,
usurpant la couronne sur le Duc Charles de Lorraine, seul
héritier mâle de la vraie race et lignée de Charles le Grand,
pour prêter à son titre un dehors de vérité (alors qu'en vérité
pure il était nul et pourri), se présenta comme héritier de
Dame Lingare, fille de Charles le Chauve, qui était fils de
l'Empereur Louis, Louis étant le fils de Charles le Grand;
le roi Louis Dix aussi, unique héritier de l'usurpateur Capet,

Could not keep quiet in his conscience,
80 Wearing the crown of France, till satisfied
That fair Queen Isabel, his grandmother,
Was lineal of the Lady Ermengare,
Daughter to Charles the foresaid duke of Lorraine:
By the which marriage the line of Charles the Great
Was re-united to the crown of France.
So that, as clear as is the summer's sun,
King Pepin's title and Hugh Capet's claim,
King Lewis his satisfaction, all appear
To hold in right and title of the female:
90 So do the kings of France unto this day.
Howbeit they would hold up this Salic law
To bar your highness claiming from the female,
And rather choose to hide them in a net
†Than amply to imbare their crooked titles,
Usurped from you and your progenitors.
  KING HENRY.
May I with right and conscience make this claim?
  CANTERBURY.
The sin upon my head, dread sovereign!
For in the book of Numbers is it writ,
When the man dies, let the inheritance
100 Descend unto the daughter... Gracious lord,
Stand for your own, unwind your bloody flag,
Look back into your mighty ancestors:
Go, my dread lord, to your great-grandsire's tomb,
From whom you claim; invoke his warlike spirit,
And your great-uncle's, Edward the Black Prince,
Who on the French ground played a tragedy,
Making defeat on the full power of France,
Whiles his most mighty father on a hill
Stood smiling to behold his lion's whelp
110 Forage in blood of French nobility...
O noble English, that could entertain
With half their forces the full pride of France,
And let another half stand laughing by,
All out of work and cold for action!
  ELY.
Awake remembrance of these valiant dead,
And with your puissant arm renew their feats;
You are their heir, you sit upon their throne:
The blood and courage that renownéd them
Runs in your veins: and my thrice-puissant liege
120 Is in the very May-morn of his youth,
Ripe for exploits and mighty enterprises.
  EXETER.
Your brother kings and monarchs of the earth

n'eut pas la conscience tranquille en portant la couronne de France, avant de se convaincre que la gente Reine Isabelle, sa grand-mère, descendait en droite ligne de Dame Hermengarde, fille du susnommé Charles, Duc de Lorraine; alliance par laquelle la lignée de Charles le Grand fut derechef unie à la couronne de France. Ainsi donc, aussi clair qu'est le soleil d'été : titre du roi Pépin, prétentions d'Hugues Capet, apaisement du roi Louis, paraissent tous reposer sur les droits et titres des femmes; de même pour les rois de France jusqu'à ce jour. Et pourtant ils voudraient brandir la loi salique pour s'opposer aux prétentions de Votre Altesse par les femmes, aimant mieux se cacher dans un brouillamini que montrer au grand jour leurs titres contrefaits, usurpés sur vous et sur vos ascendants.

LE ROI HENRY.

Puis-je en droit et en conscience émettre ma prétention?

CANTORBÉRY.

La faute en soit sur ma tête, redouté souverain! Car il est écrit au Livre des Nombres : Quand meurt un homme, que l'héritage descende à sa fille... Gracieux seigneur, défendez votre dû, déployez votre sanglant drapeau, tournez vos regards vers vos puissants ancêtres. Allez, redoutable seigneur, au tombeau de votre aïeul, source de vos droits; invoquez son esprit martial, votre grand-oncle aussi, Edouard le Prince Noir, qui sur le sol de France joua une tragédie [2], infligeant défaite à toute l'armée française, quand son puissant père, debout sur un coteau, souriait de voir son lionceau se repaître du sang de la noblesse française... Ah, nobles Anglais qui sûtes affronter d'une part de vos forces tout l'orgueil de la France, tandis que l'autre part regardait faire en riant, désœuvrée et froide dans l'inaction!

ELY.

Réveillez le souvenir de ces vaillants morts; de votre bras puissant renouvelez leurs exploits; vous êtes leur héritier, vous siégez sur leur trône : le sang, le courage qui firent leur renom coulent dans vos veines; mon trois fois puissant maître est au premier matin de mai de sa jeunesse, mûr pour les exploits et les vastes entreprises.

EXETER.

Vos frères, les rois et monarques de ce monde espèrent tous

Do all expect that you should rouse yourself,
As did the former lions of your blood.
WESTMORELAND.
They know your grace hath cause, and means, and might;
So hath your highness: never king of England
Had nobles richer, and more loyal subjects,
Whose hearts have left their bodies here in England,
And lie pavilioned in the fields of France.
CANTERBURY.
130 O let their bodies follow, my dear liege,
With blood and sword and fire, to win your right:
In aid whereof, we of the spirituality
Will raise your highness such a mighty sum
As never did the clergy at one time
Bring in to any of your ancestors.
KING HENRY.
We must not only arm t'invade the French,
But lay down our proportions to defend
Against the Scot, who will make road upon us
With all advantages.
CANTERBURY.
140 They of those marches, gracious sovereign,
Shall be a wall sufficient to defend
Our inland from the pilfering borderers.
KING HENRY.
We do not mean the coursing snatchers only,
But fear the main intendment of the Scot,
Who hath been still a giddy neighbour to us:
For you shall read that my great-grandfather
Never went with his forces into France,
But that the Scot on his unfurnished kingdom
Came pouring like the tide into a breach,
150 With ample and brim fulness of his force,
Galling the gleanéd land with hot assays,
Girding with grievous siege castles and towns:
That England, being empty of defence,
Hath shook and trembled at th'ill neighbourhood.
CANTERBURY.
She hath been then more feared than harmed, my liege:
For hear her but exampled by herself—
When all her chivalry hath been in France,
And she a mourning widow of her nobles,
She hath herself not only well defended,
160 But taken and impounded as a stray
The King of Scots: whom she did send to France,

que vous allez vous dresser comme firent jadis les lions de
même sang.

WESTMORELAND.

Ils savent que Votre Grâce a juste cause, et moyens et pouvoir; oui, Votre Altesse a tout cela; jamais roi d'Angleterre
n'eut plus riche noblesse ou plus loyaux sujets que ceux dont
les cœurs, laissant leurs corps en ce pays, campent déjà dans
les plaines de France.

CANTORBÉRY.

Ah, laissez leurs corps les rejoindre, mon cher suzerain,
pour conquérir votre dû par le sang, l'épée, le feu. A l'appui
de quoi nous, seigneurs spirituels, lèverons pour Votre Altesse
une somme plus grosse que le clergé n'en remit jamais d'un
coup à aucun de vos ancêtres.

LE ROI HENRY.

Nous ne devons pas seulement nous armer pour l'invasion de
la France, mais calculer aussi nos forces de défense contre
l'Ecossais, qui fait incursion chez nous en profitant de toutes
les occasions.

CANTORBÉRY.

Les peuples de ces marches, gracieux souverain, seront un
mur suffisant pour interdire l'intérieur du pays aux pillards
des frontières.

LE ROI HENRY.

Nous ne parlons pas seulement des incursions de bandits,
mais nous craignons une action d'ensemble de l'Ecossais,
qui fut toujours pour nous un voisin turbulent. Vous lirez
en effet que jamais mon bisaïeul ne fut en France avec
son armée sans que l'Ecossais déferlât sur son royaume
dépourvu, ainsi que le flot par une brèche, avec toute la vaste
plénitude de ses forces, harcelant de ses rudes assauts la
terre délaissée, enserrant de cruels sièges châteaux et villes;
au point que l'Angleterre, vide de défenseurs, a frémi et
tremblé à ce funeste voisinage.

CANTORBÉRY.

Elle a eu alors plus de peur que de mal, sire. Écoutez plutôt
l'exemple qu'elle donna : lorsque ses chevaliers se trouvaient
tous en France, et qu'elle était la veuve en deuil de ses
nobles, non contente de se bien défendre, elle prit et mit
en fourrière comme une bête vagabonde le roi des Ecos-

To fill King Edward's fame with prisoner kings,
And make her chronicle as rich with praise
As is the ooze and bottom of the sea
With sunken wrack and sumless treasuries.

ELY.

But there's a saying very old and true—
    "If that you will France win,
        Then with Scotland first begin:"
For once the eagle England being in prey,
170 To her unguarded nest the weasel Scot
Comes sneaking, and so sucks her princely eggs,
Playing the mouse in absence of the cat,
To 'tame and havoc more than she can eat.

EXETER.

It follows then the cat must stay at home.
Yet that is but a crushed necessity,
Since we have locks to safeguard necessaries,
And pretty traps to catch the petty thieves.
While that the armèd hand doth fight abroad
Th'advisèd head defends itself at home:
180 For government, though high, and low, and lower,
Put into parts, doth keep in one consent,
Congreeing in a full and natural close,
Like music.

CANTERBURY.

            Therefore doth heaven divide
The state of man in divers functions,
Setting endeavour in continual motion:
To which is fixèd, as an aim or butt,
Obedience: for so work the honey-bees,
Creatures that by a rule in nature teach
The act of order to a peopled kingdom.
190 They have a king and officers of sorts:
Where some, like magistrates, correct at home,
Others, like merchants, venture trade abroad:
Others, like soldiers, armèd in their stings
Make boot upon the summer's velvet buds:
Which pillage they with merry march bring home
To the tent-royal of their emperor:
Who, busied in his majesty, surveys
The singing masons building roofs of gold,
The civil citizens kneading up the honey;
200 The poor mechanic porters crowding in
Their heavy burdens at his narrow gate:
The sad-eyed justice, with his surly hum,
Delivering o'er to executors pale
The lazy yawning drone...   I this infer,
That many things, having full reference

sais [3], puis l'envoya en France, pour glorifier le roi Edouard
de prisonniers royaux, et rendre ses chroniques aussi riches
de louanges que la vase du fond de la mer l'est d'épaves
naufragées et d'innombrables trésors.

ELY.

Mais il est un dicton fort ancien et véridique : « Si tu veux
conquérir la France, alors par l'Ecosse commence. » Car
sitôt que l'aigle anglais chasse une proie, à son nid sans défense
la belette écossaise s'en vient, furtive, vide ses œufs princiers,
et, telle que la souris quand s'absente le chat, ravage et détruit
plus qu'elle n'en peut manger.

EXETER.

S'ensuit-il que le chat doive rester au logis ? Non, voilà cette
nécessité battue en brèche, puisqu'il est des verrous pour
sauver notre nécessaire, et des pièges subtils pour ceux qui
subtilisent [4]. Tandis que le bras combat en armes au dehors,
la tête avisée se défend au logis. Dans un gouvernement le
haut, le milieu et le bas, quoique parties séparées, restent
à l'unisson, l'ensemble formant un plein et naturel accord,
comme en musique.

CANTORBÉRY.

C'est pourquoi le ciel partage la cité humaine entre divers
offices, mettant sans cesse en œuvre les efforts de chacun,
avec pour but ou objectif l'obéissance ; ainsi travaillent les
abeilles, ces créatures qui par une loi de nature enseignent
les effets de l'ordre aux royaumes des peuples. Elles ont un
roi et des officiers de rangs divers. Les uns, comme magistrats, punissent au dedans ; d'autres, en commerçants, s'en
vont courir au dehors les risques du négoce ; d'autres, en
soldats, armés de leurs aiguillons, mettent à sac les boutons
de velours de l'été, et rapportent ce butin en marche joyeuse
au pavillon royal de leur empereur ; celui-ci, affairé en sa
majesté même, surveille les maçons qui bâtissent en chantant
des toits d'or ; les sujets policés qui pétrissent le miel ; les
pauvres portefaix qui se pressent avec leurs lourdes charges
à son étroite porte ; le juge à l'œil grave, au bourdonnement
maussade, qui livre à de pâles exécuteurs le bourdon bâillant
de paresse... J'en déduis ceci, que des forces nombreuses,
se rapportant pleinement à un même dessein, peuvent opérer
selon des directions opposées, comme maintes flèches lancées

To one consent, may work contrariously—
As many arrows loosèd several ways
Come to one mark:
†As many several ways meet in one town:
210 As many fresh streams meet in one salt sea:
As many lines close in the dial's centre:
So may a thousand actions, once afoot,
End in one purpose, and be all well borne
Without defeat... Therefore to France, my liege—
Divide your happy England into four,
Whereof take you one quarter into France,
And you withal shall make all Gallia shake.
If we, with thrice such powers left at home,
Cannot defend our own doors from the dog,
220 Let us be worried, and our nation lose
The name of hardiness and policy.

KING HENRY.
Call in the messengers sent from the Dauphin.

[*attendants go forth.*

Now are we well resolved, and by God's help
And yours, the noble sinews of our power,
France being ours, we'll bend it to our awe,
Or break it all to pieces. Or there we'll sit,
Ruling in large and ample empery
O'er France and all her almost kingly dukedoms,
Or lay these bones in an unworthy urn,
230 Tombless, with no remembrance over them:
Either our history shall with full mouth
Speak freely of our acts, or else our grave,
Like Turkish mute, shall have a tongueless mouth,
Not worshipped with a waxen epitaph...

'*Enter Ambassadors of France,*' *followed by a servitor, trundling
a gilded barrel.*

Now are we well prepared to know the pleasure
Of our fair cousin Dauphin: for we hear
Your greetings is from him, not from the king.

AMBASSADOR.
May't please your majesty to give us leave
Freely to render what we have in charge:
240 Or shall we sparingly show you far off
The Dauphin's meaning and our embassy?

KING HENRY.
We are no tyrant, but a Christian king,
Unto whose grace our passion is as subject
As is our wretches fettered in our prisons;

50

de divers points atteignent une même cible; comme maints
chemins divers gagnent une même ville; comme maints
ruisseaux d'eau douce gagnent une même mer; comme
maintes lignes se joignent au centre du cadran; ainsi
peuvent mille actions, une fois lancées, finir en un seul
but, et bien s'accomplir sans échec. En France, donc, seigneur!... Divisez en quatre parts votre bienheureuse Angleterre; conduisez-en un quart en France, et vous ferez trembler la Gaule entière. Si nous, avec trois fois autant de forces
au pays, ne savons pas interdire nos portes au chien, qu'il
nous harcèle alors et que notre nation perde son renom de
bravoure et de circonspection.

LE ROI HENRY.

Allez quérir les messagers du Dauphin. Nous sommes bien
résolu à présent, et, avec l'aide de Dieu et la vôtre, nobles
muscles de notre puissance, la France étant à nous, nous la
plierons à nous craindre, ou la déchirerons toute. Ou bien,
siégeant là-bas, nous régnerons d'un ample et total empire
sur la France et tous ses duchés quasi royaux, ou bien
nous déposerons nos os dans une urne indigne, sans monu-
ment, sans mémorial aucun. Ou bien notre chronique pro-
clamera à plein gosier nos exploits, ou bien notre tombe,
ayant comme un muet de Turquie[5] bouche sans langue, ne
sera pas même célébrée d'une épitaphe dans la cire.

> *'Entrent les Ambassadeurs de France',*
> *suivis d'un serviteur qui fait rouler un baril doré.*

Nous voici tout prêt à connaître le bon plaisir du Dauphin,
notre noble cousin. Car on nous dit que votre message vient
de lui, et non du Roi.

L'AMBASSADEUR.

Plaît-il à Votre Majesté de nous permettre d'exposer librement ce dont nous sommes chargés? Ou faut-il, nous armant
de réserve, vous résumer seulement le propos du Dauphin
et de notre ambassade?

LE ROI HENRY.

Nous ne sommes pas un tyran, mais un roi chrétien; et
notre colère est assujettie à notre mansuétude, tout
comme les misérables mis aux fers dans nos prisons. Dites-

Therefore with frank and with uncurbéd plainness
Tell us the Dauphin's mind.

AMBASSADOR.

                    Thus then, in few:
Your highness, lately sending into France,
Did claim some certain dukedoms, in the right
Of your great predecessor, King Edward the third.
250 In answer of which claim, the prince our master
Says that you savour too much of your youth,
And bids you be advised there's nought in France
That can be with a nimble galliard won:
You cannot revel into dukedoms there...
He therefore sends you, meeter for your spirit,
This tun of treasure; and, in lieu of this,
Desires you let the dukedoms that you claim
Hear no more of you... This the Dauphin speaks.

KING HENRY.

What treasure, uncle?

EXETER [opening the barrel].

                    Tennis-balls, my liege.

KING HENRY.

260 We are glad the Dauphin in so pleasant with us
His present and your pains we thank you for:
When we have matched our rackets to these balls,
We will in France, by God's grace, play a set
Shall strike his father's crown into the hazard.
Tell him he hath made a match with such a wrangler
That all the courts of France will be disturbed
With chases... And we understand him well,
How he comes o'er us with our wilder days,
Not measuring what use we made of them.
270 We never valued this poor seat of England,
And therefore, living hence, did give ourself
To barbarous licence: as 'tis ever common
That men are merriest when they are from home...
But tell the Dauphin I will keep my state,
Be like a king, and show my sail of greatness,
When I do rouse me in my throne of France.
For that I have laid by my majesty,
And plodded like a man for working-days:
But I will rise there with so full a glory
280 That I will dazzle all the eyes of France,
Yea, strike the Dauphin blind to look on us.
And tell the pleasant prince this mock of his

nous avec sincérité, avec une franchise sans contrainte, quelle est la pensée du Dauphin.

L'AMBASSADEUR.

La voici donc, en bref : Votre Altesse, par son récent message en France, réclamait certains duchés en vertu des droits du grand Roi Edouard Trois, votre prédécesseur. En réponse à cette prétention le prince notre maître déclare que vous gardez trop le goût de votre jeunesse, et vous invite à vous aviser de ce fait qu'il n'est rien en France qui se puisse conquérir au pas léger de la gaillarde; vous n'y pourrez pas gagner de duchés en festoyant. Il vous envoie donc, comme un présent plus propre à votre humeur, ce tonneau empli d'un trésor; moyennant quoi, il vous prie de faire en sorte que les duchés réclamés n'aient plus de vos nouvelles. Ainsi parle le Dauphin.

LE ROI HENRY.

Quel est ce trésor, mon oncle ?

EXETER, *ouvrant le baril.*

Des balles de paume, seigneur.

LE ROI HENRY.

Nous sommes bien aise que le Dauphin soit si badin avec nous. De son présent et de vos labeurs, nous vous remercions. Quand nous aurons assorti nos raquettes à ces balles, nous jouerons en France, par la grâce de Dieu, une partie qui boutera dans les ouverts[6] la couronne de son père. Dites-lui qu'il s'attaque à un tel champion que chaque terrain de paume, en France, va retentir de nos chasses[7]. Nous comprenons fort bien qu'il vient nous reprocher notre temps de folie, sans mesurer comment nous l'avons mis à profit. N'ayant jamais prisé ce pauvre trône anglais, nous en vivions éloigné et nous abandonnions à une licence barbare : n'arrivet-il pas communément que les hommes soient plus joyeux hors du logis ?... Mais dites au Dauphin que j'entends tenir mon rang, et déployer en roi la voile de ma grandeur quand je me réveillerai sur mon trône de France. C'est pour cela que j'ai dépouillé ma majesté, et besogné comme un ouvrier pendant les jours de peine; mais je me dresserai là-bas dans une gloire si pleine que j'en éblouirai tous les yeux de France, bien plus, que le Dauphin perdra la vue à nous voir. Dites aussi au prince badin que sa moquerie a changé ses balles

Hath turned his balls to gun-stones, and his soul
Shall stand sore chargéd for the wasteful vengeance
That shall fly with them: for many a thousand widows
Shall this his mock mock out of their dear husbands;
Mock mothers from their sons, mock castles down:
And some are yet ungotten and unborn
That shall have cause to curse the Dauphin's scorn.
290 But this lies all within the will of God,
To whom I do appeal, and in whose name,
Tell you the Dauphin, I am coming on,
To venge me as I may, and to put forth
My rightful hand in a well-hallowed cause.
So get you hence in peace... And tell the Dauphin
His jest will savour but of shallow wit,
When thousands weep more than did laugh at it...
Convey them with safe conduct.   Fare you well.

                                ['*Exeunt Ambassadors.*'

EXETER.
This was a merry message.
KING HENRY.
300 We hope to make the sender blush at it:
Therefore, my lords, omit no happy hour
That may give furth'rance to our expedition:
For we have now no thought in us but France,
Save those to God, that run before our business.
Therefore let our proportions for these wars
Be soon collected, and all things thought upon
That may with reasonable swiftness add
More feathers to our wings: for, God before,
We'll chide this Dauphin at his father's door.
310 Therefore let every man now task his thought,
That this fair action may on foot be brought.

            [*he rises and departs, the rest following.*

[II. Prologue]

                       '*Flourish. Enter* CHORUS.'

CHORUS.
Now all the youth of England are on fire,
And silken dalliance in the wardrobe lies:

54

en boulets de canon, et que son âme portera le poids cruel de la vengeance dévastatrice qui volera du même essor; car cette moquerie moquera des milliers de veuves en les privant de chers maris, moquera les mères en les privant de leurs fils, moquera les châteaux en les abattant. Quelques-uns ne sont point encore nés ni conçus qui auront lieu de maudire ce mépris du Dauphin. Mais tout cela dépend du vouloir de Dieu, à qui j'en appelle, et au nom de qui je vous mande d'aller dire au Dauphin que j'arrive, pour me venger de mon mieux et lever ma main de juste pour une sainte cause. Partez donc d'ici en paix... Et dites au Dauphin que son trait d'esprit perdra de sa saveur quand il en fera pleurer mille fois plus qu'il n'en a fait rire. Faites-les partir avec un sauf-conduit. Adieu.

'Sortent les Ambassadeurs.'

EXETER.
Ah, le joyeux message que c'était!
LE ROI HENRY.
Nous espérons en faire rougir qui l'envoya : ainsi donc, seigneurs, ne négligez nul moment favorable pour promouvoir notre expédition; car nous n'avons pour l'heure d'autre pensée que la France, hors la pensée de Dieu, qui doit précéder nos affaires. Ainsi donc, que les forces nécessaires à cette guerre soient bientôt rassemblées, et que l'on n'oublie rien de ce qui peut sans excès de retard nous mieux remplumer les ailes; car, Dieu nous conduisant, nous irons tancer le Dauphin chez son père. Ainsi donc, que chacun maintenant exerce sa pensée, pour que cette noble action puisse être mise sur pied.

Il se lève et part; les autres le suivent.

[II, PROLOGUE.]

'Fanfare. Entre LE CHŒUR'.

LE CHŒUR.
Voici que la jeunesse anglaise est tout en feu, et les soieries du plaisir reléguées dans l'armoire. Voici que prospèrent les

Now thrive the armourers, and honour's thought
Reigns solely in the breast of every man.
They sell the pasture now, to buy the horse;
Following the mirror of all Christian kings,
With wingéd heels, as English Mercuries.
For now sits Expectation in the air,
And hides a sword, from hilts unto the point,
10 With crowns imperial, crowns and coronets,
Promised to Harry and his followers.
The French, advised by good intelligence
Of this most dreadful preparation,
Shake in their fear, and with pale policy
Seek to divert the English purposes.
O England! model to thy inward greatness,
Like little body with a mighty heart:
What might'st thou do, that honour would thee do,
Were all thy children kind and natural!
20 But see, thy fault France hath in thee found out,
A nest of hollow bosoms, which he fills
With treacherous crowns: and three corrupted men,
One, Richard Earl of Cambridge, and the second,
Henry Lord Scroop of Masham, and the third,
Sir Thomas Grey, knight of Northumberland,
Have for the gilt of France (O guilt indeed!)
Confirmed conspiracy with fearful France,
And by their hands this grace of kings must die,
If hell and treason hold their promises,
30 Ere he take ship for France, and in Southampton...
Linger your patience on, and we'll digest
Th'abuse of distance; force a play:
The sum is paid, the traitors are agreed,
The king is set from London, and the scene
Is now transported, gentles, to Southampton,
There is the playhouse now, there must you sit,
And thence to France shall we convey you safe,
And bring you back: charming the narrow seas
To give you gentle pass: for if we may,
40 We'll not offend one stomach with our play...
But till the king come forth, and not till then,
Unto Southampton do we shift our scene.

['*exit.*'

56

armuriers, et que l'idée de l'honneur règne sans partage au cœur de chaque homme. Voici qu'on vend le pré pour payer un cheval et suivre le miroir de tous les rois chrétiens, d'un talon ailé, en Mercures anglais. Car voici que l'Espérance siège dans les airs, et couvre son épée, de la garde à la pointe, des couronnes impériales, royales et ducales promises à Harry ainsi qu'à ses suivants. Les Français, avisés par de sûrs informateurs de ces préparatifs si redoutables, tremblent de crainte, et par des manœuvres débiles voudraient détourner les desseins des Anglais. Ah, Angleterre, miniature de ta propre grandeur, ainsi qu'un corps menu doué d'un cœur puissant, que ne ferais-tu, quand l'honneur te l'ordonne, si tes enfants t'aimaient tous selon la nature! Mais vois, France a trouvé en toi le point faible, une nichée de cœurs vides qu'il emplit d'un or de trahison; trois hommes corrompus : d'abord Richard, le Comte de Cambridge, ensuite Lord Henry Scroop de Masham, puis enfin le seigneur chevalier Thomas Grey de Northumberland, ont pour un salaire français (O combien salissant!) noué complot avec la France inquiète : et de leur main cette fine fleur de royauté doit mourir, pour peu que l'enfer et la traîtrise tiennent parole, avant de s'embarquer pour la France à Southampton... Entretenez votre patience, nous engloutirons l'excès de distance et vous farcirons une pièce. La somme est versée, les traîtres se sont entendus; le Roi est parti de Londres, et la scène pour l'heure se transporte, amis, à Southampton; c'est là qu'est le théâtre à présent; c'est là qu'il vous faut prendre place; et de là nous vous porterons en France sans encombre, puis vous ramènerons, charmant l'étroite mer pour vous donner facile traversée, car, s'il se peut, nous ne donnerons la nausée à quiconque par notre pièce... Mais c'est quand paraîtra le roi, et point avant, qu'à Southampton nous porterons notre scène.

'Il sort.'

NYM *and* BARDOLPH *meeting.*

BARDOLPH.
Well met, Corporal Nym.

NYM.
Good morrow, Lieutenant Bardolph.

BARDOLPH.
What, are Ancient Pistol and you friends yet?

NYM.
For my part, I care not: I say little: but when time shall
serve, there shall be smiles—but that shall be as it may.
I dare not fight, but I will wink and hold out mine iron: it is a
simple one, but what though? It will toast cheese, and it
will endure cold, as another man's sword will: and there's
an end.

BARDOLPH.
10 I will bestow a breakfast to make you friends, and we'll
be all three sworn brothers to France: let't be so, good
Corporal Nym.

NYM.
Faith, I will live so long as I may, that's the certain of it:
and when I cannot live any longer, I will do as I may:
that is my rest, that is the rendezvous of it.

BARDOLPH.
It is certain, corporal, that he is married to Nell Quickly,
and certainly she did you wrong, for you were troth-plight
to her.

NYM.
I cannot tell—things must be as they may: men may sleep,
20 and they may have their throats about them at that time,
and some say knives have edges... It must be as it may—
though patience be a tired mare, yet she will plod—there
must be conclusions—well, I cannot tell.

Ancient Pistol and the Hostess approach.

[II, 1] Londres. Une rue

FILOU *et* BARDOLPH *s'abordent.*

BARDOLPH.
Heureuse rencontre, caporal Filou.

FILOU.
Bonjour, lieutenant Bardolph.

BARDOLPH.
Alors, êtes-vous réconcilié avec l'Enseigne Pistolet?

FILOU.
Pour moi, peu me chaut; je ne parle guère; mais que l'occasion se présente, il y aura de quoi rire... advienne que pourra.
Je ne suis pas si hardi que de me battre, mais je veux du
moins cligner un œil et pousser mon fer; c'est un fer tout
simple, mais qu'importe? Il vous grillera le fromage, et il
ne craint pas plus les courants d'air que l'épée de quiconque : et voilà tout.

BARDOLPH.
Je veux bien payer à déjeuner pour vous réconcilier, après
quoi nous irons en France tous trois en frères jurés; laissez-
vous faire, brave Caporal Filou.

FILOU.
Ma foi, je veux vivre tant que je pourrai, voilà le plus certain de l'affaire; et quand je ne pourrai plus vivre, je ferai
ce que je pourrai; voilà mon dernier mot, voilà le dernier
retranchement de l'affaire.

BARDOLPH.
Il est certain, Caporal, qu'il a épousé Nell Regimbe, et assurément elle vous a fait tort, car vous lui étiez lié par serment.

FILOU.
Je ne saurais dire, car les choses doivent être ce qu'elles
peuvent; les hommes peuvent venir à s'endormir, et ils
peuvent alors venir à garder leur gorge après eux, et d'aucuns
disent que les couteaux ont des tranchants... Il faut qu'il en
soit comme il se peut; même si la patience est une rosse
fourbue, elle peinera encore; il faut qu'il y ait des conclusions; ma foi, je n'en saurais rien dire.

L'Enseigne Pistolet et l'Hôtesse s'approchent.

BARDOLPH.
Here comes Ancient Pistol and his wife: good corporal,
be patient here.

†NYM.
How now, mine host Pistol!

PISTOL.
Base tike, call'st thou me host?
Now by this hand I swear I scorn the term:
Nor shall my Nell keep lodgers.

HOSTESS.
30 No, by my troth, not long: for we cannot lodge and board
a dozen or fourteen gentlewomen that live honestly by
the prick of their needles, but it will be thought we keep
a bawdy-house straight. [*Nym draws his sword.*] O well-a-day,
Lady, if he be not hewn now, we shall see wilful adultery
and murder committed.

BARDOLPH.
Good lieutenant, good corporal, offer nothing here.

NYM.
Pish!

PISTOL.
Pish for thee, Iceland dog! thou prick-eared cur of Iceland!

HOSTESS.
Good Corporal Nym, show thy valour, and put up your
40 sword.

NYM.
Will you shog off?   would have you solus.

[*he sheathes his sword.*

PISTOL.
'Solus', egregious dog? O viper vile!
The 'solus' in thy most marvellous face,
The 'solus' in thy teeth, and in thy throat,
And in thy hateful lungs, yea in thy maw, perdy—
And, which is worse, within thy nasty mouth!
I do retort the 'solus' in thy bowels,
For I can take, and Pistol's cock is up,
And flashing fire will follow.

NYM.
50 I am not Barbason, you cannot conjure me: I have an humour

BARDOLPH.
Voici venir l'Enseigne Pistolet avec sa femme; brave caporal, un instant de patience.

FILOU.
Tiens, notre hôte Pistolet!

PISTOLET.
Vil chien, m'oses-tu traiter d'hôte? Or, sur ma main je jure que je méprise ce terme. Et ma Nell n'aura point de pensionnaires.

L'HÔTESSE.
Non, ma foi, de longtemps : car nous ne pouvons pas donner vivre et couvert à dix ou douze dames de bonne compagnie qui vivent honnêtement à la pointe de leur aiguille, sans qu'on aille aussitôt penser que nous tenons une maison de débauche. *(Filou dégaine.)* Ah, bonté, sainte mère, si on ne le maîtrise sur l'heure, nous allons voir commettre meurtre et adultère prémédité.

BARDOLPH.
Brave lieutenant, brave caporal, point de violences ici.

FILOU.
Fi!

PISTOLET.
Fi de toi, chien islandais! mâtin d'Islande à l'oreille pointue!

L'HÔTESSE.
Bon caporal Filou, montre ta bravoure en rangeant ton épée.

FILOU.
Vas-tu filer? Je voudrais te tenir *solus*.

Il rengaine.

PISTOLET.
'Solus', oh suprême chien! oh, vile vipère! Attrape ce 'solus' sur ta prodigieuse figure, attrape ce 'solus' entre tes dents et dans ta gorge, et dans tes poumons odieux, bien plus, dans ta panse, pardieu... et, pis encore, dans ton ignoble gueule! Je te rétorque ce 'solus' dans les entrailles, car je m'y entends, et le chien de Pistolet est levé, et un feu d'enfer va fuser.

FILOU.
Je ne suis point Barbason [8] que tu puisses me conjurer; je suis d'humeur à te battre passablement... Si tu deviens mal poli

to knock you indifferently well... If you grow foul with me,
Pistol, I will scour you with my rapier, as I may, in fair
terms. If you would walk off, I would prick your guts
a little in good terms, as I may, and that's the humour
of it.

PISTOL.

O braggart vile, and damnéd furious wight,
The grave doth gape, and doting death is near,
Therefore exhale!

[*they both draw.*

BARDOLPH [*also drawing*].
Hear me, hear me what I say: he that strikes the first stroke,
60 I'll run him up to the hilts, as I am a soldier.

PISTOL.

An oath of mickle might, and fury shall abate...

[*they sheathe.*

Give me thy fist, thy fore-foot to me give:
Thy spirits are most tall.

NYM.

I will cut thy throat one time or other in fair terms, that
is the humour of it.

PISTOL.

'Couple a gorge'.
That is the word. I thee defy again.
O hound of Crete, think'st thou my spouse to get?
No, to the spital go,
70 And from the powdering-tub of infamy
Fetch forth the lazar kit of Cressid's kind,
Doll Tearsheet she by name, and her espouse.
I have, and I will hold, the quondam Quickly
For the only she: and—pauca, there's enough.
Go to.

'*Enter the Boy.*'

BOY.

Mine host Pistol, you must come to my master, and you,
hostess: he is very sick, and would to bed. Good Bardolph, put thy face between his sheets, and do the office
of a warming-pan: faith, he's very ill.

BARDOLPH.

80 Away, you rogue.

[*the Boy runs off.*

avec moi, Pistolet, je vais t'écouvillonner avec ma rapière, comme je puis le faire en toute conscience. Si tu veux bien venir à quelques pas, je te chatouillerai quelque peu les boyaux en conscience, comme je puis le faire, et c'est là le fin mot de l'affaire.

PISTOLET.

Ah, fanfaron abject et satané furieux, béant est le tombeau, et la mort s'impatiente; exhibe donc!

Ils dégainent tous deux.

BARDOLPH, *dégainant aussi.*

Écoutez-moi, écoutez ce que je vous dis; celui qui porte le premier coup, je le transperce jusqu'à la garde, foi de soldat!

PISTOLET.

Serment de poids puissant, et la fureur s'apaise.

Ils rengainent.

Tends-moi le poing, tends-moi ta patte de devant; ton humeur est des plus vaillantes.

FILOU.

Je te trancherai la gorge un jour ou l'autre, en toute conscience, et voilà le fin mot de l'affaire.

PISTOLET.

'*Couple a gorge*', c'est le mot juste. Derechef je te défie. Ah, chien de Crète, penses-tu me prendre mon épouse? Non, va-t'en au dispensaire, et dans le bain curatif de l'infamie, va chercher la lépreuse garce de l'engeance de Cresside, de son nom Doll Beaux-Draps [9], et épouse-la. J'ai, et je garderai, notre Regimbe d'antan, pour moi c'est l'unique; et, *pauca*, c'en est assez. Tout de même!

'*Entre le Valet.*'

LE VALET.

Notre hôte Pistolet, il vous faut venir chez mon maître [10], et vous aussi, l'hôtesse; il est très mal en point et voudrait se coucher. Brave Bardolph, mets ta tête entre ses draps, et fais fonction de bassinoire; parole, il est bien malade.

BARDOLPH.

Hors d'ici, fripon.

Le Valet se sauve.

HOSTESS.

By.my troth, he'll yield the crow a pudding one of these
days... The king has killed his heart. Good husband,
come home presently.

[*Hostess follows the Boy.*

BARDOLPH.

Come, shall I make you two friends? We must to France
together: why the devil should we keep knives to cut one
another's throats?

PISTOL.

Let floods o'erswell, and fiends for food howl on!

NYM.

You'll pay me the eight shillings I won of you at betting?

PISTOL.

Base is the slave that pays.

NYM.

90 That now I will have: that's the humour of it.

PISTOL.

As manhood shall compound: push home.

[*they 'draw'.*

BARDOLPH.

By this sword, he that makes the first thrust, I'll kill him:
by this sword, I will.

PISTOL.

Sword is an oath, and oaths must have their course.

BARDOLPH.

Corporal Nym, an thou wilt be friends, be friends, an
thou wilt not, why then be enemies with me too: prithee
put up.

†NYM.

I shall have my eight shillings I won of you at betting?

PISTOL.

A noble shalt thou have, and present pay,
100 And liquor likewise will I give to thee,
And friendship shall combine, and brotherhood.
I'll live by Nym, and Nym shall live by me—
Is not this just? for I shall sutler be
Unto the camp, and profits will accrue.
Give me thy hand.

[*they sheathe again.*

L'HÔTESSE.

Par ma foi, en voilà un qui va faire de la viande à corbeaux un de ces jours. Le Roi lui a brisé le cœur[11]. Cher mari, reviens immédiatement chez nous.

L'Hôtesse suit le Valet.

BARDOLPH.

Allons, je vous réconcilie? Il faut que nous allions en France ensemble; pourquoi diable garderions-nous des couteaux pour nous entrecouper la gorge?

PISTOLET.

Que débordent les flots et mugissent les démons affamés!

FILOU.

Me paieras-tu les huit shillings du pari que j'ai gagné contre toi?

PISTOLET.

Vil est le manant qui paie.

FILOU.

Il me les faut tout de suite : voilà le fin mot de l'affaire.

PISTOLET.

A la vaillance d'en décider! En garde!

Ils 'dégainent'.

BARDOLPH.

Par cette épée, celui qui porte la première botte, je le tue; par cette épée, je le jure.

PISTOLET.

Jurer par l'épée, c'est jurer, et serment juré doit être tenu.

BARDOLPH.

Caporal Filou, si tu veux te réconcilier, fais-le, sinon fâche-toi aussi avec moi; rengaine, je te prie.

FILOU.

J'aurai mes huit shillings du pari que j'ai gagné contre toi?

PISTOLET.

Un noble auras-tu[12], payé comptant; à boire aussi te donnerai-je, et l'amitié nous unira, et la fraternité. Désormais je vivrai en Filou, et Filou vivra en moi... Est-ce point juste? car cantinier au camp serai-je, et les bénéfices afflueront. Donne-moi la main.

Ils rengainent à nouveau.

NYM.
I shall have my noble?
PISTOL.
In cash, most justly paid.
NYM.
Well, then that's the humour of't.

[they strike hands.
Hostess returns.

HOSTESS.
As ever you come of women, come in quickly to Sir John.
110 Ah, poor heart! he is so shaked of a burning quotidian
tertian, that it is most lamentable to behold. Sweet men,
come to him.
NYM.
The king hath run bad humours on the knight, that's the
even of it.
PISTOL.
Nym, thou hast spoke the right,
His heart is fracted and corroborate.
NYM.
The king is a good king, but it must be as it may: he passes
some humours and careers.
PISTOL.
Let us condole the knight, for, lambkins, we will live.

[they go.

[II, 2.]   Southampton. A council-chamber
'Enter EXETER, BEDFORD, *and* WESTMORE-
LAND.'

BEDFORD.
'Fore God, his grace is bold to trust these traitors.
EXETER.
They shall be apprehended by and by.
WESTMORELAND.
How smooth and even they do bear themselves,

66

FILOU.
J'aurai mon noble?

PISTOLET.
En liquide, et fort exactement payé.

FILOU.
Alors, ma foi, c'est là le fin mot de l'affaire.

Ils se serrent la main.
L'Hôtesse revient.

L'HÔTESSE.
Aussi vrai que vous êtes nés de femmes, il faut vite venir chez Sir John. Ah, le pauvre cœur! Il est tellement secoué par une brûlante fièvre tierce quotidienne que c'est pitié de le voir. Mes bons messieurs, venez à lui.

FILOU.
Le roi s'est déchargé la bile sur le chevalier, voilà le plus clair de l'affaire.

PISTOLET.
Filou, tu as dit vrai : il a le cœur fracturé et corroboré.

FILOU.
Notre roi est un bon roi, mais il faut qu'il en soit comme il en peut être; il lui échappe des colères et des foucades.

PISTOLET.
Allons compatir avec le chevalier, car, nous, mes agneaux, nous vivrons.

Ils sortent.

[II, 2.]   Southampton. Une salle du Conseil

'*Entrent* EXETER, BEDFORD *et* WESTMORE-
LAND.'

BEDFORD.
Par Dieu, Sa Grâce est audacieuse de se fier à ces traîtres.

EXETER.
Ils vont être appréhendés d'ici peu.

WESTMORELAND.
Avec quelle aisance et quel calme ils se comportent, comme si

As if allegiance in their bosoms sat
Crownéd with faith, and constant loyalty.
    BEDFORD.
The king hath note of all that they intend,
By interception which they dream not of.
    EXETER.
Nay, but the man that was his bedfellow,
Whom he hath dulled and cloyed with gracious favours—
10 That he should for a foreign purse so sell
His sovereign's life to death and treachery.

Trumpets sound. 'Enter the King, Scroop, Cambridge, and
                                Grey', with attendants.

    KING HENRY.
Now sits the wind fair, and we will aboard...
My Lord of Cambridge, and my kind Lord of Masham,
And you, my gentle knight, give me your thoughts:
Think you not that the powers we bear with us
Will cut their passage through the force of France,
Doing the execution, and the act
For which we have in head assembled them?
    SCROOP.
No doubt, my liege, if each man do his best.
    KING HENRY.
20 I doubt not that, since we are well persuaded
We carry not a heart with us from hence,
That grows not in a fair consent with ours:
Nor leave not one behind, that doth not wish
Success and conquest to attend on us.
    CAMBRIDGE.
Never was monarch better feared and loved
Than is your majesty; there's not, I think, a subject
That sits in heart-grief and uneasiness
Under the sweet shade of your government.
    GREY.
True: those that were your father's enemies
30 Have steeped their galls in honey, and do serve you
With hearts create of duty and of zeal.
    KING HENRY.
We therefore have great cause of thankfulness,
And shall forget the office of our hand
Sooner than quittance of desert and merit,
According to the weight and worthiness.

68

la fidélité régnait en leur cœur, couronnée de bonne foi et
de loyauté constante.

BEDFORD.
Le Roi est avisé de tout ce qu'ils trament, par une interception
dont ils se doutent bien peu.

EXETER.
Quoi, celui qu'il eut pour compagnon de lit, qu'il accabla,
gorgea de grâces et de faveurs... fallait-il que pour l'or
étranger [13] il livrât la vie de son souverain à la mort et à la
trahison!

Sonnerie de trompettes.
'Entrent le roi, Scroop, Cambridge, et Grey' avec leur suite.

LE ROI HENRY.
Le vent est favorable : nous allons embarquer... Cher Lord
de Cambridge, bon Lord de Masham, et vous, noble chevalier, livrez-moi vos pensées : croyez-vous que les forces que
nous emmenons avec nous se tailleront un passage parmi
l'armée française en accomplissant les ravages et l'œuvre pour
lesquels nous les avons réunies?

SCROOP.
Sans nul doute, sire, si chaque homme fait de son mieux.

LE ROI HENRY.
Nul doute à cet égard, car nous sommes certain que nous
n'emmenons pas d'ici un seul cœur qui ne soit en parfait
accord avec le nôtre; ni n'en laissons un seul derrière nous
qui ne nous souhaite succès et victoire pour escorte.

CAMBRIDGE.
Jamais il n'y eut monarque plus craint ni plus aimé que Votre
Majesté; il n'est, je crois, pas un sujet qui se sente affligé ou
mal à l'aise sous le doux ombrage de votre gouvernement.

GREY.
C'est vrai; ceux qui furent hostiles à votre père ont noyé
leur bile dans le miel, et vous servent d'un cœur pétri de
dévouement et de zèle.

LE ROI HENRY.
Nous avons donc grand motif de reconnaissance. Nous
oublierons plutôt la fonction de nos mains que de récompenser
mérites et services, comptés selon leur poids et leur valeur.

SCROOP.
So service shall with steelèd sinews toil,
And labour shall refresh itself with hope
To do your grace incessant services.
    KING HENRY.
We judge no less... Uncle of Exeter,
40 Enlarge the man committed yesterday,
That railed against our person: we consider
It was excess of wine that set him on,
And on his more advice we pardon him.
    SCROOP.
That's mercy, but too much security:
Let him be punished, sovereign, lest example
Breed, by his sufferance, more of such a kind.
    KING HENRY.
O let us yet be merciful.
    CAMBRIDGE.
So may your highness, and yet punish too.
    GREY.
Sir,
50 You show great mercy if you give him life,
After the taste of much correction.
    KING HENRY.
Alas, your too much love and care of me
Are heavy orisons 'gainst this poor wretch...
If little faults, proceeding on distemper,
Shall not be winked at, how shall we stretch our eye
When capital crimes, chewed, swallowed, and digested,
Appear before us? We'll yet enlarge that man,
Though Cambridge, Scroop, and Grey, in their dear care
And tender preservation of our person
60 Would have him punished... And now to our French
causes,
                              [*he takes up papers.*

Who are the late commissioners?
    CAMBRIDGE.
I one, my lord,
Your highness bade me ask for it to-day.
    SCROOP.
So did you me, my liege.
    GREY.
And I, my royal sovereign.
    KING HENRY [*delivering the papers*].
Then, Richard, Earl of Cambridge, there is yours:

SCROOP.

Vous serez donc servi par un travail aux muscles de fer, et
le labeur se retrempera dans l'espoir de rendre à Votre Grâce
d'incessants services.

LE ROI HENRY.

Nous n'en attendons pas moins... Mon oncle d'Exeter, vous
élargirez l'homme arrêté hier pour s'être raillé de notre
personne; il nous paraît que c'est l'excès du vin qui l'a
poussé; puisqu'il s'est assagi, nous le gracions.

SCROOP.

C'est être clément, mais par trop confiant; qu'il soit puni,
Majesté, de peur que son exemple ne suscite, si on le tolère,
des imitateurs.

LE ROI HENRY.

O n'importe, soyons clément.

CAMBRIDGE.

Votre Altesse peut l'être et punir cependant.

GREY.

Sire, c'est déjà grand merci que de le laisser vivre, après lui
avoir fait goûter un rude châtiment.

LE ROI HENRY.

Hélas, votre excès d'amour et d'attachement pour moi est
une accablante plaidoirie contre ce malheureux... Si sur de
petits méfaits dus à l'intempérance nous ne devons pas
fermer les yeux, combien faudra-t-il les écarquiller quand
des crimes majeurs, remâchés, absorbés, digérés, paraîtront
devant nous? Nous élargirons l'homme, encore que Cambridge, Scroop et Grey, par soin jaloux et tendre sauve-
garde de notre personne, veuillent le faire punir... Pour
l'heure, à nos affaires de France. (Il prend des papiers.)
Quels délégués viennent d'être nommés?

CAMBRIDGE.

Je suis l'un d'eux, sire. Votre Altesse m'a dit de demander
aujourd'hui des instructions.

SCROOP.

Il en est de même pour moi, sire.

GREY.

Pour moi aussi, mon royal souverain.

LE ROI HENRY, distribuant les papiers.

En ce cas, Richard, Comte de Cambridge, voici les vôtres.

There yours, Lord Scroop of Masham: and, sir knight,
Grey of Northumberland, this same is yours:
Read them, and know I know your worthiness...
70 My Lord of Westmoreland, and uncle Exeter,
We will aboard to night... Why, how now, gentlemen?
What see you in those papers, that you lose
So much complexion? Look ye how they change:
Their cheeks are paper. Why, what read you there,
That have so cowarded and chased your blood
Out of appearance?

[*they fall upon their knees.*

CAMBRIDGE.
                    I do confess my fault,
And do submit me to your highness' mercy.
    GREY, SCROOP.
To which we all appeal.
    KING HENRY.
                The mercy that was quick in us but late,
80 By your own counsel is suppressed and killed:
You must not dare, for shame, to talk of mercy,
For your own reasons turn into your bosoms,
As dogs upon their masters, worrying you...
See you, my princes, and my noble peers,
These English monsters: my Lord of Cambridge here,
You know how apt our love was to accord
To furnish him with all appertiments
Belonging to his honour; and this man
Hath for a few light crowns lightly conspired
90 And sworn unto the practices of France
To kill us here in Hampton. To the which
This knight, no less for bounty bound to us
Than Cambridge is, hath likewise sworn... But O,
What shall I say to thee, Lord Scroop, thou cruel,
Ingrateful, savage, and inhuman creature?
Thou that didst bear the key of all my counsels,
That knew'st the very bottom of my soul,
That (almost) mightst have coined me into gold,
Wouldst thou have practised on me, for thy use?
100 May it be possible, that foreign hire
Could out of thee extract one spark of evil
That might annoy my finger? 'Tis so strange,
That though the truth of it stands off as gross
†As black on white, my eye will scarcely see it.
Treason and murder ever kept together,
As two yoke-devils sworn to either's purpose,
Working so grossly in a natural cause,

72

Voici également les vôtres, Lord Scroop de Masham; et
pour vous, messire chevalier, Grey de Northumberland,
celles-ci. Lisez-les, vous saurez que je sais votre valeur...
Monseigneur de Westmoreland, et vous, mon oncle Exeter,
nous nous embarquerons ce soir... Or çà, messieurs ? Que
lisez-vous en ces papiers pour perdre à ce point vos couleurs ?
Voyez comme ils changent : leurs joues sont de papier.
Eh bien, qu'y lisez-vous qui effarouche ainsi votre sang
et le fasse disparaître de notre vue ?

Ils tombent à genoux.

CAMBRIDGE.
Je confesse mon crime, et m'en remets à la merci de Votre
Altesse.

GREY, SCROOP.
A laquelle nous faisons tous appel.

LE ROI HENRY.
Cette merci qui vivait en nous naguère encore, vos propres
avis l'ont éteinte et mise à mort; vous ne devriez point, par
pudeur, oser parler de merci; vos propres arguments se
retournent contre vos cœurs, comme des chiens contre leurs
maîtres, pour vous harceler... Voyez, mes princes, et vous,
mes nobles pairs, ces monstres anglais. Milord de Cambridge d'abord : vous savez combien prompte fut notre
affection à le pourvoir de tous les biens qui convenaient à
son rang; et cet homme léger, pour quelques légers écus, a
conspiré, juré de se prêter aux menées de la France, pour nous
tuer ici à Hampton. Serment qu'a prêté aussi ce chevalier,
non moins l'obligé de nos faveurs que Cambridge. Mais
hélas! que te dirai-je à toi, Lord Scroop, à toi cruel — ingrate
sauvage, inhumaine créature que tu es ? Toi qui tenais la
clef de toutes mes pensées, toi qui connaissais le tréfonds
de mon âme, qui m'aurais presque pu monnayer en or si tu
avais voulu m'exploiter pour ton profit ? Se peut-il qu'un
salaire étranger ait su tirer de toi une étincelle de mal capable
de meurtrir mon doigt ? Cela est si étrange qu'alors même
que la vérité éclate comme noir sur blanc, c'est à peine
si mon œil la veut voir. Le meurtre et la trahison toujours
se tinrent compagnie, comme deux démons attelés au même
complot juré, servant si clairement une cause naturelle que

That admiration did not hoop at them.
But thou, 'gainst all proportion, didst bring in
110 Wonder to wait on treason and on murder:
And whatsoever cunning fiend it was
That wrought upon thee so preposterously,
Hath got the voice in hell for excellence:
All other devils that suggest by treasons
Do botch and bungle up damnation,
With patches, colours, and with forms being fetched
From glist'ring semblances of piety:
But he that tempered thee, bade thee stand up,
Gave thee no instance why thou shouldst do treason,
120 Unless to dub thee with the name of traitor.
If that same demon that hath gulled thee thus
Should with his lion gait walk the whole world,
He might return to vasty Tartar back,
And tell the legions, "I can never win
A soul so easy as that Englishman's."
O, how hast thou with jealousy infected
The sweetness of affiance? Show men dutiful?
Why, so didst thou: seem they grave and learnéd?
Why, so didst thou: come they of noble family?
130 Why, so didst thou: seem they religious?
Why, so didst thou. Or are they spare in diet,
Free from gross passion, or of mirth, or anger,
Constant in spirit, not swerving with the blood,
Garnished and decked in modest complement,
Not working with the eye without the ear,
And but in purgéd judgement trusting neither?
Such and so finely bolted didst thou seem:
And thus thy fall hath left a kind of blot,
To mark the full-fraught man and best indued
140 With some suspicion. I will weep for thee.
For this revolt of thine, methinks, is like
Another fall of man... Their faults are open,
Arrest them to the answer of the law,
And God acquit them of their practices.
    EXETER.
I arrest thee of high treason, by the name of Richard Earl
of Cambridge.
I arrest thee of high treason, by the name of Henry
Lord Scroop of Masham.
I arrest thee of high treason, by the name of Thomas Grey,
150 knight of Northumberland.
    SCROOP.
Our purposes God justly hath discovered,
And I repent my fault more than my death,

l'étonnement ne se récriait point. Mais toi, défiant toute harmonie, tu as donné la stupeur pour escorte à la trahison et au meurtre ; et quel que soit le démon rusé qui ait agi sur toi si monstrueusement, il a dans les enfers la palme de l'excellence. Tous les autres démons instigateurs de trahison ne font que saboter, bâcler une damnation de pièces, de couleurs et d'aspects empruntés aux brillants faux-semblants de la piété : mais celui qui t'a pétri pour la rébellion ne t'a donné d'autre motif de trahison que de te voir parer du nom de traître. Si ce même démon qui t'a dupé de la sorte parcourait de son pas de lion l'univers, il pourrait, à son retour dans l'immense Tartare, dire aux légions : « Jamais je ne saurais gagner une âme aussi facilement que celle de cet Anglais. » Ah, comment as-tu empoisonné de doutes la douceur de la confiance ? Est-il des hommes aux dehors loyaux ? Tu étais cela. En est-il d'aspect grave et instruit ? Tu étais cela. En est-il de noble famille ? Tu étais cela. En est-il de pieuse apparence ? Tu étais cela. En est-il qui soient sobres à table, exempts d'excès grossiers, de colère comme de rire, équanimes, libres des égarements du sang, revêtus et parés d'un extérieur modeste, n'ayant point recours à l'œil sans tendre aussi l'oreille, et sauf mûr jugement doutant de l'un et de l'autre ? Tel, et de grain aussi fin tu paraissais être ; ta chute laisse donc une sorte de souillure qui entache de soupçons l'homme le plus accompli, le plus comblé de dons. Je vais pleurer sur toi. Car ta présente révolte m'apparaît comme une seconde chute de l'homme... Leurs crimes sont flagrants. Arrêtez-les ; qu'ils en répondent devant la loi, et que Dieu les tienne quittes de leurs forfaits.

EXETER.

Je t'arrête pour haute trahison, toi qui as nom Richard, Comte de Cambridge.
Je t'arrête pour haute trahison, toi qui as nom Henry, Lord Scroop de Masham.
Je t'arrête pour haute trahison, toi qui as nom Thomas Grey, chevalier de Northumberland.

SCROOP.

Nos desseins sont découverts par Dieu dans sa justice, et je regrette mon crime plus que ma mort ; je supplie Votre

Which I beseech your highness to forgive,
Although my body pay the price of it.
CAMBRIDGE.
For me, the gold of France did not seduce,
Although I did admit it as a motive,
The sooner to effect what I intended:
But God be thankéd for prevention,
Which I in sufferance heartily will rejoice,
160 Beseeching God, and you, to pardon me.
GREY.
Never did faithful subject more rejoice
At the discovery of most dangerous treason,
Than I do at this hour joy o'er myself,
Prevented from a damnéd enterprise;
My fault, but not my body, pardon, sovereign.
KING HENRY.
God quit you in his mercy! Hear your sentence.
You have conspired against our royal person,
Joined with an ennemy proclaimed, and from his coffers
Received the golden earnest of our death:
170 Wherein you would have sold your king to slaughter,
His princes and his peers to servitude,
His subjects to oppression and contempt,
And his whole kingdom into desolation...
Touching our person, seek we no revenge,
But we our kingdom's safety must so tender,
Whose ruin you have sought, that to her laws
We do deliver you. Get you therefore hence,
Poor miserable wretches, to your death :
The taste whereof God of his mercy give
180 You patience to endure, and true repentance
Of all your dear offences... Bear them hence...
[*Exeunt Cambridge, Scroop, and Grey, guarded.*
Now, lords, for France: the enterprise whereof
Shall be to you as us, like glorious.
We doubt not of a fair and lucky war,
Since God so graciously hath brought to light
This dangerous treason lurking in our way
To hinder our beginnings. We doubt not now
But every rub is smoothéd on our way...
Then forth, dear countrymen: let us deliver
190 Our puissance into the hand of God,
Putting it straight in expedition...
Cheerly to sea, the signs of war advance,
No king of England, if not king of France.

[*'Flourish'; they go.*

Altesse de me le pardonner, même si mon corps en doit payer le prix.

CAMBRIDGE.

Pour moi ce n'est pas l'or de la France qui m'a séduit, quoi que je l'aie accepté comme un moyen d'accomplir au plus tôt mes projets; mais Dieu soit loué de cet empêchement, dont en souffrant je me réjouirai de tout cœur, implorant Dieu, et vous, de me pardonner.

GREY.

Jamais loyal sujet ne se réjouit davantage, quand fut percée à jour une redoutable trahison, qu'à cette heure je n'exulte de me voir arrêté dans une damnable entreprise; à mon crime, mais non à ma personne, pardonnez, souverain.

LE ROI HENRY.

Dieu vous absolve en sa merci! Écoutez l'arrêt : vous avez conspiré contre notre royale personne en vous ralliant à un ennemi déclaré, et de ses coffres vous avez reçu les arrhes dorées de notre mort. Ainsi vous vouliez livrer votre Roi au massacre, ses princes et ses pairs à la servitude, ses sujets à l'oppression et au mépris, et son royaume entier à la désolation... Touchant notre personne, nous ne chercherons point vengeance ; mais la sûreté du royaume nous doit être si chère, dont vous cherchiez la ruine, qu'à ses lois nous vous livrons. Allez-vous-en donc, pauvres misérables, à la mort ; que le goût par la merci de Dieu vous en soit rendu supportable, et qu'Il vous donne sincère repentir de toutes vos graves offenses... Qu'on les emmène.

Sortent Cambridge, Scroop et Grey, avec des gardes.

Maintenant, messeigneurs, en France; cette entreprise sera pour vous et pour nous pareillement glorieuse. Nous ne doutons point d'avoir une belle et heureuse campagne, puisque Dieu dans Sa grâce a mis au jour cette dangereuse trahison embusquée sur notre route pour faire obstacle à notre départ. Nous ne doutons point à présent que toute aspérité ne s'aplanisse sur notre voie... En avant donc, compatriotes; plaçons notre puissance entre les mains de Dieu, mettons-la sans délai en mouvement... En mer, et allégrement; hissez les étendards de guerre; pas de couronne d'Angleterre sans couronne de France.

'Fanfare' ; ils partent.

77

London. Before a tavern

Enter PISTOL, HOSTESS, NYM, BARDOLPH,
and BOY.

HOSTESS.
Prithee, honey-sweet husband, let me bring thee to Staines.
PISTOL.
No: for my manly heart doth earn.
Bardolph, be blithe: Nym, rouse thy vaunting veins:
Boy, bristle thy courage up: for Falstaff he is dead,
And we must earn therefore.
BARDOLPH.
Would I were with him, wheresome'er he is, either in
heaven or in hell!
HOSTESS.
Nay sure, he's not in hell: he's in Arthur's bosom, if ever
man went to Arthur's bosom: a' made a finer end, and
10 went away an it had been any christom child: a' parted
e'en just between twelve and one, e'en at the turning o'th'-
tide: for after I saw him fumble with the sheets, and play
with flowers, and smile upon his finger's end, I knew
there was but one way: for his nose was as sharp as a pen,
and a' babbled of green fields. 'How now, Sir John?'
quoth I. 'What, man! be o' good cheer': so a' cried out,
'God, God, God!' three or four times: now I, to comfort
him, bid him a' should not think of God; I hoped there
was no need to trouble himself with any such thoughts
20 yet: so a' bade me lay more clothes on his feet: I put my
hand into the bed, and felt them, and they were as cold as
any stone: then I felt to his knees, and so up'ard and up'ard,
and all was as cold as any stone.
NYM.
They say he cried out of sack.
HOSTESS.
Ay, that a' did.
BARDOLPH.
And of women.

[II, 3.]   A Londres. Devant une taverne

Entrent PISTOLET, L'HÔTESSE, FILOU, BAR-
                 DOLPH *et* LE VALET.

L'HÔTESSE.
Permets, je t'en prie, doux miel d'époux, que je te mène
jusqu'à Staines.

PISTOLET.
Non, car mon cœur viril est en grand peine. Bardolph, sois
jovial; Filou, retrouve tes esprits exultants; Valet, hérisse-toi
de courage; car Falstaff est mort, et nous devons donc être
dans la peine.

BARDOLPH.
Que ne suis-je avec lui, où qu'il soit, au ciel comme en enfer!

L'HÔTESSE.
Mais pour sûr il n'est point en enfer; il est dans le sein
d'Arthur, si jamais homme est allé dans le sein d'Arthur;
il a eu une fin trop belle pour ne pas y être, il s'en est allé
comme qui dirait un enfant en baptâge [14]; il est parti juste
entre midi et une heure, juste au changement de marée;
oui, quand je l'ai vu s'embrouiller dans les draps, et jouer
avec des fleurs, et sourire à son ongle, j'ai compris qu'il n'y
avait pas à s'y tromper; oui, il avait le nez effilé comme une
plume, et il marmonnait des histoires de verts pâturages [15].
'Alors, alors, Sir John?' lui dis-je, 'Voyons, mon brave, du
courage.' Alors il s'écrie : 'Dieu, Dieu, Dieu!' trois ou
quatre fois; alors, moi, pour le réconforter, je lui dis qu'il
ne faut pas penser à Dieu; que j'espérais bien qu'il n'avait
pas encore besoin de se tourmenter avec ces idées-là; alors il
me dit de lui mettre d'autres couvertures sur les pieds; je
plonge la main dans le lit, je les tâte, et ils étaient froids
comme du marbre; alors je tâte jusqu'aux genoux, et
puis plus haut, et tout était froid comme du marbre.

FILOU.
On dit qu'il a crié contre le vin d'Espagne.

L'HÔTESSE.
Oui, ça, c'est vrai.

BARDOLPH.
Et contre les femmes aussi.

HOSTESS.
Nay, that a' did not.
BOY.
Yes, that a' did, and said they were devils incarnate.
HOSTESS.
A' could never abide carnation—'twas a colour he never
30 liked.
BOY.
A' said once, the devil would have him about women.
HOSTESS.
A' did in some sort, indeed, handle women : but then he
was rheumatic, and talked of the whore of Babylon.
BOY.
Do you not remember a' saw a flea stick upon Bardolph's
nose, and a' said it was a black soul burning in hell?
BARDOLPH.
Well, the fuel is gone that maintained that fire: that's
all the riches I got in his service.
NYM.
Shall we shog? the king will be gone from Southampton.
PISTOL.
Come, let's away... My love, give me thy lips...
40 Look to my chattels and my movables:
Let senses rule: the word is 'Pitch and pay':
Trust none:
For oaths are straws, men's faiths are wafer-cakes,
And Hold-fast is the only dog, my duck:
Therefore, Caveto be thy counsellor...
Go, clear thy crystals... Yoke-fellows in arms,
Let us to France, like horse-leeches, my boys,
To suck, to suck, the very blood to suck!
BOY.
And that's but unwholesome food, they say.
PISTOL.
50 Touch her soft mouth, and march.
BARDOLPH.
Farewell, hostess.

[*kissing her.*

L'HÔTESSE.
Non, ça, c'est pas vrai.

LE VALET.
Si, ça, c'est vrai. Et il a dit que c'étaient des démons incarnés.

L'HÔTESSE.
Il n'a jamais pu supporter l'incarnat... c'est une couleur qui ne lui a jamais plu.

LE VALET.
Il a dit une fois que le diable l'aurait par les femmes.

L'HÔTESSE.
C'est vrai que d'une certaine manière, en effet, il a touché aux femmes; mais à ce moment-là il était rhumatique, et il parlait de la prostituée de Babylone.

LE VALET.
Ne vous rappelez-vous pas qu'il a vu une puce posée sur le nez de Bardolph, et qu'il a dit que c'était une âme damnée qui brûlait en enfer?

BARDOLPH.
Ma foi, il ne reste rien du combustible qui alimentait ce feu-là; et c'est toute la fortune que j'ai gagnée à son service.

FILOU.
Filons-nous? Le Roi va être parti de Southampton.

PISTOLET.
Allons, partons... ma mie, donne tes lèvres... Veille sur mes biens et sur mes possessions; le bon sens soit la règle; mot d'ordre : 'On paie comptant.' Ne te fie à personne. Les serments sont de paille, les promesses des gaufres; et 'Un tien', ma cane, est le seul chien fidèle. Que *Caveto* soit donc ton conseiller... Va, essuie le cristal de tes yeux... Compagnons d'armes, en France, comme des sangsues, les gars, pour sucer, pour sucer, pour sucer jusqu'au sang!

LE VALET.
Mais on dit que c'est là nourriture malsaine.

PISTOLET.
Effleurez ses douces lèvres, et en route.

BARDOLPH.
Au revoir, l'hôtesse.

Il l'embrasse.

81

NYM.
I cannot kiss, that is the humour of it: but adieu.
PISTOL.
Let housewifery appear: keep close, I thee command.
HOSTESS.
Farewell: adieu.

[*they march off.*

[II, 4.]   The French King's Palace

'*Flourish. Enter the French* KING, *the* DAUPHIN, *the Dukes of* BERRI *and* BRITAINE,' *the* CONSTABLE, *and others.*

FRENCH KING.
Thus comes the English with full power upon us,
And more than carefully it us concerns
To answer royally in our defences.
Therefore the Dukes of Berri and of Britaine,
Of Brabant and of Orleans, shall make forth,
And you, Prince Dauphin, with all swift dispatch
To line and new repair our towns of war
With men of courage and with means defendant:
For England his approaches makes as fierce
10 As waters to the sucking of a gulf.
It fits us then to be as provident
As fear may teach us, out of late examples
Left by the fatal and neglected English
Upon our fields.
DAUPHIN.
                    My most redoubted father,
It is most meet we arm us 'gainst the foe:
For peace itself should not so dull a kingdom
(Though war nor no known quarrel were in question),
But that defences, musters, preparations,
Should be maintained, assembled, and collected,
20 As were a war in expectation.
Therefore I say 'tis meet we all go forth
To view the sick and feeble parts of France:
And let us do it with no show of fear,

82

FILOU.

Je ne peux pas embrasser, moi, c'est là le fin mot de l'affaire; adieu pourtant.

PISTOLET.

Que ton économie se fasse jour; garde l'huis clos, je te l'ordonne.

L'HÔTESSE.

Au revoir; adieu.

Ils se mettent en marche.

[II, 4]   Le Palais du Roi de France

'*Fanfare. Entrent* LE ROI DE FRANCE, LE DAUPHIN, LES DUCS DE BERRI *et* DE BRETAGNE', LE CONNÉTABLE, *etc.*

LE ROI DE FRANCE.

Donc l'Anglais marche sur nous avec toutes ses forces, et il est de haute importance que nous lui donnions royale riposte par nos défenses. Aussi les Ducs de Berri, de Bretagne, de Brabant et d'Orléans vont-ils se mettre en route, et vous aussi, Prince Dauphin, en toute hâte, pour garnir et parer à neuf nos places de guerre d'hommes de cœur et de moyens défensifs; car l'Anglais approche avec la fureur des flots happés par un tourbillon. Il nous sied donc d'être aussi prévoyant que la peur nous y invite à la vue des récents exemples [16] laissés dans nos campagnes par les Anglais tenus en fatal dédain.

LE DAUPHIN.

Très redoutable père, il est fort juste que nous nous armions contre l'adversaire. Car la paix elle-même ne doit pas engourdir un royaume (quand bien même de guerre ou de querelle ouverte il ne serait question) au point que fortifications, troupes, équipements laissent d'y être entretenus, levés, accumulés, comme si quelque guerre menaçait. Donc je le déclare, il sied que nous allions tous inspecter les régions malades et vulnérables de la France. Et faisons-le sans montrer nulle crainte; oui, sans en plus montrer que si nous

83

No, with no more than if we heard that England
Were busied with a Whitsun morris-dance:
For, my good liege, she is so idly kinged,
Her sceptre so fantastically borne
By a vain, giddy, shallow, humorous youth,
That fear attends her not.

CONSTABLE.

O peace, Prince Dauphin!
30 You are too much mistaken in this king:
Question your grace the late ambassadors,
With what great state he heard their embassy,
How well supplied with noble counsellors,
How modest in exception; and, withal,
How terrible in constant resolution:
And you shall find his vanities forespent
Were but the outside of the Roman Brutus,
Covering discretion with a coat of folly;
As gardeners do with ordure hide those roots
40 That shall first spring, and be most delicate.

DAUPHIN.

Well, 'tis not so, my lord high constable.
But though we think it so, it is no matter:
In cases of defence, 'tis best to weigh
The enemy more mighty than he seems,
So the proportions of defence are filled:
Which, of a weak and niggardly projection,
Doth like a miser spoil his coat with scanting
A little cloth.

FRENCH KING.

Think we King Harry strong:
And, princes, look you strongly arm to meet him.
50 The kindred of him hath been fleshed upon us:
And he is bred out of that bloody strain,
That haunted us in our familiar paths:
Witness our too much memorable shame,
When Cressy battle fatally was struck,
And all our princes captived, by the hand
Of that black name, Edward, Black Prince of Wales:
Whiles that his mountain sire, on mountain standing
Up in the air, crowned with the golden sun,
Saw his heroical seed, and smiled to see him
60 Mangle the work of nature, and deface
The patterns that by God and by French fathers
Had twenty years been made... This is a stem
Of that victorious stock: and let us fear
The native mightiness and fate of him.

'*Enter a Messenger.*'

savions l'Angleterre occupée à quelque danse mauresque de mai. Car, mon bon maître, elle a un roi si frivole, son sceptre est porté avec tant de fantaisie par un étourdi, futile et capricieux jouvenceau, qu'elle n'inspire pas la crainte.

LE CONNÉTABLE.

O paix, prince Dauphin! Vous vous méprenez par trop au sujet de ce Roi. Que votre Grâce demande à nos récents ambassadeurs avec quelle pompe il écouta leur ambassade, comme il était flanqué de nobles conseillers, comme il fut modéré dans ses objections; et de surcroît combien terrible dans sa constante résolution. Alors vous connaîtrez que ses vanités d'antan n'étaient comme chez le Romain Lucius Brutus [17] qu'un extérieur, cachant la sagesse sous le manteau de la folie, ainsi qu'un jardinier abrite sous le fumier les plants les plus précoces et les plus délicats.

LE DAUPHIN.

Bah, il n'en est pas ainsi, monseigneur le grand Connétable. Mais quand nous le croirions, il n'importe; en fait de défense, mieux vaut estimer l'ennemi plus puissant qu'il ne semble : alors l'on constitue pleinement ses forces de défense, tandis que, si on les organise sur une échelle faible et mesquine, on fait comme l'avare qui gâte son habit pour épargner un peu de drap.

LE ROI DE FRANCE.

Tenons le Roi Henry pour puissant. Princes, veillez à vous armer fortement contre lui. Ceux de sa race se sont fait les dents sur nous; il est le rejeton de cette lignée sanglante qui nous a hantés dans nos voies familières, comme en témoigne notre trop mémorable honte, quand à Crécy bataille fatale fut livrée, quand tous nos princes furent capturés par la main d'Edouard au renom de noirceur, par le Noir Prince de Galles, cependant que son père, cette montagne dressée contre le ciel sur la montagne, couronné de l'or du soleil, voyait son héroïque postérité (et riait à sa vue) ravager l'œuvre de la nature et défigurer les modèles que Dieu et des pères français avaient formés en vingt années... C'est un rameau de cette souche victorieuse : craignons la puissance et la destinée natives de cet homme.

'Entre un Messager.'

MESSENGER.
Ambassadors from Harry King of England
Do crave admittance to your majesty.
        FRENCH KING.
We'll give them present audience. Go, and bring them.
                [*the Messenger departs, with certain lords.*
You see this chase is hotly followed, friends.
        DAUPHIN.
Turn head, and stop pursuit: for coward dogs
70 Most spend their mouths, when what they seem to threaten
Runs far before them.   Good my sovereign,
Take up the English short, and let them know
Of what a monarchy you are the head:
Self-love, my liege, is not so vile a sin
As self-neglecting.

                Re-enter Lords, with Exeter and his train.

        FRENCH KING.
                        From our brother of England?
        EXETER.
From him, and thus he greets your majesty:
He wills you, in the name of God Almighty,
That you divest yourself, and lay apart
The borrowed glories that by gift of heaven,
80 By law of nature, and of nations, 'longs
To him and to his heirs, namely, the crown,
And all wide-stretchéd honours, that pertain
By custom, and the ordinance of times,
Unto the crown of France: that you may know
'Tis no sinister, nor no awkward claim,
Picked from the worm-holes of long-vanished days,
Nor from the dust of old oblivion raked,
He sends you this most memorable line,
                                [*gives a paper.*
In every branch truly demonstrative;
90 Willing you overlook this pedigree:
And when you find him evenly derived
From his most famed of famous ancestors,
Edward the third, he bids you then resign
Your crown and kingdom, indirectly held
From him the native and true challenger.

LE MESSAGER.

Des ambassadeurs du roi Harry d'Angleterre demandent à être introduits auprès de Votre Majesté.

LE ROI DE FRANCE.

Nous leur donnerons audience sur l'heure. Allez les quérir.

Le Messager part, avec quelques-uns des seigneurs.

Vous voyez que la chasse est chaudement menée, mes amis.

LE DAUPHIN.

Faites face, et vous arrêterez la poursuite; les chiens couards donnent surtout de la voix quand ceux qu'ils pensent menacer fuient loin devant eux. Mon bon souverain, rabrouez les Anglais, et faites-leur connaître de quelle monarchie vous êtes le chef; l'amour de soi, seigneur, n'est point si vil péché que le dédain de soi.

Rentrent les Seigneurs, avec Exeter et sa suite.

LE ROI DE FRANCE.

Envoyés de notre frère d'Angleterre?

EXETER.

Oui; et voici comme il salue Votre Majesté : il exige de vous, au nom de Dieu Tout-Puissant, que vous dépouilliez et mettiez de côté les splendeurs empruntées qui, par le don du ciel, par la loi de la nature et des nations, appartiennent à lui et à ses héritiers, à savoir la couronne et toute l'étendue des honneurs qui s'attachent, de par la coutume et les usages anciens, à la couronne de France; pour que vous sachiez que ce n'est point là injuste ni fallacieuse prétention, puisée dans les trous de vers des jours enfuis de longue date ou ramassée dans la poussière de l'oubli lointain [18], il vous envoie cette fort mémorable généalogie *(il lui donne un papier)*, en toutes ses branches authentique démonstration; il veut que vous examiniez cette filiation, et quand vous aurez reconnu qu'il descend en droite ligne du plus renommé de ses renommés ancêtres, Edouard Trois, il vous somme d'abdiquer alors votre couronne et votre royaume, qui lui ont été injustement ôtés, à lui, le véritable prétendant de naissance.

FRENCH KING.
Or else what follows?
EXETER.
Bloody constraint: for if you hide the crown
Even in your hearts, there will he rake for it.
Therefore in fierce tempest is he coming,
100 In thunder and in earthquake, like a Jove:
That, if requiring fail, he will compel.
And bids you, in the bowels of the Lord,
Deliver up the crown, and to take mercy
On the poor souls, for whom this hungry war
Opens his vasty jaws: and on your head
Turning the widows' tears, the orphans' cries,
The dead men's blood, the pining maidens' groans,
For husbands, fathers, and betrothéd lovers,
That shall be swallowed in this controversy.
110 This is his claim, his threatening, and my message:
Unless the Dauphin be in presence here;
To whom expressly I bring greeting too.
FRENCH KING.
For us, we will consider of this further;
To-morrow shall you bear our full intent
Back to our brother of England.
DAUPHIN.
For the Dauphin,
I stand here for him: what to him from England?
EXETER.
Scorn and defiance, slight regard, contempt,
And any thing that may not misbecome
The mighty sender, doth he prize you at.
120 Thus says my king: an if your father's highness
Do not, in grant of all demands at large,
Sweeten the bitter mock you sent his majesty,
He'll call you to so hot an answer of it,
That caves and womby vaultages of France
Shall chide your trespass, and return your mock
In second accent of his ordinance.
DAUPHIN.
Say: if my father render fair return,
It is against my will; for I desire
Nothing but odds with England.   To that end,
130 As matching to his youth and vanity,
I did present him with the Paris-balls.
EXETER.
He'll make your Paris Louvre shake for it,
Were it the mistress-court of mighty Europe:
And, be assured, you'll find a difference,
As we his subjects have in wonder found,

LE ROI DE FRANCE.

Sinon, quelles suites ?

EXETER.

Sanglante violence : car si vous cachiez la couronne jusques en votre cœur, il l'irait chercher là. Donc telle une tempête furieuse il arrive; il tonne et fait trembler le sol comme un Jupiter; et si requérir échoue, il contraindra. Il vous ordonne, par les entrailles du Christ, de livrer la couronne et de prendre en pitié les pauvres âmes pour qui la guerre avide ouvre son immense gueule; et sur votre tête il fait retomber les larmes des veuves, les cris des orphelins, le sang des morts, les sanglots des filles affligées, pleurant les maris, les pères et les fiancés aimés qui vont être engloutis dans cette querelle. Voilà sa prétention, sa menace, et mon message; à moins que le Dauphin ne soit présent ici, auquel j'apporte aussi salutation expresse.

LE ROI DE FRANCE.

Pour nous, nous allons y réfléchir encore; demain vous porterez notre décision à notre frère d'Angleterre.

LE DAUPHIN.

Pour le Dauphin, je le représente ici. Que lui envoie l'Anglais ?

EXETER.

Mépris, défi, maigre estime, dédain, tout ce que peut émettre sans se rabaisser le puissant qui m'envoie, voilà le cas qu'il fait de vous. Ainsi parle mon Roi : si Son Altesse votre père, refusant d'accorder l'ensemble de ses requêtes, n'atténue pas l'amère raillerie envoyée à Sa Majesté, il vous en fera si chaudement répondre que les grottes et les spacieuses cavernes de France retentiront de votre faute en redisant votre raillerie par l'écho répété de son artillerie.

LE DAUPHIN.

Dites-lui que si mon père fait réponse favorable, c'est contre mon vouloir, car je ne désire que mésentente avec l'Anglais. C'est pour cela, parce qu'elles étaient assorties à sa jeunesse et à sa futilité, que je lui ai fait présent des balles de Paris.

EXETER.

Il en fera trembler votre Louvre de Paris, fût-il la première cour de la puissante Europe; et soyez sûr que vous trouverez la même différence que nous, ses sujets, avons trouvée avec

Between the promise of his greener days,
And these he masters now: now he weighs time
Even to the utmost grain: that you shall read
In your own losses, if he stay in France.

FRENCH KING [*rises*].

140 To-morrow shall you know our mind at full.

['*Flourish.*'

EXETER.

Dispatch us with all speed, lest that our king
Come here himself to question our delay;
For he is footed in this land already.

FRENCH KING.

You shall be soon dispatched, with fair conditions.
A night is but small breath, and little pause,
To answer matters of this consequence.

[*the King and his Courtiers leave,
Exeter with his train following.*

[III. Prologue]

'*Flourish. Enter* CHORUS.'

CHORUS.

Thus with imagined wing our swift scene flies,
In motion of no less celerity
Than that of thought... Suppose that you have seen
The well-appointed king at Hampton pier
Embark his royalty: and his brave fleet
With silken streamers the young Phœbus fanning;
Play with your fancies: and in them behold,
Upon the hempen tackle, ship-boys climbing;
Hear the shrill whistle, which doth order give

10 To sounds confused: behold the threaden sails,
Borne with th'invisible and creeping wind,
Draw the huge bottoms through the furrowed sea,
Breasting the lofty surge... O, do but think
You stand upon the rivage, and behold
A city on th'inconstant billows dancing:
For so appears this fleet majestical,
Holding due course to Harfleur... Follow, follow!
Grapple your minds to sternage of this navy,
And leave your England as dead midnight, still,

20 Guarded with grandsires, babies, and old women,
Either past or not arrived to pith and puissance...

90

stupeur entre les promesses de sa verte jeunesse et ses accomplissements d'à présent; à présent il pèse le temps, jusqu'à la plus infime parcelle; vous en jugerez à vos propres pertes s'il demeure en France.

LE ROI DE FRANCE, *se levant*.
Demain vous connaîtrez pleinement notre propos.

'*Fanfare.*'

EXETER.
Dépêchez-nous au plus tôt, de peur que notre Roi ne vienne ici lui-même s'enquérir de notre retard; car il a déjà pris pied en ce pays.

LE ROI DE FRANCE.
Vous serez bientôt expédiés, porteurs de justes offres. Une nuit n'est qu'un mince répit, un court intervalle, pour répondre sur des affaires de cette importance.

Le Roi et ses courtisans sortent, précédant Exeter et sa suite.

[III, PROLOGUE]

'*Fanfare. Entre* LE CHŒUR.'

LE CHŒUR.
Ainsi, d'une aile imaginaire vole notre prompte scène, et son mouvement n'a pas moins de célérité que la pensée. Supposez que vous avez vu le Roi bien équipé embarquer à la jetée de Hampton sa royale personne, et sa noble flotte éventer de soyeux oriflammes le jeune Phœbus. Exercez votre imagination : ainsi regardez au chanvre des agrès grimper les petits mousses; écoutez le sifflet strident rétablir l'ordre en des bruits confondus; voyez les voiles de fil, emportées par le vent invisible et furtif, traîner les énormes coques à travers la mer ravinée, affrontant la houle altière... Ah, croyez seulement que, debout sur la rive, vous regardez une ville danser sur les vagues mouvantes; car telle apparaît cette flotte imposante qui met le cap droit sur Harfleur... Suivez, suivez! accrochez vos pensées à la poupe de ces navires, laissez votre Angleterre, comme le cœur de la nuit tranquille, à la garde des aïeuls, des marmots, des vieilles, de ceux qui

For who is he, whose chin is but enriched
With one appearing hair, that will not follow
These culled and choice-drawn cavaliers to France?
Work, work your thoughts, and therein see a siege:
Behold the ordinance on their carriages,
With fatal mouths gaping on girded Harfleur...
Suppose th'ambassador from the French comes back:
Tells Harry that the king doth offer him
30 Katharine his daughter, and with her, to dowry,
Some petty and unprofitable dukedoms.
The offer likes not: and the nimble gunner
With linstock now the devilish cannon touches,
> ['*Alarum, and chambers go off.*'

And down goes all before them... Still be kind,
And eche out our performance with your mind.

> ['*exit.*'

[III, 1.]   France.   Before the gates 'at Harfleur'

'*Alarum.*' '*Enter the King,* EXETER, BEDFORD,
and GLOUCESTER,' *followed by soldiers with 'scaling
ladders*'.

KING HENRY.
Once more unto the breach, dear friends, once more;
Or close the wall up with our English dead...
In peace, there's nothing so becomes a man,
As modest stillness, and humility:
But when the blast of war blows in our ears,
Then imitate the action of the tiger:
†Stiffen the sinews, conjure up the blood,
Disguise fair nature with hard-favoured rage:
Then lend the eye a terrible aspect:
10 Let it pry through the portage of the head,
Like the brass cannon: let the brow o'erwhelm it
As fearfully as doth a gallèd rock
O'erhang and jutty his confounded base,
Swilled with the wild and wasteful ocean.
Now set the teeth, and stretch the nostril wide,
Hold hard the breath, and bend up every spirit
To his full height! On, on, you noblest English,
Whose blood is fet from fathers of war-proof:
Fathers, that like so many Alexanders,

n'ont point encore, ou n'ont plus, énergie et puissance... Car quel est celui dont le menton s'enrichit, fût-ce d'un poil naissant, et qui ne voudrait suivre jusqu'en France cette fine fleur de nos cavaliers ? Travaillez, travaillez vos pensées, et qu'elles vous représentent un siège : regardez l'artillerie sur ses affûts, ses gueules fatales béant sur Harfleur investi... Supposez que l'ambassadeur revient de France et qu'il dit à Harry que le roi lui offre Catherine sa fille avec, pour dot, quelques menus duchés de piètre valeur. L'offre ne lui plaît pas; l'agile artilleur avec son boutefeu touche maintenant le canon diabolique,

'Appel aux armes, et salves.'

et tout croule devant eux... Restez-nous bienveillants, et qu'à notre spectacle supplée votre esprit.

'Il sort.'

[III, I.]   En France. Devant les portes 'à Harfleur'

'Appel de trompettes.' *'Entrent* LE ROI, EXETER, BEDFORD *et* GLOSTER*', suivis de soldats portant 'des échelles d'assaut'.*

LE ROI HENRY.

Encore un coup sur la brèche, les amis, encore un coup ! ou comblons la muraille avec nos corps anglais... Dans la paix rien ne sied tant à l'homme qu'une tranquille, qu'une humble retenue; mais quand l'appel guerrier résonne à nos oreilles, alors imitez-moi les mouvements du tigre : que se raidissent les muscles, que s'insurge le sang, que se déguise la bonté naturelle sous un courroux rébarbatif; alors, que l'œil prenne un aspect redoutable, qu'il pointe par les sabords de la tête comme le canon de bronze, que le front le couronne d'aussi terrible sorte qu'un roc effrité surplombe et accable sa base défaite, noyée par l'océan furieux et dévastateur. Pour l'heure serrez-moi les dents, dilatez les narines, gardez le souffle roide, bandez toutes vos énergies au plus haut point ! En avant, en avant, nobles Anglais, qui tirez votre sang de pères aguerris; de pères qui, comme autant d'Alexandres, en ces

20 Have in these parts from morn till even fought,
And sheathed their swords for lack of argument.
Dishonour not your mothers: now attest
That those whom you called fathers did beget you!
Be copy now to men of grosser blood,
And teach them how to war! And you, good yeomen,
Whose limbs were made in England; show us here
The mettle of your pasture: let us swear,
That you are worth your breeding—which I doubt not:
For there is none of you so mean and base,
30 That hath not noble lustre in your eyes.
I see you stand like greyhounds in the slips,
Straining upon the start. The game's afoot:
Follow your spirit; and upon this charge,
Cry, 'God for Harry, England, and Saint George!'

[*They pass forward to the breach.*
'*Alarum, and chambers go off.*'

[III, 2.]

'NYM, BARDOLPH, PISTOL,' *and the* '*Boy*' *come up.*

BARDOLPH.
On, on, on, on, on! to the breach, to the breach!
NYM.
Pray thee, corporal, stay, the knocks are too hot: and for
mine own part, I have not a case of lives: the humour of
it is too hot, that is the very plain-song of it.
PISTOL.
The plain-song is most just: for humours do abound:
Knocks go and come: God's vassals drop and die:
            And sword and shield,
            In bloody field,
        Doth win immortal fame.
BOY.
10 Would I were in an alehouse in London! I would give
all my fame for a pot of ale, and safety.

parages de l'aube au soir ont combattu, ne rengainant le fer que faute d'opposants. Ne déshonorez pas vos mères : attestez à cette heure que ceux que vous disiez vos pères vous ont conçus! Servez à présent de modèles aux hommes d'un sang moins pur, apprenez-leur à faire la guerre! Et vous, braves campagnards dont les membres furent façonnés en Angleterre, montrez-nous ici la vertu de votre terroir; jurons ensemble que vous êtes dignes de votre cru, ce dont je ne doute : car il n'est pas un de vous, si humble et grossier soit-il, qui n'ait dans les yeux un noble éclat. Je vous vois là comme des lévriers en laisse, tendus vers le départ. Le gibier est levé; suivez votre ardeur; tout en chargeant, criez : 'Dieu soit avec Harry, l'Angleterre, et saint Georges!'

Ils sortent en direction de la brèche
'Appel aux armes, et salves.

[III, 2.]

'*Entrent* FILOU, BARDOLPH, PISTOLET *et* LE 'VALET'.

BARDOLPH.
En avant, en avant, en avant, en avant! Sur la brèche, sur la brèche!

FILOU.
Un instant, caporal, je te prie! Les coups pleuvent trop dru; et pour ma part je n'ai pas de vies de rechange; l'affaire est d'humeur trop chaude : c'est là le refrain de la question.

PISTOLET.
Rien de plus judicieux que ce refrain : car il y a beaucoup d'humeurs; et les coups vont et viennent; les vassaux de Dieu tombent et meurent :

L'épée, le bouclier,
En combat meurtrier
Emportent gloire immortelle.

LE VALET.
Si je pouvais être dans un cabaret de Londres! Je donnerais bien toute ma gloire pour un pot de bière et ma sécurité.

95

PISTOL.
And I:
> If wishes would prevail with me,
> My purpose should not fail with me;
> But thither would I hie.

BOY.
As duly,
> But not as truly,
> As bird doth sing on bough.

Fluellen marches up with supply troops for the breach; he belabours Bardolph, Nym and Pistol with the flat of his sword; the Boy hides behind a bush.

FLUELLEN.
Up to the breach, you dogs; avaunt, you cullions!
PISTOL.
20 Be merciful, great duke, to men of mould:
Abate thy rage, abate thy manly rage;
Abate thy rage, great duke!
Good bawcock, bate thy rage: use lenity, sweet chuck!
NYM.
These be good humours... Your honour wins bad humours.

> [*Fluellen drives them forward with his men.*

BOY [*stealing forth*].
As young as I am, I have observed these three swashers: I am boy to them all three, but all they three, though they would serve me, could not be man to me; for indeed three such antics do not amount to a man... For Bardolph,
30 he is white-livered and red-faced; by the means whereof a' faces it out, but fights not: for Pistol, he hath a killing tongue, and a quiet sword; by the means whereof a' breaks words, and keeps whole weapons: for Nym, he hath heard that men of few words are the best men, and therefore he scorns to say his prayers, lest a' should be thought a coward: but his few bad words are matched with as few good deeds; for a' never broke any man's head but his own, and that was against a post, when he was drunk. They will steal any thing, and call it purchase. Bardolph stole a lute-

PISTOLET.

Moi de même : si les souhaits
S'emparaient de moi, ce n'est pas
Le bon vouloir qui manquerait
Et je m'envolerais là-bas.

LE VALET.

D'une allure aussi sûre,
Point d'un cœur aussi pur
Que l'oiseau chante sur la branche.

*Arrive Fluellen avec des renforts pour monter sur la brèche ;
il tombe sur Bardolph, Filou et Pistolet à coups de plat de
sabre ; le Valet se cache.*

FLUELLEN.

A la brèche, marauds ; en avant, couillons !

PISTOLET.

Compatis, noble duc, envers d'humbles mortels ; apaise ton
courroux, ton mâle courroux ; apaise ton courroux, noble
duc ! Beau coq, apaise ton courroux ; tout doux, cher poussin !

FILOU.

Voilà de belles humeurs... *(A Fluellen.)* Votre Honneur
conquiert les méchantes humeurs.

Fluellen les fait avancer avec ses hommes.

LE VALET, *reparaissant avec précaution.*

Pour jeune que je sois, je n'en ai pas moins observé ces trois
fanfarons ; je sers d'homme de peine à tous trois, mais tous
trois, quand bien même ils me voudraient servir, auraient
peine à me fournir un homme ; car, à dire le vrai, trois gro-
tesques de leur espèce ne font pas un homme au total...
Prenez Bardolph : il a le foie blanc et la figure rouge ; en
vertu de quoi, il prend un air effronté et ne se bat mie ;
quant à Pistolet, sa langue assassine tandis que son épée est
au repos ; en vertu de quoi il joue de la parole et garde ses
armes intactes [19]. Quant à Filou, ayant ouï dire que les hommes
de peu de mots sont les plus valeureux, il ne daigne pas dire
ses prières, de peur d'être jugé couard ; mais à ses rares paroles
malsonnantes répondent d'aussi rares actions d'éclat :
car il n'a jamais assommé nul autre que lui-même, et encore
fut-ce contre un poteau dans un accès d'ivresse. Ils vous
voleront n'importe quoi, en appelant ça emplettes [20]. Bar-

40 case, bore it twelve leagues, and sold it for three half-
pence. Nym and Bardolph are sworn brothers in fil-
ching: and in Calais they stole a fire-shovel. I knew by
that piece of service, the men would carry coals. They
would have me as familiar with men's pockets as their
gloves or their handkerchers: which makes much against
my manhood, if I should take from another's pocket, to
put into mine; for it is plain pocketing up of wrongs...
I must leave them, and seek some better service: their
villany goes against my weak stomach, and therefore I
50 must cast it up.

[*he goes back towards the camp.*
Fluellen returns with Gower.

GOWER.
Captain Fluellen, you must come presently to the mines;
the Duke of Gloucester would speak with you.
FLUELLEN.
To the mines? Tell you the duke, it is not so good to
come to the mines: for look you, the mines is not according
to the disciplines of the war; the concavities of it is not
sufficient: for look you, th'athversary—you may discuss
unto the duke—look you, is digt himself four yard under
the counter-mines: by Cheshu, I think a' will plow up all
if there is not better directions.
GOWER.
60 The Duke of Gloucester, to whom the order of the siege
is given, is altogether directed by an Irishman, a very valiant
gentleman, i'faith.
FLUELLEN.
It is Captain Macmorris, is it not?
GOWER.
I think it be.
FLUELLEN.
By Cheshu, he is an ass, as in the world, I will verify as
much in his beard: he has no more directions in the true
disciplines of the wars, look you, of the Roman disciplines,
than is a puppy-dog.

'*Enter Macmorris and Captain Jamy.*'

dolph a volé un écrin de luth, l'a porté à douze lieues et l'a vendu pour moins de deux pence. Filou et Bardolph sont frères jurés en fait de larcin; et à Calais ils ont volé une lèche-frite. Au su de cet exploit j'ai compris que mes gaillards étaient capables de toutes les lèches. Ils voudraient me rendre familier comme un gant ou un mouchoir avec la poche des gens; mais la chose irait fort à l'encontre de ma dignité d'homme, s'il me fallait prendre dans la poche d'autrui pour emplir la mienne : ce serait là tout bonnement en empocher plus que de raison [21]... Il va me falloir les quitter et chercher meilleur emploi; j'ai l'estomac trop faible pour tolérer leur scélératesse : il faut donc que je la vomisse.

Il s'en retourne vers le camp.
Fluellen [22] revient avec Gower.

GOWER.
Capitaine Fluellen, il faut que vous veniez aux mines sur-le-champ : le Duc de Gloster voudrait vous parler.

FLUELLEN.
Aux mines ? Allez vous-même dire au duc qu'il ne fait guère bon venir aux mines; car, voyez-vous, les mines, c'est pas en conformité avec les disciplines de la guerre; la concafité n'en est pas suffisante; car, voyez-vous, l'atfersaire — vous pouvez l'exposer au duc — voyez-vous, il s'a enfoui à douze pieds en dessous ses contre-mines; par Chéchus, m'est afis qu'il va tout faire sauter si on n'a pas de meilleures instructions.

GOWER.
Le Duc de Gloster, qui a reçu commandement du siège, se laisse entièrement guider par un Irlandais, qui est un très vaillant gentilhomme, ma foi.

FLUELLEN.
Le capitaine Macmorris, n'est-il pas vrai ?

GOWER.
C'est ce qu'il me semble.

FLUELLEN.
Par Chéchus, c'est un âne, et plus que pas un au monde, et je le lui vérifierai à sa barbe; il n'a pas plus d'instruction dans les véritables disciplines de la guerre, foyez-fous, les disciplines des Romains, que n'en a un cheune chiot.

'Entrent Macmorris et le Capitaine Jamy.'

GOWER.

Here a' comes, and the Scots captain, Captain Jamy,
70 with him.

FLUELLEN

Captain Jamy is a marvellous falorous gentleman, that is
certain, and of great expedition and knowledge in th'ancient wars, upon my particular knowledge of his directions: by Cheshu, he will maintain his argument as well
as any military man in the world, in the disciplines of the
pristine wars of the Romans.

JAMY.

I say gud-day, Captain Fluellen.

FLUELLEN.

God-den to your worship, good Captain James.

GOWER.

How now, Captain Macmorris, have you quit the mines?
80 have the pioners given o'er?

MACMORRIS.

By Chrish, la! tish ill done: the work ish give over, the
trompet sound the retreat   By my hand I swear, and my
father's soul, the work ish ill done: it ish give over: I would
have blowed up the town, so Chrish save me, la, in an hour.
O tish ill done, tish ill done: by my hand, tish ill done!

FLUELLEN.

Captain Macmorris, I beseech you now, will you voutsafe
me, look you, a few disputations with you, as partly touching
or concerning the disciplines of the war, the Roman wars,
in the way of argument, look you, and friendly communi-
90 cation: partly to satisfy my opinion, and partly for the
satisfaction, look you, of my mind: as touching the direction of the military discipline, that is the point.

JAMY.

It sall be vary gud, gud feith, gud captains bath, and I sall
quit you with gud leve, as I may pick occasion: that sall
I, marry.

MACMORRIS.

It is no time to discourse, so Chrish save me: the day is

100

GOWER.

Le voici qui arrive, et le capitaine Jamy, l'Ecossais, est avec lui.

FLUELLEN.

Le capitaine Jamy est un officier de faleur prodigieuse, assurément; et il a bien de l'exprudition et de grandes connaissances dans les guerres de l'antiquité, à en juger par ma connaissance précise de ses instructions; par Chéchus, il se défend aussi bien dans la discussion que tous les soldats du monde sur les disciplines des guerres primitives des Romains.

JAMY.

Je vous souhaite le bonjour, capitaine Fluellen.

FLUELLEN.

Le ponsoir à Votre Honneur, brave capitaine James.

GOWER.

Or çà, capitaine Macmorris, avez-vous donc quitté les mines ? Les pionniers ont-ils abandonné la partie ?

MACMORRIS.

Té, par le Chrisse, c'est un beau gâchis : on a renoncé à l'affaire, et les trompettes sonnent la retraite. Sur ma main, je vous jure, et sur l'âme de mon père, que c'est un beau gâchis; on y a renoncé; je vous aurais fait sauter la ville, moi, que le Chrisse me proutège, té, en une heure. Ah, c'est un beau gâchis, c'est un beau gâchis; sur ma main, c'est un beau gâchis!

FLUELLEN.

Dites, capitaine Macmorris, je vous en prie, voulez-vous m'accorter, voyez-vous, quelques disputations avec vous, qui pourraient en partie traiter et s'occuper des disciplines de la guerre, des guerres des Romains, par manière de discussion, voyez-vous, et d'entretien amical; en partie pour me satisfaire l'entendement, et en partie pour la satisfaction, voyez-vous, de mon esprit; par exemple touchant la théorie de la discipline militaire, c'est toute la question.

JAMY.

Ce sera très bien, ma foi, mes deux braves capitaines, et je vous dirai mon mot, avec votre bonne permission, si j'en ai occasion; ouais, c'est ce que je vais faire, parbleu.

MACMORRIS.

Ce n'est pas le moment de discourir, que le Chrisse me prou-

hot, and the weather, and the wars, and the king, and the
dukes: it is no time to discourse, the town is beseeched:
an the trumpet call us to the breach and we talk, and, be
100 Chrish, do nothing, 'tis shame for us all: so God sa' me,
'tis shame to stand still, it is shame, by my hand: an there
is throats to be cut, and works to be done, and there ish
nothing done, so Chrish sa' me, la!

        J A M Y .
By the mess, ere these eyes of mine take themselves to
slomber, ay'll de gude service, or ay'll lig i'th'grund for
it; ay, or go to death: and ay'll pay't as valorously as
may, that sal I suerly do, that is the breff and the long...
Mary, I wad full fain hear some question 'tween you tway.

        F L U E L L E N .
Captain Macmorris, I think, look you, under your correc-
110 tion, there is not many of your nation—

        M A C M O R R I S .
Of my nation! What ish my nation? Ish a villain, and a
bastard, and a knave, and a rascal—What ish my nation?
Who talks of my nation?

        F L U E L L E N .
Look you, if you take the matter otherwise than is meant,
Captain Macmorris, peradventure I shall think you do not
use me with that affability as in discretion you ought to
use me, look you, being as good a man as yourself, both
in the disciplines of war, and in the derivation of my birth,
and in other particularities.

        M A C M O R R I S .
120 I do not know you so good a man as myself: so Chrish
save me, I will cut off your head.

        G O W E R .
Gentlemen both, you will mistake each other.

        J A M Y .
Ah! that's a foul fault.

                'A parley' sounded from the walls.

102

tège, la journée est trop chaude, et le temps, et les guerres, et le roi, et les ducs pareillement; ce n'est pas le moment de discourir quand la ville, elle est en tas de siège; et la trompette nous appelle sur la brèche, et nous causons, et sans rien faire, par le Chrisse, que c'en est une honte pour nous tous; et que Dieu me proutège si ce n'en est pas une, de honte, de rester sans bouger, si ce n'est pas une honte, sur ma main! Et il y en a, des gorges à trancher, et de l'ouvrage à faire, et il n'y a rien de fait, que le Chrisse me proutège, té!

JAMY.

Par la messe, avant que mes yeux s'en aillent dormir ce soir, je veux faire de la bonne besogne, ou je veux qu'on me porte en terre; ouais, je mourrais plutôt; et je veux payer de ma personne le plus bravement que je pourrai; voilà pour sûr ce que je vais faire, en un mot comme en cent... Par la Vierge, je voudrais bien écouter un brin de discussion entre vous deux

FLUELLEN.

Capitaine Macmorris, il me semble, voyez-vous, sauf votre respect, qu'il n'en est pas beaucoup de votre nation...

MACMORRIS.

De ma nation! Et qu'est-ce qu'elle a, ma nation? Est-ce à un scélérat, à un bâtard, à un coquin, à un fripon... Qu'est-ce qu'elle a, ma nation? Qui parle de ma nation?

FLUELLEN.

Voyez-vous, si vous prenez la chose à contresens, Capitaine Macmorris, je risquerai de penser que vous ne me traitez pas avec toute l'affabilité que vous devriez par prudence avoir envers moi, voyez-vous, vu que je vous vaux bien, tant dans les disciplines de la guerre que par l'extraction de ma naissance et sur tous les autres points.

MACMORRIS.

Je ne sache pas que vous me valiez : que le Chrisse me proutège, je vais vous couper la tête.

GOWER.

Messieurs, vous êtes tous deux résolus à ne pas vous entendre.

JAMY.

Ouais, et c'est une vilaine erreur.

Sur les murailles, on bat 'la chamade'.

GOWER.

The town sounds a parley.

FLUELLEN.

Captain Macmorris, when there is more better opportunity
to be required, look you, I will be so bold as to tell you
I know the disciplines of war: and there is an end.

[*they stand aside.*

[III, 3.]

The GOVERNOR *and some* CITIZENS *appear upon
the walls. 'Enter the King and all his train before the gates.'*

KING.

How yet resolves the governor of the town?
This is the latest parle we will admit:
Therefore to our best mercy give yourselves,
Or, like to men proud of destruction,
Defy us to our worst : for, as I am a soldier,
A name that in my thoughts becomes me best,
If I begin the battery once again,
I will not leave the half-achieved Harfleur,
Till in her ashes she lie buriéd.
10 The gates of mercy shall be all shut up,
And the fleshed soldier, rough and hard of heart,
In liberty of bloody hand, shall range
With conscience wide as hell, mowing like grass
Your fresh fair virgins, and your flowering infants.
What is it then to me, if impious war,
Arrayed in flames like to the prince of fiends,
Do with his smirched complexion all fell feats
Enlinked to waste and desolation?
What is't to me, when you yourselves are cause,
20 If your pure maidens fall into the hand
Of hot and forcing violation?
What rein can hold licentious wickedness,
When down the hill he holds his fierce career?
We may as bootless spend our vain command
Upon th'enragéd soldiers in their spoil,
As send precépts to the leviathan
To come ashore.   Therefore, you men of Harfleur,
Take pity of your town and of your people,

GOWER.
La ville demande un pourparler.

FLUELLEN.
Capitaine Macmorris, quand nous pourrons détenir une occasion mieux favorable, voyez-vous, je me permettrai de vous dire que je connais les disciplines de la guerre : en voilà assez.

Ils s'écartent.

[III, 3.]

LE GOUVERNEUR *paraît avec des* CITOYENS *sur les remparts. 'Entrent* LE ROI *et toute sa suite devant les portes.'*

LE ROI.
Que décide à présent le gouverneur de la ville ? Nous n'accorderons plus de pourparlers désormais : remettez-vous-en donc au meilleur de notre merci, ou bien, en hommes grisés par la mort prochaine, défiez-nous de commettre le pire; car, parole de soldat (ce nom, selon moi, me convient mieux que tout autre), si je reprends l'assaut encore un coup, je ne laisserai point Harfleur, à moitié conquise déjà, qu'elle ne soit enfouie sous ses cendres. Les portes de la merci seront murées toutes, et le soldat endurci, brutal et rude de cœur, ira au gré de sa main sanguinaire, la conscience vaste comme l'enfer, fauchant comme herbe vos belles vierges fraîches et vos enfançons en fleur. Que m'importe, à moi, que la guerre impie, en ses atours de feu semblable au prince des démons, exécute avec son visage souillé tous les actes hideux qui escortent la ruine et la désolation ? Que m'importe, quand c'est vous qui en êtes cause, que vos pures jeunes filles tombent au pouvoir du viol ardent et forcené ? Comment brider la néfaste licence quand elle dévale la pente dans sa course éperdue ? Nous gaspillerions autant nos vains ordres sur les soldats acharnés au pillage, que si nous mandions au léviathan de venir à la côte. Ainsi donc, hommes d'Harfleur, ayez pitié de votre ville et de vos gens, tandis que mes sol-

Whiles yet my soldiers are in my command,
30 Whiles yet the cool and temperate wind of grace
O'erblows the filthy and contagious clouds
Of heady murder, spoil, and villany.
If not—why, in a moment look to see
The blind and bloody soldier with foul hand
Defile the locks of your shrill-shrieking daughters:
Your fathers taken by the silver beards,
And their most reverend heads dashed to the walls:
Your naked infants spitted upon pikes,
Whiles the mad mothers with their howls confused
40 Do break the clouds; as did the wives of Jewry,
At Herod's bloody-hunting slaughtermen.
What say you? Will you yield, and this avoid?
Or, guilty in defence, be thus destroyed?

GOVERNOR.

Our expectation hath this day an end:
The Dauphin, whom of succours we entreated,
Returns us that his powers are yet not ready
To raise so great a siege... Therefore, great king,
We yield our town and lives to thy soft mercy:
Enter our gates, dispose of us and ours,
50 For we no longer are defensible.

KING.

Open your gates... Come, uncle Exeter,
Go you and enter Harfleur; there remain,
And fortify it strongly 'gainst the French:
Use mercy to them all. For us, dear uncle,
The winter coming on, and sickness growing
Upon our soldiers, we will retire to Calais.
To-night in Harfleur will we be your guest,
To-morrow for the march are we addrest.

['*Flourish.*' *The King and his forces 'enter the town.*']

[III, 4.]   Rouen.   The French King's palace

The Princess KATHARINE *and* ALICE, '*an old*
Gentlewoman', *and other ladies-in-waiting.*

KATHARINE.

Alice, tu as été en Angleterre, et tu bien parles le langage.

106

dats m'obéissent encore, qu'encore la brise fraîche et tempérée de la grâce dissipe la nuée sordide et pestilentielle du meurtre impétueux, du pillage et du crime. Sinon... alors dans un instant attendez-vous à voir, aveuglé, sanglant, le soldat souiller d'une main vile les cheveux de vos filles hurlantes, vos pères empoignés par leurs barbes d'argent, leurs vénérables chefs brisés sur les murailles, vos enfants nus embrochés sur des piques, tandis qu'affolées leurs mères déchireront les nuées de leurs hurlements confus comme jadis les femmes de Judée devant les massacreurs d'Hérode assoiffés de sang. Qu'en dites-vous? Allez-vous vous rendre pour éviter cela? Ou, criminels dans votre défense, vous faire anéantir?

LE GOUVERNEUR.

Nos espérances prennent fin en ce jour. Le Dauphin, auprès de qui nous avons imploré des renforts, nous répond que ses armées ne sont pas encore prêtes à faire lever un si grand siège. C'est pourquoi, noble roi, nous livrons notre ville et nos vies aux douceurs de ta merci : franchis nos portes, dispose de nous et de nos biens, car nous ne sommes plus en état de nous défendre.

LE ROI.

Ouvrez vos portes... Allons, oncle Exeter, c'est vous qui entrerez dans Harfleur; restez-y, et armez fortement la ville contre les Français; usez de merci envers tous. Pour nous, cher oncle, puisque vient l'hiver et que la maladie se propage parmi nos soldats, nous nous retirerons à Calais. Ce soir vous nous aurez pour hôte à Harfleur, demain nous serons prêts à nous mettre en marche.

'Fanfare.' Le Roi et son armée 'entrent dans la ville'.

[III, 4.]   Rouen. Le palais du Roi de France

La Princesse CATHERINE *et* ALICE, *'vieille dame de qualité', avec d'autres dames de compagnie* [23].

CATHERINE.

Alice, tu as été en Angleterre, et tu bien parles le langage.

107

ALICE.

Un peu, madame.

KATHARINE.

Je te prie, m'enseignez — il faut que j'apprenne à parler...
Comment appelez-vous la main en Anglais ?

ALICE.

La main ? elle est appelée de hand.

KATHARINE.

De hand. Et les doigts ?

ALICE.

Les doigts ? ma foi, j'oublie les doigts ; mais je me sou-
viendrai. Les doigts ? je pense qu'ils sont appelés de fingres :
oui, de fingres.

KATHARINE.

10 La main, de hand : les doigts, de fingres. Je pense que je
suis le bon écolier. J'ai gagné deux mots d'Anglais vitement.
Comment appelez-vous les ongles ?

ALICE.

Les ongles ? nous les appelons de nailès.

KATHARINE.

De nailès. Ecoutez : dites-moi si je parle bien : de hand,
de fingres, et de nailès.

ALICE.

C'est bien dit, madame ; il est fort bon Anglais.

KATHARINE.

Dites-moi l'Anglais pour le bras.

ALICE.

De arm, Madame.

KATHARINE.

Et le coude.

ALICE.

20 D'elbow.

KATHARINE.

D'elbow. Je m'en fais la répétition de tous les mots que
vous m'avez appris dès à présent.

ALICE.

Il est trop difficile, madame, comme je pense.

KATHARINE.

Excusez-moi, Alice ; écoutez : d' hand, de fingre, de nailès,
d'arma, de bilbow.

ALICE.

Un peu, madame.

CATHERINE.

Je te prie, m'enseignez — il faut que j'apprenne à parler...
Comment appelez-vous la main en anglais?

ALICE.

La main? elle est appelée de hand.

CATHERINE.

De hand. Et les doigts?

ALICE.

Les doigts? Ma foi, j'oublie les doigts; mais je me souvien-
drai. Les doigts? Je pense qu'ils sont appelés de fingres:
oui, de fingres.

CATHERINE.

La main : de hand; les doigts : de fingres. Je pense que je suis
le bon écolier. J'ai gagné deux mots d'anglais vitement. Comment appelez-vous les ongles?

ALICE.

Les ongles? nous les appelons de nailès.

CATHERINE.

De nailès. Ecoutez, dites-moi si je parle bien : de hand, de
fingres, et de nailès.

ALICE.

C'est bien dit, madame; il est fort bon anglais.

CATHERINE.

Dites-moi l'anglais pour le bras.

ALICE.

De arm, madame.

CATHERINE.

Et le coude.

ALICE.

D'elbow.

CATHERINE.

D'elbow. Je m'en fais la répétition de tous les mots que vous
m'avez appris dès à présent.

ALICE.

Il est trop difficile, madame, comme je pense.

CATHERINE.

Excusez-moi, Alice; écoutez : d'hand, de fingre, de nailès,
d'arma, de bilbow.

ALICE.
D'elbow, madame.

KATHARINE.
O Seigneur Dieu, je m'en oublie! d'elbow. Comment appelez-vous le col?

ALICE.
De nick, madame.

KATHARINE.
30 De nick. Et le menton?

ALICE.
De chin.

KATHARINE.
De sin. Le col, de nick; le menton, de sin.

ALICE.
Oui. Sauf votre honneur, en vérité, vous prononcez les mots aussi droit que les natifs d'Angleterre.

KATHARINE.
Je ne doute point d'apprendre, par la grâce de Dieu, et en peu de temps.

ALICE.
N'avez-vous pas déjà oublié ce que je vous ai enseigné?

KATHARINE.
Non, je réciterai à vous promptement: d' hand, de fingre, de mailès,—

ALICE.
40 De nailès, madame.

KATHARINE.
De nailès, de arm, de ilbow.

ALICE.
Sauf votre honneur, d'elbow.

KATHARINE.
Ainsi dis-je: d'elbow, de nick, et de sin. Comment appelez-vous le pied et la robe?

ALICE.
Le foot, madame, et le count.

KATHARINE.
Le foot, et le count? O Seigneur Dieu! ils sont mots de son mauvais, corruptible, gros, et impudique, et non pour les dames d'honneur d'user: je ne voudrais prononcer ces mots devant les seigneurs de France pour tout le monde.

ALICE.
D'elbow, madame.

CATHERINE.
O Seigneur Dieu, je m'en oublie! d'elbow. Comment appelez-vous le col?

ALICE.
De nick, madame.

CATHERINE.
De nick. Et le menton?

ALICE.
De chin.

CATHERINE.
De sin. Le col, de nick; le menton, de sin.

ALICE.
Oui. Sauf votre honneur, en vérité, vous prononcez les mots aussi droit que les natifs d'Angleterre.

CATHERINE.
Je ne doute point d'apprendre, par la grâce de Dieu, et en peu de temps.

ALICE.
N'avez-vous pas déjà oublié ce que je vous ai enseigné?

CATHERINE.
Non, je réciterai à vous promptement : d'hand, de fingre, de mailès...

ALICE.
De nailès, madame.

CATHERINE.
De nailès, de arm, de ilbow.

ALICE.
Sauf votre honneur, d'elbow.

CATHERINE.
Ainsi dis-je : d'elbow, de nick, et de sin. Comment appelez-vous le pied et la robe?

ALICE.
Le foot, madame, et le count.

CATHERINE.
Le foot, et le count? O Seigneur Dieu! ils sont mots de son mauvais, corruptible, gros, et impudique, et non pour les dames d'honneur d'user; je ne voudrais prononcer ces mots devant les seigneurs de France pour tout le monde.

50 Foh! le foot et le count. Néanmoins, je réciterai une autre
fois ma leçon ensemble: d' hand, de fingres, de nailès,
d' arm, d'elbow, de nick, de sin, de foot, le count.

ALICE.

Excellent, madame!

KATHARINE.

C'est assez pour une fois : allons-nous à dîner.

[*they go.*

[III, 5.]

'*Enter the* KING *of France, the* DAUPHIN', *the
Duke of* BRITAINE, '*the* CONSTABLE *of France,
and others.*'

FRENCH KING.

'Tis certain he hath passed the river Somme.

CONSTABLE.

And if he be not fought withal, my lord,
Let us not live in France: let us quit all,
And give our vineyards to a barbarous people.

DAUPHIN.

O Dieu vivant! shall a few sprays of us,
The emptying of our fathers' luxury,
Our scions, put in wild and savage stock,
Spirt up so suddenly into the clouds,
And overlook their grafters?

BRITAINE.

10 Normans, but bastard Normans, Norman bastards!
Mort Dieu! ma vie! if they march along
Unfought withal, but I will sell my dukedom,
To buy a slobbery and a dirty farm
In that nook-shotten isle of Albion.

CONSTABLE.

Dieu de batailles! where have they this mettle?
Is not their climate foggy, raw, and dull?
On whom, as in despite, the sun looks pale,
Killing their fruit with frowns. Can sodden water,
A drench for sur-reined jades, their barley broth,

112

Foh! le foot et le count. Néanmoins, je réciterai une autre
fois ma leçon ensemble : d'hand, de fingre, de nailès, d'arm,
d'elbow, de nick, de sin, de foot, le count.

ALICE.

Excellent, madame!

CATHERINE.

C'est assez pour une fois : allons-nous à dîner.

Elles sortent.

[III, 5.]

'*Entrent* LE ROI DE FRANCE , LE DAUPHIN',
LE DUC DE BRETAGNE, 'LE CONNÉTABLE DE
FRANCE, *et d'autres.*'

LE ROI DE FRANCE.

Il est certain qu'il a passé la Somme.

LE CONNÉTABLE.

Si nous ne le combattons pas, seigneur, renonçons à vivre
en France; abandonnons tout, et livrons nos vignobles à un
peuple barbare.

LE DAUPHIN.

'O Dieu vivant!' [24] Faut-il que quelques rejetons de chez nous,
le trop-plein de la luxure de nos pères, nos boutures entées
sur une souche sauvage, jaillissent si soudainement jusques
aux nues, et dominent la plante primitive?

LE DUC DE BRETAGNE.

Des Normands, rien que des Normands bâtards, des bâtards
normands! 'Mort Dieu! ma vie!' S'ils poursuivent leur marche
sans avoir à combattre, alors je vends mon duché pour acheter quelque bourbeuse et crasseuse ferme en cette île d'Albion
criblée de trous perdus [25].

LE CONNÉTABLE.

'Dieu des batailles!' D'où leur vient cette fougue? Leur climat
n'est-il pas âpre, brumeux et gris? Eux chez qui, comme par
dédain, le soleil montre un front pâle, et tue leurs fruits de
ses humeurs boudeuses. Se peut-il que l'eau fermentée,
cette potion pour rosses éreintées, leur tisane d'orge, réchauffe

113

20 Decoct their cold blood to such valiant heat?
And shall our quick blood, spirited with wine,
Seem frosty?   O, for honour of our land,
Let us not hang like roping icicles
Upon our houses' thatch, whiles a more frosty people
Sweat drops of gallant youth in our rich fields...
Poor we may call them in their native lords.
　　DAUPHIN.
By faith and honour,
Our madams mock at us, and plainly say
Our mettle is bred out, and they will give
30 Their bodies to the lust of English youth,
To new-store France with bastard warriors.
　　BRITAINE.
They bid us to the English dancing-schools,
And teach lavoltas high, and swift corantos,
Saying our grace is only in our heels,
And that we are most lofty runaways.
　　FRENCH KING.
Where is Montjoy the herald? speed him hence,
Let him greet England with our sharp defiance.:.
Up, princes, and, with spirit of honour edged
More sharper than your swords, hie to the field:
40 Charles Delabreth, high constable of France,
You Dukes of Orleans, Bourbon, and of Berri,
Alençon, Brabant, Bar, and Burgundy,
Jacques Chatillon, Rambures, Vaudemont,
Beaumont, Grandpré, Roussi, and Faulconbridge,
Foix, Lestrake, Bouciqualt, and Charolois,
High dukes, great princes, barons, lords, and knights;
For your great seats now quit you of great shames...
Bar Harry England, that sweeps through our land
With pennons painted in the blood of Harfleur:
50 Rush on his host, as doth the melted snow
Upon the valleys, whose low vassal seat
The Alps doth spit and void his rheum upon...
Go down upon him—you have power enough—
†And in a chariot, captive into Rouen
Bring him our prisoner.
　　CONSTABLE.
　　　　　　　　This becomes the great.
Sorry am I his numbers are so few,
His soldiers sick and famished in their march:
For I am sure, when he shall see our army,
He'll drop his heart into the sink of fear,
60 And for achievement offer us his ransom.

114

leur sang si froid, lui donne si vaillante ardeur, et que notre sang vif, allumé par le vin, paraisse gelé ? Ah, pour l'honneur de notre terre, ne restons point figés comme des glaçons pendillant au chaume de nos toits, tandis qu'un peuple plus glacial verse une sueur de jeune bravoure dans nos riches campagnes... mais disons plutôt : pauvres, à voir leurs maîtres naturels.

LE DAUPHIN.

Sur ma foi et mon honneur, nos épouses nous raillent ; elles disent uniment que notre ardeur s'est usée et qu'elles vont livrer leurs corps à la vigueur de la jeunesse anglaise, pour pourvoir à neuf la France de guerriers bâtards.

LE DUC DE BRETAGNE.

Elles nous renvoient danser dans les écoles anglaises pour y enseigner la volte bondissante et la preste courante, disant que nos vertus ne sont qu'en nos talons et que nous sommes de fort distingués fuyards.

LE ROI DE FRANCE.

Où est Montjoie le héraut ? Vite, qu'on le dépêche, qu'il apporte à l'Anglais notre mordant défi. Debout, princes : plus aiguisés que vos épées par le sens de l'honneur, hâtez-vous au combat. Charles d'Albret, Grand Connétable de France ; vous, Ducs d'Orléans, de Bourbon et de Berry, d'Alençon, de Brabant, de Bar et de Bourgogne, Jacques Chatillon, Rambures et Vaudemont, Beaumont, Roussy, Grandpré, ainsi que Fauquembergue, Foix, Lestraque [26], Boucicaut et Charolais, ducs altiers, nobles princes, barons, pairs, chevaliers : au nom de vos grandes terres, lavez-vous de cette grande honte... Arrêtez Harry l'Anglais, qui balaie le pays de ses pennons teints du sang d'Harfleur ; assaillez son armée comme la neige fondante tombe dans les vallées dont les viles terres vassales reçoivent des Alpes crachats et bave... Fondez-lui dessus, vous êtes en force suffisante ; et sur un char, en captif, à Rouen prisonnier, ramenez-le.

LE CONNÉTABLE.

Voilà le langage de la grandeur. Je suis fâché qu'il ait si peu d'hommes, et des soldats malades affamés par leur marche ; car je suis sûr que, dès qu'il verra notre armée, son cœur en tombera dans l'égout de la crainte, et qu'en fait de victoire, il nous offrira rançon.

FRENCH KING.
Therefore, lord constable, haste on Montjoy,
And let him say to England, that we send
To know what willing ransom he will give...
Prince Dauphin, you shall stay with us in Rouen.
DAUPHIN.
Not so, I do beseech your majesty.
FRENCH KING.
Be patient, for you shall remain with us...
Now forth, lord constable and princes all,
And quickly bring us word of England's fall.

[*they go.*

[III, 6.]   Near a river in Picardy

The English and Welsh captains, GOWER *and* FLUELLEN,
                                                  meeting.

GOWER.
How now, Captain Fluellen! come you from the bridge?
FLUELLEN.
I assure you, there is very excellent services committed
at the bridge.
GOWER.
Is the Duke of Exeter safe?
FLUELLEN.
The Duke of Exeter is as magnanimous as Agamemnon,
and a man that I love and honour with my soul, and my
heart, and my duty, and my live, and my living, and my
uttermost power. He is not—God be praised and blessed!—
any hurt in the world, but keeps the bridge most valiantly
10 with excellent discipline. There is an ancient lieutenant
there at the pridge, I think in my very conscience he is as
valiant a man as Mark Antony, and he is a man of no
estimation in the world. but I did see him do as gallant
service.
GOWER.
What do you call him?

LE ROI DE FRANCE.

Donc, monsieur le Connétable, dépêchez Montjoie, et qu'il dise à l'Anglais que nous faisons demander quelle rançon il est prêt à donner... Prince Dauphin, vous resterez avec nous à Rouen.

LE DAUPHIN.

Non point, j'en conjure Votre Majesté.

LE ROI DE FRANCE.

Résignez-vous, il faut que vous restiez avec nous... Allez, monsieur le Connétable, et vous tous, princes, et venez nous apprendre bientôt la chute de l'Anglais.

Ils sortent.

[III, 6.]   En Picardie

Entrent de part et d'autre GOWER *et* FLUELLEN.

GOWER.

Or çà, Capitaine Fluellen, venez-vous du pont ?

FLUELLEN.

Je vous assure que d'éminents exploits ont été perpétrés sur le pont.

GOWER.

Le Duc d'Exeter est-il sauf ?

FLUELLEN.

Le Duc d'Exeter est magnanime comme Agamemnon; c'est un homme que j'aime et estime de toute mon âme, de tout mon cœur, de tout mon devoir, de tout mon vivoir et de tout mon vivant, et jusqu'à la limite de mes forces. Il n'a pas (Dieu en soit loué et béni !) si peu que ça de blessure, mais tient très vaillamment le pont, avec un éminent savoir-faire. Il y a un enseigne lieutenant là-bas au pont, que je crois en conscience homme vaillant comme Marc Antoine, et c'est un homme sans la moindre réputation du monde, pourtant je l'ai vu accomplir de bien braves exploits.

GOWER.

Comment l'appelez-vous ?

FLUELLEN.
He is called Ancient Pistol.
    GOWER.
I know him not.

Pistol is seen approaching.

    FLUELLEN.
Here is the man.
    PISTOL.
Captain, I thee beseech to do me favours:
20 The Duke of Exeter doth love thee well.
    FLUELLEN.
Ay, I praise God, and I have merited some love at his
hands.
    PISTOL.
Bardolph, a soldier firm and sound of heart,
And of buxom valour, hath, by cruel fate,
And giddy Fortune's furious fickle wheel,
That goddess blind,
That stands upon the rolling restless stone—
    FLUELLEN.
By your patience, Ancient Pistol... Fortune is painted
blind, with a muffler afore his eyes, to signify to you that
30 Fortune is blind; and she is painted also with a wheel, to
signify to you, which is the moral of it, that she is turning
and inconstant, and mutability, and variation: and her
foot, look you, is fixed upon a spherical stone, which rolls,
and rolls, and rolls: in good truth, the poet makes a most
excellent description of it: Fortune is an excellent moral.
    PISTOL.
Fortune is Bardolph's foe, and frowns on him:
For he hath stolen a pax, and hangéd must a' be
A damnéd death!
Let gallows gape for dog, let man go free,
40 And let not hemp his wind-pipe suffocate:
But Exeter hath given the doom of death,
For pax of little price.
Therefore go speak, the duke will hear thy voice;
And let not Bardolph's vital thread be cut
With edge of penny cord, and vile reproach.
Speak, captain, for his life, and I will thee requite.

118

FLUELLEN.
Il s'appelle l'enseigne Pistolet.

GOWER.
Je ne le connais pas.

Pistolet s'approche.

FLUELLEN.
Voici notre homme.

PISTOLET.
Je te prie, capitaine, de me faire une faveur. Le Duc d'Exeter
t'estime fort.

FLUELLEN.
Ma foi, j'en rends grâce à Dieu si j'ai mérité quelque estime
de sa part.

PISTOLET.
Bardolph, soldat solide et robuste de cœur et de vive valeur, a,
par destin cruel, par la roue infidèle et furieuse de l'inconstante Fortune, cette Déesse aveugle, juchée sur la pierre qui
roule sans repos...

FLUELLEN.
Permettez, Enseigne Pistolet. La Fortune est représentée
en aveugle, un bâillon devant les yeux, pour vous faire comprendre que la Fortune est aveugle; en outre elle est représentée avec une roue pour vous faire comprendre la morale,
à savoir qu'elle est tournante et inconstante, et instable et
fluctuante; et son pied, voyez-vous, est fixé sur une pierre
sphérique, qui roule, roule, roule : en toute vérité, le poète
en fait une fort éminente description; la Fortune est une
éminente allégorie.

PISTOLET.
La Fortune hait Bardolph, et lui fait grise mine : car il a
volé un ciboire et pendu doit être. Mort diabolique! Que le
gibet engloutisse les chiens; que l'homme reste libre; que le
chanvre ne lui étouffe pas la trachée; mais Exeter a prononcé
l'arrêt de mort, pour un ciboire de vil prix. Va donc plaider,
le duc écoutera ta voix. Que le fil des jours de Bardolph
ne soit pas coupé par le tranchant d'un méchant cordon
et vile disgrâce. Plaide, capitaine, pour sa vie, et je te le
revaudrai.

FLUELLEN.
Ancient Pistol, I do partly understand your meaning.
 PISTOL.
Why then rejoice therefore.
 FLUELLEN.
Certainly, ancient, it is not a thing to rejoice at: for, if,
50 look you, he were my brother, I would desire the duke to
use his good pleasure, and put him to execution; for dis-
cipline ought to be used.
 PISTOL.
Die and be damned! and figo for thy friendship!

                                        [*he turns away.*

 FLUELLEN.
It is well.
 PISTOL [*he bites his thumb*]
The fig of Spain!
 FLUELLEN.
Very good.
 GOWER.
Why, this is an arrant counterfeit rascal, I remember him
now: a bawd, a cutpurse.
 FLUELLEN.
I'll assure you, a' uttered as prave words at the pridge as
60 you shall see in a summer's day: but it is very well: what
he has spoke to me, that is well, I warrant you, when time
is serve.
 GOWER.
Why, 'tis a gull, a fool, a rogue, that now and then goes to
the wars, to grace himself at his return into London, under
the form of a soldier... And such fellows are perfect in
the great commanders' names, and they will learn you by
rote where services were done; at such and such a sconce, at
such a breach, at such a convoy: who came off bravely, who
was shot, who disgraced, what terms the enemy stood on;
70 and this they con perfectly in the phrase of war, which they
trick up with new-tuned oaths: and what a beard of the
general's cut, and a horrid suit of the camp, will do among

FLUELLEN.

Enseigne Pistolet, je comprends en partie ce que vous voulez dire.

PISTOLET.

Alors, ma foi, réjouissez-vous.

FLUELLEN.

Assurément, Enseigne, il n'y a pas de quoi se réjouir : car, voyez-vous, si c'était mon frère, je prierais le duc d'en user selon son bon plaisir, et de le remettre au bourreau; il faut maintenir la discipline.

PISTOLET.

Meurs et sois damné! Je fais la figue à ton amitié!

Il se détourne.

FLUELLEN.

Voilà qui est bien.

PISTOLET, *se mordant le pouce.*

La figue d'Espagne!

FLUELLEN.

Fort bien.

GOWER.

Mais cet homme est un imposteur fieffé et une canaille, je me le rappelle à présent, un maquereau, un coupeur de bourse.

FLUELLEN.

Je vous assure qu'au bont il a brononcé des baroles aussi praves que vous en verrez par un jour d'été; mais c'est très bien, ce qu'il m'a dit, c'est bien, je vous le garantis, quand le moment sera venu.

GOWER.

Voyons, c'est un hâbleur, un fat, un fripon, qui s'en va de temps à autre à la guerre pour se faire valoir à son retour à Londres, sous des allures de soldat... Et les gaillards de son espèce connaissent sur le bout du doigt le nom des grands chefs, et ils iront vous apprendre par cœur où s'accomplissent les exploits, dans telle ou telle redoute, telle ou telle brèche, tel ou tel convoi; qui s'est distingué par sa bravoure, qui a été tué, qui s'est déshonoré, quelle position occupait l'ennemi; et ils apprennent tout cela à merveille en style militaire, qu'ils agrémentent de jurons au goût du jour; quant à l'effet d'une barbe taillée comme celle du général et d'une affreuse tenue

121

foaming bottles, and ale-washed wits, is wonderful to be
thought on. But you must learn to know such slanders of
the age, or else you may be marvellously mistook.

FLUELLEN.

I tell you what, Captain Gower: I do perceive he is not the
man that he would gladly make show to the world he is:
if I find a hole in his coat, I will tell him my mind... [*Drum
heard*] Hark you, the king is coming, and I must speak
80 with him from the pridge.

'*Drum and colours. Enter King*' Henry, Gloucester, '*and
his poor soldiers*'.

FLUELLEN.
God pless your majesty!

KING HENRY.
How now, Fluellen, cam'st thou from the bridge?

FLUELLEN.
Ay, so please your majesty... The Duke of Exeter has
very gallantly maintained the pridge; the French is gone
off, look you, and there is gallant and most prave passages:
marry, th'athversary was have possession of the pridge,
but he is enforced to retire, and the Duke of Exeter is
master of the pridge... I can tell your majesty, the duke is
a prave man.

KING HENRY.
90 What men have you lost, Fluellen?

FLUELLEN.
The perdition of th'athversary hath been very great,
reasonable great: marry, for my part, I think the duke hath
lost never a man, but one that is like to be executed for
robbing a church, one Bardolph, if your majesty know
the man: his face is all bubukles and whelks, and knobs,
and flames afire, and his lips blows at his nose, and it is
like a coal of fire, sometimes plue, and sometimes red, but
his nose is executed, and his fire's out.

KING HENRY.
We would have all such offenders so cut off: and we give

de campagne parmi les bouteilles écumantes et les beaux esprits noyés de bière, c'est merveille que d'y songer. Mais il vous faut apprendre à connaître ces opprobres de notre temps, sans quoi vous risqueriez de vous méprendre étrangement.

FLUELLEN.

Je vais vous dire une chose, Capitaine Gower : je me rends compte qu'il n'est pas l'homme qu'il serait heureux de montrer au monde : si je le prends en défaut, je lui dirai ce que j'en pense... *(Roulement de tambour.)* Ecoutez, le Roi vient, et il faut que je lui barle du bont.

'*Tambours et drapeaux. Entrent le Roi*' Henry, Gloster, '*et ses pauvres soldats*'.

FLUELLEN.

Dieu brotèche fotre Majesté!

LE ROI HENRY.

Eh bien, Fluellen, reviens-tu du pont?

FLUELLEN.

Oui, n'en déplaise à Fotre Majesté... Le Duc d'Exeter a très pravement tenu le bont; le Français est parti, voyez-vous, et il s'est fait des actions faillantes et très couracheuses : parole, l'atfersaire, il foulait être en possession du bont, mais il a été contraint te se retirer, et le Duc d'Exeter est maître du bont... Je peux bien dire à Votre Majesté que le duc est un prave.

LE ROI HENRY.

Combien avez-vous perdu d'hommes, Fluellen?

FLUELLEN.

Les perditions de l'atfersaire, elles ont été très grandes, raisonnables de grandeur; ma foi, pour moi, je crois que le duc a perdu pas un seul homme, sauf un qui risque d'être exécuté pour le pillage d'une église, un certain Bardolph, si l'on en dit quelque chose à Votre Majesté [27]; il a la figure tout en anthroncles [28] et en boutons, et en protubérances et en flammes de feu, et ses lèvres lui éventent le nez, qui est comme un charpon artent, tantôt pleu, et tantôt rouge; mais le nez est tranché [29] et le feu éteint.

LE ROI HENRY.

Nous voudrions voir tous les délinquants de son espèce pareillement supprimés; et nous donnons l'ordre formel qu'au cours

100 express charge that in our marches through the country
there be nothing compelled from the villages; nothing
taken but paid for; none of the French upbraided or
abused in disdainful language; for when lenity and cruelty
play for a kingdom, the gentler gamester is the soonest
winner.

A 'tucket' sounds. Montjoy approaches.

MONTJOY.
You know me by my habit.

KING HENRY.
Well then, I know thee: what shall I know of thee?

MONTJOY.
My master's mind.

KING HENRY.
Unfold it.

MONTJOY.
110 Thus says my king: Say thou to Harry of England, Though
we seemed dead, we did but sleep: advantage is a better
soldier than rashness... Tell him, we could have rebuked
him at Harfleur, but that we thought not good to bruise
an injury till it were full ripe. Now we speak upon our
cue, and our voice is imperial: England shall repent his
folly, see his weakness, and admire our sufferance. Bid
him therefore consider of his ransom, which must proportion the losses we have borne, the subjects we have lost,
the disgrace we have digested; which in weight to re-
120 answer, his pettiness would bow under. For our losses,
his exchequer is too poor; for th'effusion of our blood, the
muster of his kingdom too faint a number; and for our
disgrace, his own person kneeling at our feet, but a weak
and worthless satisfaction... To this add defiance: and tell
him, for conclusion, he hath betrayed his followers, whose
condemnation is pronounced... So far my king and master:
so much my office.

KING HENRY.
What is thy name? I know thy quality.

MONTJOY.
Montjoy.

de nos marches en ce pays on ne prenne rien aux villages par la force ; qu'on n'enlève rien sans payer ; qu'on ne réprimande ni n'insulte aucun Français en termes dédaigneux ; car, lorsque tolérance et cruauté se disputent un royaume, c'est le plus modéré des deux joueurs qui a le plus tôt fait de gagner.

'Appel de trompette.' Montjoie s'approche.

MONTJOIE.
Vous me connaissez à mon habit.

LE ROI HENRY.
C'est bon, je te connais : mais par toi, que vais-je connaître ?

MONTJOIE.
Les desseins de mon maître.

LE ROI HENRY.
Dévoile-les.

MONTJOIE.
Ainsi parle mon Roi : va dire à Harry d'Angleterre que, si nous paraissions morts, nous n'étions qu'en sommeil ; l'attente du moment propice est meilleur stratège que la précipitation... Dis-lui que nous aurions pu le rabrouer à Harfleur, mais que nous n'avons pas jugé bon de presser un abcès avant qu'il fût bien mûr. A nous de parler maintenant, et notre voix se fait impérieuse : l'Anglais va regretter sa sottise, connaître sa faiblesse, et s'étonner de notre tolérance. Ordonne-lui donc de songer à sa rançon, qui doit se mesurer aux pertes que nous avons subies, aux sujets que nous avons perdus, à l'outrage que nous avons enduré ; et s'il les fallait compenser poids pour poids, son peu de force ploierait sous le faix. Quant à nos pertes, son Echiquier est trop pauvre ; quant à l'effusion de notre sang, il n'aurait pas de quoi rassembler en tout son royaume une troupe assez nombreuse ; quant à l'outrage, sa personne même, agenouillée à nos pieds, ne serait que faible et indigne satisfaction... Ajoute à ces mots notre défi ; et dis-lui pour conclure qu'il a trahi ses compagnons, dont l'arrêt de mort est rendu. Ainsi parle mon Roi et maître ; j'ai rempli mon office.

LE ROI HENRY.
Quel est ton nom ? Je sais ta qualité.

MONTJOIE.
Montjoie.

KING HENRY.

130 Thou dost thy office fairly. Turn thee back,
And tell thy king I do not seek him now,
But could be willing to march on to Calais
Without impeachment : for, to say the sooth,
Though 'tis no wisdom to confess so much
Unto an enemy of craft and vantage,
My people are with sickness much enfeebled,
My numbers lessened: and those few I have,
Almost no better than so many French;
Who when they were in health, I tell thee, herald,
140 I thought upon one pair of English legs
Did march three Frenchmen... Yet forgive me, God,
That I do brag thus! This your air of France
Hath blown that vice in me.   I must repent...
Go therefore, tell thy master here I am;
My ransom is this frail and worthless trunk;
My army, but a weak and sickly guard:
Yet, God before, tell him we will come on,
Though France himself, and such another neighbour,
Stand in our way...   There's for thy labour, Montjoy.

> [he gives a purse of gold.

150 Go bid thy master well advise himself.
If we may pass, we will: if we be hindered,
We shall your tawny ground with your red blood
Discolour...   And so, Montjoy, fare you well.
The sum of all our answer is but this:
We would not seek a battle as we are,
Nor, as we are, we say we will not shun it:
So tell your master.
        MONTJOY.
I shall deliver so...   Thanks to your highness.

> [he bows low and departs.

        GLOUCESTER.
I hope they will not come upon us now.
        KING HENRY.
160 We are in God's hand, brother, not in theirs...
March to the bridge—it now draws toward night—
Beyond the river we'll encamp ourselves,
And on to-morrow bid them march away.

> [they go.

126

LE ROI HENRY.

Tu remplis bien ton rôle. Retourne dire à ton Roi que je ne le
cherche pas pour l'heure, et que je pourrais me contenter de
marcher sur Calais sans empêchement, car pour dire le vrai,
quoi qu'il soit un peu fou de l'aller avouer à un ennemi rusé
et en meilleure posture que nous, mes gens sont fort affaiblis
par la maladie ; mes forces ont diminué en nombre ; et le peu
qui me reste vaut à peine mieux qu'autant de Français ; eux
qui, lorsqu'ils étaient vaillants, je te le dis, héraut, me don-
naient à penser que sur deux jambes anglaises marchaient trois
Français... Mais que Dieu me pardonne de me vanter ainsi !
C'est votre air de France qui m'a insufflé ce vice. Il faut que
je m'en repente... Va donc dire à ton maître que je suis ici ;
ma rançon, c'est ce coffre frêle et sans valeur ; mon armée,
une garde faible et maladive ; pourtant, devant Dieu, dis-lui
que nous avancerons, quand France en personne, flanqué
d'un autre voisin de même sorte, serait sur notre route...
Prends, Montjoie, pour ta peine. *(Il lui donne une bourse d'or.)*
Va dire à ton maître de bien réfléchir : si l'on nous laisse
faire, nous passerons ; si l'on s'y oppose, nous teindrons votre
sol fauve de votre sang rouge... Sur ce, Montjoie, adieu. Notre
réponse tient toute en ces mots : nous ne chercherons pas
bataille tels que nous sommes à présent, non plus que, tels
que nous sommes, sache-le, nous ne reculerons devant elle.
Dis cela à ton maître.

MONTJOIE.

Je vais le lui rapporter... Votre Altesse soit remerciée.

Il s'incline très bas, et part.

GLOSTER.

J'espère qu'ils ne vont pas nous tomber dessus maintenant.

LE ROI HENRY.

Nous sommes dans la main de Dieu, mon frère, non dans
les leurs... Marchez jusqu'au pont ; la nuit se fait proche.
Nous allons camper par-delà la rivière, et demain au matin
nous donnerons l'ordre de marche.

Ils partent.

'*Enter the* CONSTABLE *of* FRANCE, *the Lord* RAM-
BURES, ORLEANS, DAUPHIN, *with others.*'

CONSTABLE.
Tut! I have the best armour of the world: would it were day!
ORLEANS.
You have an excellent armour: but let my horse have his due.
CONSTABLE.
It is the best horse of Europe.
ORLEANS.
Will it never be morning?
DAUPHIN.
My Lord of Orleans, and my lord high constable, you talk
of horse and armour?
ORLEANS.
You are as well provided of both as any prince in the world.
DAUPHIN.
What a long night is this! I will not change my horse with
any that treads but on four pasterns. Ça, ha! he bounds
10 from the earth, as if his entrails were hairs: le cheval volant,
the Pegasus, chez les narines de feu! When I bestride him,
I soar, I am a hawk: he trots the air: the earth sings when he
touches it: the basest horn of his hoof is more musical than
the pipe of Hermes.
ORLEANS.
He's of the colour of the nutmeg.
DAUPHIN.
And of the heat of the ginger. It is a beast for Perseus:
he is pure air and fire; and the dull elements of earth and
water never appear in him, but only in patient stillness
while his rider mounts him: he is indeed a horse, and all
20 other jades you may call beasts.

[III, 7.]   Une tente au camp français, près d'Azincourt

'*Entrent* LE CONNÉTABLE DE FRANCE, *le Seigneur* RAMBURES, ORLÉANS, LE DAUPHIN, *et d'autres.*'

LE CONNÉTABLE.

Bah! J'ai la meilleure armure du monde; je voudrais qu'il fît jour!

ORLÉANS.

Vous avez une armure excellente, mais rendez justice à mon cheval.

LE CONNÉTABLE.

C'est le meilleur cheval d'Europe.

ORLÉANS

Le matin ne viendra-t-il jamais?

LE DAUPHIN.

Monsieur d'Orléans, et vous, Monsieur le Grand Conné-table, est-ce de cheval et d'armure que vous parlez?

ORLÉANS.

De l'un et de l'autre vous êtes aussi bien pourvu qu'aucun prince au monde.

LE DAUPHIN.

Que cette nuit est longue! Je ne changerais mon cheval pour aucun autre qui marchât sur quatre paturons seulement; 'ça, ha!' Il bondit de terre comme s'il avait du crin pour entrailles [30]; 'le cheval volant', le Pégase, aux 'narines de feu!' Quand je le monte, je plane, je suis un faucon; il trotte dans l'air; la terre chante quand il la touche; la moindre corne de son sabot est plus musicale que le pipeau d'Hermès.

ORLÉANS.

Il a la couleur de la noix muscade.

LE DAUPHIN.

Et l'ardeur du gingembre. C'est une bête digne de Persée : il n'est qu'air et feu; et les ternes éléments que sont la terre et l'eau ne transparaissent jamais chez lui, si ce n'est sous la forme d'une tranquille patience tandis que son cavalier l'enfourche : c'est vraiment un cheval; quant à toutes les autres montures, vous pouvez les traiter d'animaux.

CONSTABLE.

Indeed, my lord, it is a most absolute and excellent horse.

DAUPHIN.

It is the prince of palfreys—his neigh is like the bidding of a monarch, and his countenance enforces homage.

ORLEANS.

No more, cousin.

DAUPHIN.

Nay, the man hath no wit that cannot, from the rising of the lark to the lodging of the lamb, vary deserved praise on my palfrey: it is a theme as fluent as the sea: turn the sands into eloquent tongues, and my horse is argument for them all: 'tis a subject for a sovereign to reason on, 30 for a sovereign's sovereign to ride on: and for the world, familiar to us and unknown, to lay apart their particular functions and wonder at him—I once writ a sonnet in his praise, and began thus, "Wonder of nature"—

ORLEANS.

I have heard a sonnet begin so to one's mistress.

DAUPHIN.

Then did they imitate that which I composed to my courser, for my horse is my mistress.

ORLEANS.

Your mistress bears well.

DAUPHIN.

Me well, which is the prescript praise and perfection of a good and particular mistress.

CONSTABLE.

40 Nay, for methought yesterday your mistress shrewdly shook your back.

DAUPHIN.

So perhaps did yours.

CONSTABLE.

Mine was not bridled.

DAUPHIN.

O then belike she was old and gentle, and you rode like a kern of Ireland, your French hose off, and in your strait strossers.

130

LE CONNÉTABLE.
Vrai, monseigneur, c'est le plus parfait, le plus excellent des chevaux.

LE DAUPHIN.
C'est le prince des palefrois; il hennit comme un monarque ordonne, et sa physionomie force l'hommage.

ORLÉANS.
En voilà assez, cousin.

LE DAUPHIN.
Non, ce serait être sans esprit que de ne pouvoir, du lever de l'alouette au coucher de l'agneau, broder des variations à la juste louange de mon palefroi; c'est un thème fluctuant comme la mer; faites de chaque grain de sable une langue éloquente, à toutes mon cheval fournira un thème; c'est un sujet digne d'être discuté par un souverain et monté par le prince des souverains; digne que le monde entier, connu et inconnu, laisse là toutes ses occupations pour s'extasier devant lui. J'ai naguère écrit un sonnet à sa louange, qui commençait ainsi : 'Merveille de la nature...'

ORLÉANS.
J'ai entendu un sonnet à une maîtresse qui commençait ainsi.

LE DAUPHIN.
Alors, c'est qu'on a imité celui que j'avais composé pour mon coursier, car j'ai mon cheval pour maîtresse.

ORLÉANS.
Votre maîtresse se laisse bien enfourcher.

LE DAUPHIN.
Par moi, oui; c'est là ce qui fait le mérite et la perfection d'une bonne maîtresse qu'on garde pour soi.

LE CONNÉTABLE.
Oui, mais il m'a semblé qu'hier votre maîtresse vous secouait rudement les reins.

LE DAUPHIN.
La vôtre n'a-t-elle pas fait de même?

LE CONNÉTABLE.
La mienne n'était pas tenue en bride.

LE DAUPHIN.
Sans doute alors était-elle vieille et facile, et sans doute la montiez-vous en troupier d'Irlande, sans haut-de-chausses, avec seulement votre caleçon collant.

131

CONSTABLE.
You have good judgement in horsemanship.
DAUPHIN.
Be warned by me then: they that ride so, and ride not
warily, fall into foul bogs: I had rather have my horse to
50 my mistress.
CONSTABLE.
I had as lief have my mistress a jade.
DAUPHIN.
I tell thee, constable, my mistress wears his own hair.
CONSTABLE.
I could make as true a boast as that, if I had a sow to my
mistress.
DAUPHIN.
"Le chien est retourné à son propre vomissement, et la
truie lavée au bourbier" : thou mak'st use of any thing.
CONSTABLE.
Yet do I not use my horse for my mistress, or any such
proverb so little kin to the purpose.
RAMBURES.
My lord constable, the armour that I saw in your tent
60 to-night, are those stars or suns upon it?
CONSTABLE.
Stars, my lord.
DAUPHIN.
Some of them will fall to-morrow, I hope.
CONSTABLE.
And yet my sky shall not want.
DAUPHIN.
That may be, for you bear a many superfluously, and
'twere more honour some were away.
CONSTABLE.
Ev'n as your horse bears your praises, who would trot as
well, were some of your brags dismounted.
DAUPHIN.
Would I were able to load him with his desert! Will it

132

LE CONNÉTABLE.
Vous êtes connaisseur en fait d'équitation.

LE DAUPHIN.
Souffrez donc que je vous mette en garde; ceux qui montent de la sorte, et sans précaution, tombent en de vilaines fondrières : je préfère avoir mon cheval pour maîtresse.

LE CONNÉTABLE.
Il me plairait tout autant que ma maîtresse fût une rosse.

LE DAUPHIN.
Je t'affirme, connétable, que ma maîtresse a ses crins bien à elle.

LE CONNÉTABLE.
Je pourrais me vanter tout aussi justement si j'avais pour maîtresse une truie.

LE DAUPHIN.
« Le chien est retourné à son propre vomissement, et la truie lavée au bourbier » [31]; tu te sers de n'importe quoi.

LE CONNÉTABLE.
Pourtant je n'emploie point mon cheval comme maîtresse, ni semblable proverbe aussi mal à propos.

RAMBURES.
Monsieur le Connétable, l'armure que j'ai vue hier dans votre tente est-elle pailletée d'étoiles ou de soleils ?

LE CONNÉTABLE.
D'étoiles, monseigneur.

LE DAUPHIN.
Dont quelques-unes vont tomber demain, je l'espère.

LE CONNÉTABLE.
Mon firmament n'en sera pas dépourvu pour autant.

LE DAUPHIN.
Il se peut, car vous en portez bien plus qu'il n'est besoin, et il serait davantage à votre honneur que quelques-unes disparussent.

LE CONNÉTABLE.
C'est tout comme votre cheval, qu'accablent vos louanges : il trotterait tout aussi bien si quelques-unes de vos vanteries étaient désarçonnées.

LE DAUPHIN.
Que n'ai-je le pouvoir de l'en charger selon ses mérites! Le

never be day? I will trot to-morrow a mile, and my way
70 shall be paved with English faces.

CONSTABLE.
I will not say so, for fear I should be faced out of my way:
but I would it were morning, for I would fain be about the
ears of the English.

RAMBURES.
Who will go to hazard with me for twenty prisoners?

CONSTABLE.
You must first go yourself to hazard, ere you have them.

DAUPHIN.
'Tis midnight, I'll go arm myself.

[*he leaves the tent.*

ORLEANS.
The Dauphin longs for morning.

RAMBURES.
He longs to eat the English.

CONSTABLE.
I think he will eat all he kills.

ORLEANS.
80 By the white hand of my lady, he's a gallant prince.

CONSTABLE.
Swear by her foot, that she may tread out the oath.

ORLEANS.
He is simply the most active gentleman of France.

CONSTABLE.
Doing is activity, and he will still be doing.

ORLEANS.
He never did harm, that I heard of.

CONSTABLE.
Nor will do none to-morrow: he will keep that good name
still.

ORLEANS.
I know him to be valiant.

CONSTABLE.
I was told that, by one that knows him better than you.

ORLEANS.
What's he?

jour ne poindra-t-il jamais ? Demain je ferai un trot d'un mille,
et mon chemin sera pavé de faces d'Anglais.

LE CONNÉTABLE.
Je n'en dirai pas autant, de peur de venir, en pareil chemin,
à perdre la face ; mais je voudrais qu'il fût matin, car je suis
impatient d'en venir aux mains avec les Anglais.

RAMBURES.
Qui se risque à parier contre moi ? Enjeu : vingt prisonniers !

LE CONNÉTABLE.
Avant de les avoir il vous faut courir d'abord des risques
vous-même.

LE DAUPHIN.
Il est minuit, je vais m'armer.

Il sort de la tente.

ORLÉANS.
Le Dauphin attend le matin avec impatience.

RAMBURES.
Il est impatient de manger de l'Anglais.

LE CONNÉTABLE.
Je crois qu'il mangera tous ceux qu'il tuera.

ORLÉANS.
Par la blanche main de ma dame, c'est un galant prince.

LE CONNÉTABLE.
Jurez plutôt par son pied, en sorte qu'elle puisse piétiner ce
serment.

ORLÉANS.
C'est tout simplement le plus actif gentilhomme de France.

LE CONNÉTABLE.
Besogner, c'est être actif, et il est toujours en besogne.

ORLÉANS.
Il n'a jamais fait de mal, que je sache.

LE CONNÉTABLE.
Il n'en fera pas davantage demain, et il gardera son bon renom.

ORLÉANS.
Je le sais vaillant.

LE CONNÉTABLE.
Quelqu'un m'a dit cela, qui le connaît mieux que vous.

ORLÉANS
Qui est-ce ?

CONSTABLE.

90 Marry, he told me so himself, and he said he cared not who knew it.

ORLEANS.

He needs not, it is no hidden virtue in him.

CONSTABLE.

By my faith, sir, but it is: never any body saw it, but his lackey: 'tis a hooded valour, and when it appears, it will bate.

ORLEANS.

Ill will never said well.

CONSTABLE.

I will cap that proverb with "There is flattery in friendship."

ORLEANS.

And I will take up that with "Give the devil his due."

CONSTABLE.

100 Well placed: there stands your friend for the devil: have at the very eye of that proverb with "A pox of the devil."

ORLEANS.

You are the better at proverbs, by how much "A fool's bolt is soon shot."

CONSTABLE.

You have shot over.

ORLEANS.

'Tis not the first time you were overshot.

'*Enter a Messenger.*'

MESSENGER.

My lord high constable, the English lie within fifteen hundred paces of your tents.

CONSTABLE.

Who hath measured the ground?

MESSENGER.

The lord Grandpré.

CONSTABLE.

110 A valiant and most expert gentleman... Would it were day! Alas, poor Harry of England! he longs not for the dawning, as we do.

LE CONNÉTABLE.
Morbleu, il me l'a dit lui-même, ajoutant qu'il se souciait peu de le cacher à quiconque.

ORLÉANS.
Pourquoi s'en cacherait-il ? Cette vertu en lui n'est pas secrète.

LE CONNÉTABLE.
Que si, par ma foi, monsieur; nul ne l'a jamais vue que son laquais; c'est un courage chaperonné [32]; à découvert, il bat de l'aile.

ORLÉANS.
« Jamais mauvais vouloir n'a dit de bien. »

LE CONNÉTABLE.
A ce proverbe je rétorque : « Qui dit ami dit flatteur! »

ORLÉANS.
A quoi j'opposerai : « Au diable même il faut rendre son dû. »

LE CONNÉTABLE.
Jolie touche! Voici que votre ami représente le diable; je riposte à la barbe de votre proverbe, en disant : « La peste soit du diable! »

ORLÉANS.
Vous l'emportez aux proverbes, d'autant que « Le trait d'un sot est le plus tôt parti ».

LE CONNÉTABLE.
Votre flèche a dépassé son but.

ORLÉANS.
Ce n'est pas la première fois que vous êtes dépassé.

'Entre un Messager.'

LE MESSAGER.
Monsieur le Grand Connétable, les Anglais sont à moins de quinze cents pas de vos tentes.

LE CONNÉTABLE.
Qui a mesuré le terrain ?

LE MESSAGER.
Le seigneur Grandpré.

LE CONNÉTABLE.
C'est un gentilhomme vaillant et de grande expérience... Que ne fait-il jour ? Hélas, pauvre Harry d'Angleterre! Il ne languit pas comme nous après l'aurore.

ORLEANS.

What a wretched and peevish fellow is this King of England,
to mope with his fat-brained followers so far out of his
knowledge!

CONSTABLE.

If the English had any apprehension, they would run away.

ORLEANS.

That they lack: for if their heads had any intellectual
armour, they could never wear such heavy head-pieces.

RAMBURES.

That island of England breeds very valiant creatures; their
120 mastiffs are of unmatchable courage.

ORLEANS.

Foolish curs, that run winking into the mouth of a Russian
bear, and have their heads crushed like rotten apples!
You may as well say, that's a valiant flea that dare eat his
breakfast on the lip of a lion.

CONSTABLE.

Just, just: and the men do sympathize with the mastiffs
in robustious and rough coming on, leaving their wits with
their wives: and then give them great meals of beef, and
iron and steel; they will eat like wolves, and fight like devils.

ORLEANS.

Ay, but these English are shrewdly out of beef.

CONSTABLE.

130 Then shall we find to-morrow they have only stomachs to
eat, and none to fight... Now is it time to arm: come,
shall we about it?

ORLEANS.

It is now two o'clock: but, let me see, by ten
We shall have each a hundred Englishmen.

[*they go out.*

ORLÉANS.

Quel malheureux hurluberlu que ce Roi d'Angleterre, de battre ainsi la campagne à l'aveuglette avec ses compagnons obtus!

LE CONNÉTABLE.

Si les Anglais avaient un tantinet de jugeote, ils s'enfuiraient.

ORLÉANS.

C'est ce qui leur manque : car si leur tête avait la moindre armure d'intellect, jamais ils ne pourraient porter casques si lourds.

RAMBURES.

Leur île d'Angleterre produit de fort vaillantes créatures : leurs dogues sont d'un courage inégalé.

ORLÉANS.

De sots mâtins, qui vont se jeter les yeux fermés dans la gueule de l'ours russe, et se faire écraser la tête comme une pomme pourrie! Autant dire vaillante la puce qui ose prendre son petit déjeuner sur la lèvre d'un lion.

LE CONNÉTABLE.

C'est juste, c'est juste : et leurs hommes sont en harmonie avec les dogues pour ce qui est de se ruer en avant avec violence et rudesse, en laissant tout leur esprit à leurs femmes; donnez-leur alors de gros repas de bœuf, ainsi que de fer et d'acier; ils mangeront comme des loups, et se battront comme des démons.

ORLÉANS.

Oui, mais ces Anglais-là sont fort à court de bœuf.

LE CONNÉTABLE.

Alors nous ne leur trouverons demain qu'un appétit de nourriture, non de combat... Il est temps de s'armer; si nous y allions?

ORLÉANS.

Il est maintenant deux heures : mais, voyons, avant qu'il en soit dix, chacun de nous aura ses cent Anglais.

Ils sortent.

139

Enter 'CHORUS'.

CHORUS.
Now entertain conjecture of a time
When creeping murmur and the poring dark
Fills the wide vessel of the universe.
From camp to camp, through the foul womb of night
The hum of either army stilly sounds;
That the fixed sentinels almost receive
The secret whispers of each other's watch.
Fire answers fire, and through their paly flames
Each battle sees the other's umbered face.
10 Steed threatens steed, in high and boastful neighs
Piercing the night's dull ear: and from the tents
The armourers, accomplishing the knights,
With busy hammers closing rivets up,
Give dreadful note of preparation.
The country cocks do crow, the clocks do toll,
And the third hour of drowsy morning name.
Proud of their numbers, and secure in soul,
The confident and over-lusty French
Do the low-rated English play at dice;
20 And chide the cripple tardy-gaited night,
Who like a foul and ugly witch doth limp
So tediously away. The poor condemnéd English,
Like sacrifices, by their watchful fires
Sit patiently, and inly ruminate
The morning's danger: and their gesture sad,
Investing lank-lean cheeks, and war-worn coats,
Presenteth them unto the gazing moon
So many horrid ghosts. O now, who will behold
The royal captain of this ruined band
30 Walking from watch to watch, from tent to tent,
Let him cry, "Praise and glory on his head!"
For forth he goes, and visits all his host,
Bids them good morrow with a modest smile,
And calls them brothers, friends, and countrymen.
Upon his royal face there is no note,
How dread an army hath enrounded him;
Nor doth he dedicate one jot of colour
Unto the weary and all-watchéd night:
But freshly looks, and over-bears attaint
40 With cheerful semblance, and sweet majesty:
That every wretch, pining and pale before,
Beholding him, plucks comfort from his looks.
A largess universal, like the sun,
His liberal eye doth give to every one,

140

[IV, PROLOGUE]

Entre 'LE CHŒUR.'

LE CHŒUR.

Évoquez à présent l'heure où les murmures furtifs et l'ombre impénétrable emplissent l'immense vaisseau de l'univers. D'un camp à l'autre, à travers les noires entrailles de la nuit, la rumeur de l'une et l'autre armée sourdement résonne; si bien que la sentinelle immobile perçoit presque le chuchotement secret du mot de passe adverse. Le feu répond au feu, et, à leur flamme blême, chaque armée voit le visage ombré de l'autre. Le cheval menace le cheval; leurs fiers et hautains appels percent l'oreille engourdie de la nuit; du fond des tentes, les armuriers achevant d'équiper les chevaliers, rivant de leur marteau diligent les attaches, font entendre le bruit redoutable de ces préparatifs. Les coqs chantent dans les campagnes et l'horloge sonne, annonçant la troisième heure du matin somnolent. Fiers de leur nombre et l'âme assurée, les Français confiants et exubérants font des Anglais méprisés l'enjeu de leur partie de dés et gourmandent la nuit boiteuse et lente qui, comme une sorcière noire et hideuse, clopine à n'en plus finir. Les pauvres Anglais condamnés, ainsi que des victimes, attendent patiemment près de leurs feux de veille, ruminant dans leur cœur les dangers du matin; et leur grave attitude, transfigurant leurs joues creusées, leurs habits usés par la guerre, les fait apparaître au regard de la lune comme autant de spectres affreux. O, quiconque à présent verra le royal capitaine de cette troupe délabrée aller de poste en poste, de tente en tente, qu'il s'écrie : «Louange et gloire sur sa tête!» Car voici qu'il sort et visite tous ses soldats, leur donne le bonjour avec un sourire modeste, et les appelle frères, amis et compatriotes. Sur son visage royal nul indice qu'une armée, combien redoutable, l'encercle; il n'abandonne pas même un soupçon de couleur à la pesante nuit passée toute en veille : il a l'air dispos et surmonte l'épuisement par des dehors joyeux et une affable majesté; de sorte que tous les malheureux, naguère languissants et pâles, puisent un réconfort dans son aspect. Largesse universelle, voilà, comme le soleil, ce qu'à chacun donne son œil généreux, qui fond

141

Thawing cold fear, that mean and gentle all
Behold, as may unworthiness define,
A little touch of Harry in the night.
And so our scene must to the battle fly:
Where—O for pity!—we shall much disgrace,
50 With four or five most vile and ragged foils,
Right ill-disposed, in brawl ridiculous,
The name of Agincourt: yet sit and see,
Minding true things by what their mock'ries be.

['*Exit.*'

[IV, I.] A passage between the tents of the English
camp at Agincourt. Before dawn

King HENRY, BEDFORD, *and* GLOUCESTER.

KING HENRY.
Gloucester, 'tis true that we are in great danger,
The greater therefore should our courage be...
Good morrow, brother Bedford... God Almighty!
There is some soul of goodness in things evil,
Would men observingly distil it out.
For our bad neighbour makes us early stirrers,
Which is both healthful, and good husbandry.
Besides, they are our outward consciences
And preachers to us all, admonishing
10 That we should dress us fairly for our end.
Thus may we gather honey from the weed,
And make a moral of the devil himself.

Erpingham comes up.

Good morrow, old Sir Thomas Erpingham:
A good soft pillow for that good white head
Were better than a churlish turf of France.
ERPINGHAM.
Not so, my liege—this lodging likes me better,
Since I may say 'Now lie I like a king.'
KING HENRY.
'Tis good for men to love their present pains,
Upon example—so the spirit is eased:
20 And when the mind is quickened, out of doubt
The organs, though defunct and dead before,
Break up their drowsy grave, and newly move

142

la peur glacée pour que tous, nobles ou manants, contemplent, autant que notre indignité la peut tracer, comme une image de Harry dans la nuit. Donc, que la scène vole au lieu du combat; là — quelle pitié! — nous allons déshonorer avec nos quatre ou cinq méchants fleurets ébréchés, maladroitement croisés dans une rixe ridicule, le nom d'Azincourt; regardez pourtant et, de votre place, évoquez le réel d'après sa parodie.

'Il sort.'

[IV, I.] Entre les tentes du camp anglais à Azincourt.
Avant l'aurore

LE ROI HENRY, BEDFORD *et* GLOSTER.

LE ROI HENRY.
Il est vrai, Gloster, que nous courons grand péril; d'autant plus grand, donc, doit être notre courage... Bonjour, mon frère Bedford. Dieu Tout-Puissant[1] Il y a une essence de bien dans les choses néfastes pour l'homme qui la distille avec attention. Car nos méchants voisins nous font lever matin, ce qui est à la fois salubre et de bon profit. De plus, ils sont pour nous de visibles consciences, qui nous sermonnent tous et nous rappellent que nous devons dignement nous préparer pour notre fin. Ainsi peut-on butiner le miel sur l'herbe folle, et tirer une morale du diable en personne.
Survient Erpingham.
Bonjour, vénérable Sir Thomas Erpingham : un oreiller bien doux sous ta tête bien blanche vaudrait mieux que le revêche gazon de France.
ERPINGHAM.
Que non, monseigneur; cette couche-là me plaît davantage, car je puis dire : «A présent je suis logé comme un roi.»
LE ROI HENRY.
Il est bon d'apprendre à aimer ses propres peines par l'exemple des autres : l'âme s'en trouve soulagée; et quand l'esprit est ravivé, sans nul doute les organes, tout à l'heure engourdis, morts, surgissent de leur tombe somnolente et, sous leur

With casted slough and fresh legerity...
Lend me thy cloak, Sir Thomas...   Brothers both,
Commend me to the princes in our camp;
Do my good morrow to them, and anon
Desire them all to my pavilion.

GLOUCESTER.

We shall, my liege.

ERPINGHAM.

Shall I attend your grace?

KING HENRY.

No, my good knight:
30 Go with my brothers to my lords of England:
I and my bosom must debate awhile,
And then I would no other company.

ERPINGHAM.

The Lord in heaven bless thee, noble Harry!

KING HENRY.

God-a-mercy, old heart! thou speak'st cheerfully.

[*they take leave of the King.*
Pistol steals into view, is about to pilfer from a tent, but
starts as he perceives someone in the dark.

PISTOL.

Qui va là?

KING HENRY

A friend.

PISTOL.

Discuss unto me, art thou officer,
Or art thou base, common, and popular?

KING HENRY.

I am a gentleman of a company.

PISTOL.

40 Trail'st thou the puissant pike?

KING HENRY.

Even so: what are you?

PISTOL.

As good a gentleman as the emperor.

KING HENRY.

Then you are a better than the king.

PISTOL.

The king's a bawcock, and a heart of gold,

144

peau neuve, leur mouvement redouble d'agilité. Prête-moi
ton manteau, Sir Thomas. Vous deux, mes frères, portez
mes compliments aux princes de notre camp; donnez-leur
mon bonjour et mandez-les tous sans tarder à mon pavillon.

GLOSTER.

Bien, sire.

ERPINGHAM.

Dois-je accompagner Votre Grâce?

LE ROI HENRY.

Non, mon bon chevalier; allez avec mes frères auprès de mes
seigneurs anglais; il faut, moi et ma conscience, que nous
délibérions un instant, et pour lors je ne désire nulle autre
compagnie.

ERPINGHAM.

Que le Seigneur des cieux te bénisse, noble Harry!

LE ROI HENRY.

Par Dieu, merci, vieil ami! Ta parole est un réconfort.

Ils prennent congé du Roi.
Pistolet apparaît et se dispose à piller une tente, mais sursaute
en apercevant quelqu'un dans l'ombre.

PISTOLET.

'Qui va là?'

LE ROI HENRY.

Ami.

PISTOLET.

Divulgue-moi : es-tu officier, ou es-tu manant, rustre et populaire?

LE ROI HENRY.

Je suis gentilhomme, volontaire dans une compagnie [33].

PISTOLET.

Traînerais-tu la pique puissante?

LE ROI HENRY.

Tout juste; et vous, qui êtes-vous?

PISTOLET.

Un aussi grand gentilhomme que l'empereur.

LE ROI HENRY.

Alors vous valez mieux que le Roi.

PISTOLET.

Le Roi est un beau coq et un cœur d'or, un bon vivant, un

A lad of life, an imp of Fame,
Of parents good, of fist most valiant:
I kiss his dirty shoe, and from heart-string
I love the lovely bully... What is thy name?
    KING HENRY.
Harry le Roy.
    PISTOL.
50 Le Roy? a Cornish name: art thou of Cornish crew?
    KING HENRY.
No, I am a Welshman.
    PISTOL.
Know'st thou Fluellen?
    KING HENRY.
Yes.
    PISTOL.
Tell him I'll knock his leek about his pate
Upon Saint Davy's day.
    KING HENRY.
Do not you wear your dagger in your cap that day, lest he
knock that about yours.
    PISTOL.
Art thou his friend?
    KING HENRY.
And his kinsman too.
    PISTOL.
60 The figo for thee then!
    KING HENRY.
I thank you: God be with you!
    PISTOL.
My name is Pistol called.

[*he goes.*

    KING HENRY.
It sorts well with your fierceness.

The King withdraws a little; Fluellen and Gower encounter,
coming different ways.

    GOWER.
Captain Fluellen!
    FLUELLEN.
So! in the name of Jesu Christ, speak fewer... It is the
greatest admiration in the universal world, when the true

146

chéri de la gloire, de bonne lignée, de vaillante poigne; je
baise son soulier crotté, et des fibres mêmes de mon cœur
j'aime cet aimable luron... Quel est ton nom?

LE ROI HENRY.

Harry Lerouet.

PISTOLET.

Lerouet? C'est un nom de Cornouaille; es-tu de ce pays-là?

LE ROI HENRY.

Non, je suis gallois.

PISTOLET.

Connais-tu Fluellen?

LE ROI HENRY.

Oui.

PISTOLET.

Dis-lui que je lui cognerai la caboche avec son poireau le
jour de la Saint-Davy [34].

LE ROI HENRY.

Ne portez pas votre dague à votre bonnet ce jour-là, de peur
qu'il ne vous cogne la vôtre avec.

PISTOLET.

Es-tu de ses amis?

LE ROI HENRY.

Oui; et de sa parenté.

PISTOLET.

Je te fais la figue, en ce cas!

LE ROI HENRY.

Je vous remercie; Dieu soit avec vous!

PISTOLET.

On m'appelle de mon nom Pistolet.

Il sort.

LE ROI HENRY.

Ce qui s'accorde bien à votre férocité.

Le Roi s'écarte; Fluellen et Gower entrent de part et d'autre.

GOWER.

Capitaine Fluellen!

FLUELLEN.

Allons! Au nom de Chésus Christ, ne pafartez pas tant...
C'est le plus crand étonnement du monde unifersel, quand

147

and ancient prerogatifes and laws of the wars is not kept:
if you would take the pains but to examine the wars of
Pompey the Great, you shall find, I warrant you, that there
70 is no tiddle taddle nor pibble pabble in Pompey's camp:
I warrant you, you shall find the ceremonies of the wars,
and the cares of it, and the forms of it, and the sobriety of it,
and the modesty of it, to be otherwise.

GOWER.
Why, the enemy is loud, you hear him all night.

FLUELLEN.
If the enemy is an ass and a fool, and a prating coxcomb,
is it meet, think you, that we should also, look you, be an
ass and a fool, and a prating coxcomb? in your own conscience now?

GOWER.
I will speak lower.

FLUELLEN.
80 I pray you, and beseech you, that you will.

[*they depart severally.*

KING HENRY.
Though it appear a little out of fashion,
There is much care and valour in this Welshman.

'*Three soldiers, John Bates, Alexander Court, and Michael
Williams,*' *come up.*

COURT.
Brother John Bates, is not that the morning which breaks
yonder?

BATES.
I think it be: but we have no great cause to desire the
approach of day.

WILLIAMS.
We see yonder the beginning of the day, but I think we
shall never see the end of it... Who goes there?

KING HENRY.
A friend.

WILLIAMS.
90 Under what captain serve you?

les féritaples et anciennes prérogatifes et lois des guerres ne sont pas obserfées : si fous foulez seulement prendre la peine d'étudier les guerres du Grand Pompée, fous constaterez, je fous assure, qu'il n'y a pas de patati et patata, ni de chichichi et chachacha dans le camp de Pompée; je fous assure, vous constaterez que le cérémonial de la guerre, et ses précautions, et ses formalités, et sa sopriété, et sa motération y sont tout autres.

GOWER.
Mais l'ennemi est bruyant : on l'entend depuis le début de la nuit [35].

FLUELLEN.
Si l'ennemi est un âne et un sot, et un faniteux pafard, confient-il, à fotre idée, que nous soyons aussi, foyez-fous, un âne et un sot, et un faniteux pafard ? Dites un peu, en conscience ?

GOWER.
Je vais parler plus bas.

FLUELLEN.
Faites, je vous en prie et fous en supplie.

Ils partent, chacun de son côté.

LE ROI HENRY.
Malgré des dehors un peu excentriques, il y a beaucoup de courage et de réflexion chez ce Gallois.

Surviennent 'trois soldats, John Bates, Alexandre Court, et Michel Williams'.

COURT.
Ami John Bates, n'est-ce pas le matin qui poind là-bas ?

BATES.
Je le crois, mais nous n'avons guère sujet de souhaiter la venue du jour.

WILLIAMS.
Nous voyons là-bas le commencement du jour, mais je crois que nous n'en verrons jamais la fin... Qui va là ?

LE ROI HENRY.
Ami.

WILLIAMS.
Dans quelle compagnie servez-vous ?

KING HENRY.

Under Sir Thomas Erpingham.

WILLIAMS.

A good old commander, and a most kind gentleman: I pray you, what thinks he of our estate?

KING HENRY.

Even as men wracked upon a sand, that look to be washed off the next tide.

BATES.

He hath not told his thought to the king?

KING HENRY.

No: nor it is not meet he should: for, though I speak it to you, I think the king is but a man, as I am: the violet smells to him as it doth to me; the element shows to him as it 100 doth to me; all his senses have but human conditions: his ceremonies laid by, in his nakedness he appears but a man; and though his affections are higher mounted than ours, yet, when they stoop, they stoop with the like wing : therefore, when he sees reason of fears, as we do, his fears, out of doubt, be of the same relish as ours are: yet, in reason, no man should possess him with any appearance of fear, lest he, by showing it, should dishearten his army.

BATES.

He may show what outward courage he will: but I believe, as cold a night as 'tis, he could wish himself in Thames up 110 to the neck; and so I would he were, and I by him, at all adventures, so we were quit here.

KING HENRY.

By my troth, I will speak my conscience of the king: I think he would not wish himself any where but where he is.

BATES.

Then I would he were here alone; so should he be sure to be ransomed, and a many poor men's lives saved.

KING HENRY.

I dare say you love him not so ill, to wish him here alone: howsoever you speak this to feel other men's minds.

LE ROI HENRY.
Celle de Sir Thomas Erpingham.

WILLIAMS.
Un brave vieux chef, un gentilhomme qui a le cœur sur la main; que dit-il, s'il vous plaît, de notre situation?

LE ROI HENRY.
Il nous voit comme des hommes naufragés sur un banc de sable, qui s'attendent à être balayés par la prochaine marée.

BATES.
Il n'a pas fait connaître sa pensée au Roi?

LE ROI HENRY.
Non; et il serait mauvais qu'il le fît; car, permettez-moi de vous le dire, je crois que le Roi n'est qu'un homme comme moi; la violette a pour lui même parfum que pour moi; le ciel même aspect à ses yeux qu'aux miens; tous ses sens n'ont que des propriétés humaines; ses pompes dépouillées, à l'état de nudité, on ne voit plus en lui qu'un homme; et bien que ses désirs planent plus haut que les nôtres, pourtant, quand ils s'abattent, ils s'abattent d'une aile pareille; ainsi, quand il a sujet de craindre comme nous, ses craintes, sans nul doute, ont même saveur que les nôtres : mais en toute justice nul ne devrait lui inspirer la moindre ombre de crainte, pour éviter que lui-même, en la trahissant, ne fasse perdre cœur à son armée.

BATES.
Il peut bien montrer tous les dehors de courage qu'il voudra; mais je crois que, pour froide que soit la nuit, il aimerait mieux se trouver dans la Tamise jusqu'au cou; et moi aussi j'aimerais qu'il y fût, et moi avec lui, quoi qu'il en advienne, dù moment que nous serions tirés d'ici.

LE ROI HENRY.
Sur ma foi, je vais vous dire ce que je pense du Roi; je crois qu'il ne voudrait pas être ailleurs que là où il est.

BATES.
Alors je voudrais qu'il y fût seul; en ce cas nul doute qu'il serait mis à rançon et qu'une foule de pauvres gens auraient la vie sauve.

LE ROI HENRY.
Assurément vous ne lui voulez pas assez de mal pour souhaiter qu'il soit seul ici; mais vous parlez de la sorte afin de sonder

Methinks I could not die any where so contented as in the
120 king's company; his cause being just, and his quarrel
honourable.

WILLIAMS.

That's more than we know.

BATES.

Ay, or more than we should seek after; for we know enough,
if we know we are the king's subjects: if his cause be wrong,
our obedience to the king wipes the crime of it out of us.

WILLIAMS.

But if the cause be not good, the king himself hath a heavy
reckoning to make, when all those legs, and arms, and heads,
chopped off in a battle, shall join together at the latter day,
and cry all « We died at such a place »; some swearing,
130 some crying for a surgeon; some upon their wives, left
poor behind them; some upon the debts they owe; some
upon their children rawly left... I am afeard there are few
die well, that die in a battle: for how can they charitably
dispose of any thing, when blood is their argument ? Now,
if these men do not die well, it will be a black matter for
the king, that led them to it; who to disobey were against
all proportion of subjection.

KING HENRY.

So, if a son that is by his father sent about merchandise
do sinfully miscarry upon the sea, the imputation of his
140 wickedness, by your rule, should be imposed upon his
father that sent him: or if a servant, under his master's
command, transporting a sum of money, be assailed by
robbers, and die in many irreconciled iniquities, you may
call the business of the master the author of the servant's
damnation... But this is not so: the king is not bound to
answer the particular endings of his soldiers, the father of
his son, nor the master of his servant; for they purpose not
their death, when they purpose their services. Besides, there
is no king, be his cause never so spotless, if it come to the
150 arbitrement of swords, can try it out with all unspotted
soldiers: some, peradventure, have on them the guilt of

la pensée d'autrui. Il me semble que je ne mourrais nulle part plus heureux qu'en compagnie du Roi, puisque sa cause est juste, et sa querelle honorable.

WILLIAMS.

Pour cela, nous n'en savons rien.

BATES.

Non, et nous ne devons pas chercher à le savoir; car nous en savons assez si nous savons que nous sommes les sujets du Roi; si sa cause est injuste, notre obéissance au Roi nous lave de tout crime.

WILLIAMS.

Mais si la cause n'est pas bonne, le roi lui-même aura de sérieux comptes à rendre, quand tous ces bras, ces jambes, ces têtes tranchés dans la bataille s'assembleront au jugement dernier, et crieront de concert : « Nous sommes morts à tel endroit » ; les uns jurant, d'autres réclamant un chirurgien, d'autres invoquant leur femme laissée dans le besoin, d'autres leurs dettes non payées, d'autres leurs enfants qui restent dépourvus. Je crains qu'il n'y en ait peu qui meurent d'une bonne mort parmi ceux qui meurent au combat : comment pourraient-ils être dans des dispositions charitables quand ils n'ont que des pensées de carnage? Mais si ces gens-là n'ont point une bonne mort, il en cuira au roi qui les y a conduits, car lui désobéir serait contraire à tous les principes de la hiérarchie.

LE ROI HENRY.

Ainsi donc, quand un fils envoyé par son père en quête de marchandise périt sur mer en état de péché, ses fautes, selon votre règle, devraient être imputées au père qui l'a envoyé; ou si un serviteur qui transporte une somme d'argent sur l'ordre de son maître est assailli par des voleurs et meurt chargé de mainte iniquité inexpiée, vous feriez des affaires du maître la cause de la damnation du serviteur. Il n'en va pas ainsi : le roi n'a point à répondre de la fin de chacun de ses soldats, ni le père de celle de son fils, ni le maître de celle de son serviteur; car ils ne recherchent pas leur mort en recherchant leurs services. En outre, il n'est pas un roi, pour immaculée que soit sa cause, qui, lorsqu'elle est soumise à l'arbitrage des armes, la puisse soutenir avec des soldats tous irréprochables; certains, peut-être, portent la faute d'un

premeditated and contrived murder; some, of beguiling
virgins with the broken seals of perjury; some making the
wars their bulwark, that have before gored the gentle
bosom of peace with pillage and robbery. Now, if these
men have defeated the law, and outrun native punishment,
though they can outstrip men, they have no wings to fly
from God. War is His beadle, war is His vengeance: so
that here men are punished, for before breach of the king's
160 laws, in now the king's quarrel: where they feared the
death, they have borne life away; and where they would be
safe, they perish. Then if they die unprovided, no more
is the king guilty of their damnation than he was before
guilty of those impieties for the which they are now visited.
Every subject's duty is the king's, but every subject's soul
is his own. Therefore should every soldier in the wars do
as every sick man in his bed, wash every mote out of his
conscience : and dying so, death is to him advantage; or
not dying, the time was blessedly lost, wherein such prepa-
170 ration was gained: and in him that escapes, it were not sin
to think, that, making God so free an offer, He let him
outlive that day, to see His greatness, and to teach others
how they should prepare.

WILLIAMS.

'Tis certain, every man that dies ill, the ill upon his own
head, the king is not to answer it.

BATES.

I do not desire he should answer for me, and yet I deter-
mine to fight lustily for him.

KING HENRY.

I myself heard the king say he would not be ransomed.

WILLIAMS.

Ay, he said so, to make us fight cheerfully: but when our
180 throats are cut, he may be ransomed, and we ne'er the
wiser.

154

meurtre prémédité et perpétré; d'autres, celle d'avoir leurré des vierges par des serments que viola le parjure; d'autres, d'avoir fait de la guerre leur rempart de défense, alors qu'auparavant ils ensanglantaient le tendre sein de la paix par le vol et le pillage. Or, si de tels hommes ont éludé la loi et se sont soustraits au châtiment de leur pays, s'ils peuvent échapper aux poursuites des hommes, ils n'ont pas d'ailes pour se dérober à Dieu. La guerre est l'huissier de Dieu, la guerre est la vengeance de Dieu : si bien que, pour avoir jadis enfreint les lois du Roi, des hommes sont ici châtiés dans ce qui est maintenant la querelle du Roi; alors qu'ils craignaient la mort, ils ont eu la vie sauve; et alors qu'ils se croyaient saufs, ils périssent. S'ils meurent impréparés, le Roi n'est pas plus responsable de leur damnation qu'il ne l'était jadis des crimes impies pour lesquels ils sont maintenant frappés. Les services de chaque sujet appartiennent au Roi, mais l'âme de chaque sujet est son bien propre. Aussi dans la guerre chaque soldat devrait-il agir comme chaque malade dans son lit, et laver sa conscience de la moindre impureté; s'il meurt en cet état, la mort lui est un bienfait; s'il ne meurt pas, c'est perdre son temps de manière bénie que de gagner une telle préparation; et pour le rescapé il n'y aurait point péché à penser que, s'étant offert à Dieu de si grand cœur, s'il lui est donné de survivre à ce jour, c'est afin de voir la grandeur de Dieu et d'enseigner aux autres à se bien préparer.

WILLIAMS.

C'est certain, pour tout homme qui n'a pas une bonne mort, la faute en retombe sur sa propre tête, le Roi n'a pas à en répondre.

BATES.

Je ne lui demande pas de répondre de moi, et pourtant je suis résolu à me battre énergiquement pour lui.

LE ROI HENRY.

J'ai moi-même entendu le Roi dire qu'il n'accepterait pas d'être mis à rançon.

WILLIAMS.

Ouais, il a dit cela, pour que nous nous battions de bon cœur; mais quand nous aurons la gorge tranchée, il pourra être mis à rançon sans que nous en soyons plus avancés.

KING HENRY.
If I live to see it, I will never trust his word after.

WILLIAMS.
You pay him then! That's a perilous shot out of an elder-
gun, that a poor and a private displeasure can do against
a monarch! you may as well go about to turn the sun to ice,
with fanning in his face with a peacock's feather... You'll
never trust his word after! come, 'tis a foolish saying.

KING HENRY.
Your reproof is something too round—I should be angry
with you, if the time were convenient.

WILLIAMS.
190 Let it be a quarrel between us, if you live.

KING HENRY.
I embrace it.

WILLIAMS.
How shall I know thee again?

KING HENRY.
Give me any gage of thine, and I will wear it in my bonnet:
then, if ever thou dar'st acknowledge it, I will make it my
quarrel.

WILLIAMS.
Here's my glove: give me another of thine.

KING HENRY.
There.

WILLIAMS.
This will I also wear in my cap : if ever thou come to me
and say, after to-morrow, "This is my glove", by this hand I
200 will take thee a box on the ear.

KING HENRY.
If ever I live to see it, I will challenge it.

WILLIAMS.
Thou dar'st as well be hanged.

KING HENRY.
Well, I will do it, though I take thee in the king's company.

156

LE ROI HENRY.

Si je vis assez vieux pour voir cela, jamais plus je n'aurai foi en sa parole.

WILLIAMS.

Et vous irez, vous, lui demander des comptes! C'est un coup mortel tiré avec un fusil d'enfant, ce que peut contre un monarque la colère d'un pauvre homme du commun! Autant vous évertuer à changer le soleil en glace en lui éventant la face avec une plume de paon... Vous n'aurez plus jamais foi en sa parole! Voyons, vous dites des sottises.

LE ROI HENRY.

Vous me reprenez un peu trop rondement... je me fâcherais contre vous, si le moment s'y prêtait.

WILLIAMS.

Voulez-vous que nous nous querellions là-dessus, si vous survivez ?

LE ROI HENRY.

J'accepte.

WILLIAMS.

Comment te reconnaîtrai-je ?

LE ROI HENRY.

Donne-moi quelque gage qui t'appartienne, et je le porterai à mon chapeau; si jamais tu oses le réclamer, alors j'en ferai ma querelle.

WILLIAMS.

Voici mon gant; donne-moi un des tiens en retour.

LE ROI HENRY.

Voilà.

WILLIAMS.

Moi aussi, je le porterai à mon bonnet; à partir de demain, si jamais tu viens me dire : « C'est mon gant », sur ma main, je te soufflette.

LE ROI HENRY.

Si jamais je vis jusqu'à cette rencontre, je le réclamerai.

WILLIAMS.

Tu oserais plutôt te faire pendre.

LE ROI HENRY.

Sur ma foi, je le ferai, quand bien même je te trouverais en compagnie du Roi.

WILLIAMS.
Keep thy word : fare thee well.
BATES.
Be friends, you English fools, be friends; we have French
quarrels enow, if you could tell how to reckon.
KING HENRY.
Indeed, the French may lay twenty French crowns to
one, they will beat us, for they bear them on their shoulders:
but it is no English treason to cut French crowns, and
210 to-morrow the king himself will be a clipper.
                                    [*the soldiers go their way.*
Upon the king! let us our lives, our souls,
Our debts, our careful wives,
Our children, and our sins, lay on the king!
We must bear all.   O hard condition,
Twin-born with greatness, subject to the breath
Of every fool, whose sense no more can feel
But his own wringing!   What infinite heart's ease
Must kings neglect that private men enjoy!
And what have kings, that privates have not too,
220 Save Ceremony, save general Ceremony?
And what art thou, thou idol Ceremony?
What kind of god art thou, that suffer'st more
Of mortal griefs than do thy worshippers?
What are thy rents? what are thy comings in?
O Ceremony, show me but thy worth!
What! Is thy soul of adoration?
Art thou aught else but place, degree, and form,
Creating awe and fear in other men?
Wherein thou art less happy, being feared,
230 Than they in fearing.
What drink'st thou oft, instead of homage sweet,
But poisoned flattery? O, be sick, great greatness,
And bid thy ceremony give thee cure!
Thinks thou the fiery fever will go out
With titles blown from adulation?
Will it give place to flexure and low bending?
Canst thou, when thou command'st the beggar's knee,
Command the health of it?   No, thou proud dream,
That play'st so subtly with a king's repose.
240 I am a king that find thee: and I know,
'Tis not the balm, the sceptre, and the ball,
The sword, the mace, the crown imperial,
The intertissued robe of gold and pearl,
The farcéd title running 'fore the king,

158

WILLIAMS.

Tiens parole; adieu.

BATES.

Réconciliez-vous, stupides Anglais, réconciliez-vous; nous avons bien assez de querelles avec les Français, pour ceux qui savent compter.

LE ROI HENRY.

En vérité, les Français peuvent parier à vingt nobles contre un qu'ils nous battront, puisqu'ils grouillent comme chancres [36], mais ce n'est pas haute trahison pour un Anglais que de rogner ces nobles-là, et demain le Roi lui-même sera du nombre des fraudeurs.

Les soldats s'en vont.

Sur le Roi! De notre vie, de notre âme, de nos dettes, de nos femmes anxieuses, de nos enfants et de nos péchés, déchargeons-nous sur le Roi! Il nous faut tout endosser. Oh, rude condition, sœur jumelle de la grandeur, exposée au souffle du premier venu, qui ne ressent rien d'autre que ses propres coliques! A quels plaisirs infinis doivent renoncer les rois alors que le vulgaire en jouit! Et qu'ont les rois que n'ait aussi le vulgaire, hormis la majesté, la majesté· publique? Et qu'es-tu donc, idole de la majesté? Quelle sorte de divinité es-tu pour subir les maux des mortels plus que tes adorateurs? Où sont tes loyers? Où sont tes bénéfices? Ô majesté, montre-moi seulement ce que tu vaux! N'as-tu d'autre essence que d'être adorée? Es-tu rien de plus que rang, noblesse et beaux dehors, suscitant chez les autres hommes crainte et respect? Moyennant quoi, tu es moins heureuse d'être crainte qu'eux à te craindre! Que bois-tu souvent en guise d'hommage délicieux, sinon le poison de flatterie? Oh, sois malade, grandeur grandiose, et dis à ta majesté de te donner remède! Crois-tu que la fureur de la fièvre s'éteindra sous l'effet des titres gonflés par l'adulation? Cédera-t-elle aux génuflexions et aux saluts profonds? Peux-tu, quand tu commandes au genou du mendiant, commander du même coup à sa santé? Non, oh, rêve orgueilleux qui te joues si subtilement du sommeil d'un roi! Je suis roi, moi qui te perce à jour, et je sais que ce n'est pas le baume, le sceptre et le globe, l'épée, la masse, la couronne impériale, la robe tissée d'or et de pierreries, le titre boursouflé qui précède le roi, le trône où

The throne he sits on: nor the tide of pomp
That beats upon the high shore of this world:
No, not all these, thrice-gorgeous ceremony,
Not all these, laid in bed majestical,
Can sleep so soundly as the wretched slave:
250 Who, with a body filled, and vacant mind,
Gets him to rest, crammed with distressful bread,
Never sees horrid night, the child of hell:
But, like a lackey, from the rise to set,
Sweats in the eye of Phœbus; and all night
Sleeps in Elysium: next day, after dawn,
Doth rise, and help Hyperion to his horse,
And follows so the ever-running year
With profitable labour to his grave:
And, but for ceremony, such a wretch,
260 Winding up days with toil, and nights with sleep,
Had the fore-hand and vantage of a king.
The slave, a member of the country's peace,
Enjoys it; but in gross brain little wots
What watch the king keeps to maintain the peace,
Whose hours the peasant best advantages.

Erpingham returns.

ERPINGHAM.
My lord, your nobles, jealous of your absence,
Seek through your camp to find you.

KING HENRY.

Good old knight,
Collect them all together at my tent :
I'll be before thee.

ERPINGHAM.

I shall do't, my lord.   [*he goes.*

KING HENRY [*kneels apart*].
270 O God of battles, steel my soldiers' hearts,
Possess them not with fear: take from them now
†The sense of reck'ning, or th'opposéd numbers
Pluck their hearts from them.   Not to-day, O Lord,
O not to-day, think not upon the fault
My father made in compassing the crown!
I Richard's body have interréd new,
And on it have bestowed more contrite tears,
Than from it issued forcéd drops of blood.
Five hundred poor I have in yearly pay,
280 Who twice a day their withered hands hold up
Toward heaven, to pardon blood: and I have built
Two chantries, where the sad and solemn priests

il siège; ni les flots du cérémonial qui battent les hauts rivages de notre monde; non, rien de tout cela, majesté trois fois splendide, rien de tout cela, reposant sur un lit d'apparat, ne peut dormir aussi profond qu'un malheureux esclave qui, le corps plein et l'esprit vide, s'en va coucher, bourré du pain de sa misère, jamais ne voit l'horrible nuit, fille de l'enfer, mais, toujours trottant, de l'aurore au crépuscule, sue sous le regard de Phébus, puis, ayant toute la nuit dormi dans l'Elysée, le lendemain se lève pour aider Hypérion à monter en char, et suit ainsi le cours incessant de l'année, parmi des labeurs fructueux, jusqu'au tombeau; à la majesté près, pareil misérable qui livre ses jours au labeur et ses nuits au sommeil a bel et bien l'avantage sur un roi. L'esclave, qui participe à la paix du pays, en jouit; mais son esprit grossier ne sait guère ce qu'il en coûte de veilles au roi pour maintenir une paix dont le paysan a le plus clair profit.

Erpingham revient.

ERPINGHAM.
Sire, vos nobles, jaloux de votre absence, vous cherchent par tout le camp.
LE ROI HENRY.
Cher vieux chevalier, rassemble-les tous devant ma tente. Je t'y précède.
ERPINGHAM.
J'y vais, sire.

Il sort.

LE ROI HENRY, *s'agenouillant, à part.*
O Dieu des batailles, trempe le cœur de mes soldats, ne leur inspire pas de crainte; enlève-leur en cet instant le pouvoir de compter, sinon le nombre adverse leur ôtera tout courage. Pas aujourd'hui, Seigneur, oh, ne pense pas aujourd'hui à la faute commise par mon père en prenant la couronne! Au corps de Richard j'ai donné sépulture nouvelle, et versé sur lui plus de larmes contrites que n'en avaient par force jailli de gouttes de sang. Je verse un salaire annuel à cinq cents pauvres qui, deux fois le jour, lèvent leurs mains ridées vers le ciel pour le pardon du sang; et j'ai construit deux chantreries où les prêtres graves et solennels chantent sans cesse

Sing still for Richard's soul.   More will I do:
Though all that I can do is nothing worth;
Since that my penitence comes after all,
Imploring pardon.

[he continues in prayer.
Gloucester returns calling.

GLOUCESTER.
My liege!
KING HENRY [*rises*].
My brother Gloucester's voice?
Ay:
290 I know thy errand, I will go with thee:
The day, my friends, and all things stay for me.

[they go together.

[IV. 2.]   A tent in the French camp (as before); daybreak

The DAUPHIN, ORLEANS, RAMBURES, *and*
others, awaking.

ORLEANS.
The sun doth gild our armour.   Up, my lords!
DAUPHIN.
Montez à cheval!   My horse!   varlet! laquais! ha!
ORLEANS.
O brave spirit!
DAUPHIN.
Via! les eaux et la terre!
ORLEANS.
Rien puis? l'air et le feu?
DAUPHIN.
Ciel! cousin Orleans.

Constable enters.

Now, my lord Constable?
CONSTABLE.
Hark how our steeds for present service neigh.
DAUPHIN.
Mount them, and make incision in their hides,

162

pour l'âme de Richard. Je ferai plus encore : mais tout ce que je peux faire est sans valeur, puisque mon repentir vient après tout cela implorer pardon.

Il continue à prier.
Gloster revient et l'appelle.

GLOSTER.
Sire !

LE ROI HENRY, *se relevant.*
Est-ce la voix de mon frère Gloster ? Oui. Je sais ce que tu veux, je viens avec toi. La journée, mes amis et toutes choses n'attendent que moi.

Ils sortent ensemble.

[IV, 2.] Une tente dans le camp des Français (comme précédemment) au point du jour

LE DAUPHIN, ORLÉANS, RAMBURES, *et d'autres, s'éveillant.*

ORLÉANS.
Voici que le soleil dore nos armures. Debout, messeigneurs !
LE DAUPHIN.
'Montez à cheval !' Mon cheval ! 'Varlet ! laquais ! ha !'
ORLÉANS.
Ah, la noble ardeur !
LE DAUPHIN.
En avant ! 'Les eaux et la terre !'
ORLÉANS.
'Rien puis ? L'air et le feu' ?[37]
LE DAUPHIN.
'Ciel !' Cousin d'Orléans. *(Entre le Connétable)* Eh bien ! Monsieur le Connétable ?
LE CONNÉTABLE.
Ecoutez nos montures hennir d'impatience.
LE DAUPHIN.
En selle, incisez-moi leur flanc de telle sorte que leur sang

That their hot blood may spin in English eyes,
10 And dout them with superfluous courage, ha!
      R A M B U R E S .
What, will you have them weep our horses' blood?
How shall we then behold their natural tears?

                         'Enter Messenger.'

    M E S S E N G E R .
The English are embattled, you French peers.
    C O N S T A B L E .
To horse, you gallant princes, straight to horse!
Do but behold yon poor and starvéd band,
And your fair show shall suck away their souls,
Leaving them but the shales and husks of men.
There is not work enough for all our hands,
Scarce blood enough in all their sickly veins,
20 To give each naked curtle-axe a stain,
That our French gallants shall to-day draw out,
And sheathe for lack of sport.   Let us but blow on them,
The vapour of our valour will o'erturn them.
'Tis positive 'gainst all exceptions, lords,
That our superfluous lackeys, and our peasants,
Who in unnecessary action swarm
About our squares of battle, were enow
To purge this field of such a hilding foe;
Though we upon this mountain's basis by
30 Took stand for idle speculation:
But that our honours must not.   What's to say?
A very little little let us do,
And all is done...   Then let the trumpets sound
The tucket sonance, and the note to mount:
For our approach shall so much dare the field,
That England shall couch down in fear, and yield.

                         'Enter Grandpré.'

    G R A N D P R É .
Why do you stay so long, my lords of France?
Yon island carrions, desperate of their bones,
Ill-favouredly become the morning field:
40 Their ragged curtains poorly are let loose,
And our air shakes them passing scornfully.
Big Mars seems bankrout in their beggared host,
And faintly through a rusty beaver peeps.
The horsemen sit like fixéd candlesticks,

vole tout chaud dans les yeux des Anglais et les éteigne par ce trop-plein de courage, ha!

RAMBURES.
Quoi, vous leur feriez pleurer le sang de nos chevaux? Comment verrions-nous alors leurs larmes naturelles?

'Entre un Messager.'

LE MESSAGER.
Pairs de France, les Anglais sont en ligne.

LE CONNÉTABLE.
A cheval, vaillants princes, vite à cheval! Regardez seulement cette pauvre bande famélique, et votre noble arroi va les vider de leur âme, pour ne laisser d'eux que des coques, des écorces d'hommes. Il n'y a pas assez de besogne pour tous nos bras, à peine assez de sang dans toutes leurs veines chétives pour mettre une tache sur chaque coutelas que nos braves Français vont tirer au clair en ce jour, puis rengainer faute de gibier. Nous n'avons qu'à leur souffler dessus, le vent de notre valeur les renversera. Il est évident, incontestable, messeigneurs, que le surplus de notre valetaille et l'essaim de nos manants, qui se dépensent en vaines évolutions autour de nos carrés de bataille, suffiraient à purger le terrain d'un si piètre adversaire, quand bien même nous nous posterions en spectateurs oisifs au pied de ce mont là-bas. Mais notre honneur nous l'interdit. Que vous dire? Ne faisons que peu, très peu de chose, et tout sera fait. Que les trompettes sonnent donc l'ordre de marche et le boute-selle : notre approche répandra une telle terreur que l'Anglais va se recroqueviller d'effroi et se rendre.

'Entre Grandpré.'

GRANDPRÉ.
Pourquoi tarder si longtemps, messeigneurs de France? Ces charognes insulaires, sans espoir pour leurs os, sont un piètre ornement dans ce champ matinal : leurs bannières en haillons flottent pauvrement, et notre souffle les secoue avec passablement de mépris. Le grand Mars paraît en faillite dans leur horde miséreuse et sous une visière rouillée jette un timide regard. Les cavaliers sont figés comme des candélabres, porte-torche en main; leurs pauvres rosses ont

With torch-staves in their hand: and their poor jades
Lob down their heads, dropping the hides and hips,
The gum down-roping from their pale-dead eyes,
And in their pale dull mouths the gimmaled bit
Lies foul with chawed-grass, still and motionless.
50 And their executors, the knavish crows,
Fly o'er them all, impatient for their hour.
Description cannot suit itself in words,
To demonstrate the life of such a battle,
In life so lifeless as it shows itself.

CONSTABLE.
They have said their prayers, and they stay for death.

DAUPHIN.
Shall we go send them dinners, and fresh suits,
And give their fasting horses provender,
And after fight with them?

CONSTABLE.
I stay but for my guidon: to the field!
60 I will the banner from a trumpet take,
And use it for my haste... Come, come away!
The sun is high, and we outwear the day.

[*they hurry forth.*

[IV. 3.] The English camp; before the King's pavilion

'*Enter* GLOUCESTER, BEDFORD, EXETER,
ERPINGHAM *vith all his host:* SALISBURY *and*
WESTMORELAND,' *with others.*

GLOUCESTER.
Where is the king?

BEDFORD.
The king himself is rode to view their battle.

WESTMORELAND.
Of fighting men they have full three-score thousand.

EXETER.
There's five to one, besides they all are fresh.

SALISBURY.
God's arm strike with us! 'tis a fearful odds...
God bye you, princes all; I'll to my charge:
If we no more meet till we meet in heaven,

la tête pendante, les flancs et les reins flasques, de longs
filets glaireux coulent de leurs pâles yeux éteints, et dans
leur pâle bouche morne le mors articulé, souillé d'herbe
mâchée, reste inerte, immobile, tandis que leurs exécuteurs,
les corbeaux scélérats, volent au-dessus d'eux, impatients
de leur fin. La description ne trouve point ses mots pour
dépeindre la vie d'une pareille armée, cette vie sans vie
qu'elle offre aux regards.

LE CONNÉTABLE.

Ils ont fait leur prière, ils attendent la mort.

LE DAUPHIN.

Faut-il leur envoyer de quoi dîner et des habits propres, donner du fourrage à leurs chevaux affamés, et les combattre
ensuite?

LE CONNÉTABLE.

Je n'attends plus que mon guidon : au combat! Je vais enlever sa bannière à un trompette, et m'en servir dans ma hâte...
allons, venez! Le soleil est haut, nous gaspillons la journée!

Ils s'élancent au dehors.

[IV. 3.]   Le camp des Anglais; devant le pavillon du Roi

'*Entrent* GLOSTER, BEDFORD, EXETER, ERPING-
GHAM *avec toute son armée;* SALISBURY *et* WEST-
MORELAND', *ainsi que d'autres.*

GLOSTER.

Où est le Roi?

BEDFORD.

Le Roi s'en est allé lui-même reconnaître leurs lignes.

WESTMORELAND.

Ils ont bien soixante milliers de combattants.

EXETER.

C'est cinq contre un, et de plus ils sont tous dispos.

SALISBURY.

Que le bras de Dieu lutte avec nous! La disproportion est
terrible... Dieu soit avec vous tous, princes; je vais à mon
poste; si nous ne nous revoyons plus jusqu'au revoir des

Then joyfully, my noble Lord of Bedford,
My dear Lord Gloucester, and my good Lord Exeter,
10 And my kind kinsman, warriors all, adieu!
    BEDFORD.
Farewell, good Salisbury, and good luck go with thee!
    EXETER.
Farewell, kind lord: fight valiantly to-day:
And yet I do thee wrong, to mind thee of it,
For thou art framed of the firm truth of valour.

                                            [*Salisbury goes.*

    BEDFORD.
He is as full of valour as of kindness,
Princely in both.

                            The King approaches.

    WESTMORELAND.
                        O that we now had here
But one ten thousand of those men in England,
That do no work to-day!
    KING HENRY.
                            What's he that wishes so?
My cousin Westmoreland? No, my fair cousin:
20 If we are marked to die, we are enow
To do our country loss: and if to live,
The fewer men, the greater share of honour.
God's will, I pray thee wish not one man more.
By Jove, I am not covetous for gold,
Nor care I who doth feed upon my cost:
It earns me not if men my garments wear;
Such outward things dwell not in my desires.
But if it be a sin to covet honour,
I am the most offending soul alive.
30 No, faith, my coz, wish not a man from England:
God's peace, I would not lose so great an honour,
As one man more, methinks, would share from me,
For the best hope I have. O, do not wish one more:
Rather proclaim it, Westmoreland, through my host,
That he which hath no stomach to this fight,
Let him depart, his passport shall be made,
And crowns for convoy put into his purse:
We would not die in that man's company
That fears his fellowship, to die with us.
40 This day is called the feast of Crispian :

cieux, eh bien, d'un cœur joyeux, noble seigneur Bedford, cher Lord Gloster, brave Lord Exeter, vous mon bon parent, vous tous, guerriers, adieu!

BEDFORD.

Salut, bon Salisbury, la chance aille avec toi!

EXETER.

Salut, brave seigneur; combats vaillamment en ce jour : mais je te fais tort en t'exhortant ainsi, car tu es pétri de ferme et vraie bravoure.

Salisbury part.

BEDFORD.

Il est plein de bravoure autant que de bonté; princier pour l'une et l'autre.

Le Roi s'approche.

WESTMORELAND.

Ah! Que n'avons-nous ici à cette heure ne fût-ce que dix mille de ces hommes d'Angleterre qui ne font rien aujourd'hui!

LE ROI HENRY.

Qui formule ce vœu? Mon cousin Westmoreland? Non, mon noble cousin : si nous sommes marqués pour mourir, nous sommes assez pour que le pays en souffre; si nous vivons, moins nous serons, plus grande sera la part d'honneur. Pour Dieu, je t'en prie, ne souhaite pas un homme de plus. Par Jupiter, je ne suis pas avide d'or, et peu me chaut qui se nourrit à mes dépens; je ne suis pas chagrin si d'autres portent mes habits; ces choses extérieures ne hantent pas mes désirs. Mais si c'est pécher que de convoiter l'honneur, je suis l'âme la plus coupable qui soit en vie. Non, par ma foi, cousin, ne souhaite pas un seul Anglais de plus; par la paix de Dieu, je ne voudrais pas, pour le plus cher de mes espoirs, perdre sur ma part d'honneur ce qu'il m'en faudrait céder, je crois, à un homme de plus. Ah, n'en souhaite pas un seul de plus. Proclame plutôt, Westmoreland, parmi mes troupes, que quiconque est sans appétit pour la bataille n'a qu'à partir avec le passeport qu'on lui fera et les écus qu'on mettra dans sa bourse pour son voyage; nous ne voudrions point mourir aux côtés d'un homme qui craint d'être des nôtres quand il s'agit de mourir. Ce jour a nom fête de Crépi-

He that outlives this day, and comes safe home,
Will stand a tip-toe when this day is named,
And rouse him at the name of Crispian.
He that shall see this day, and live old age,
Will yearly on the vigil feast his neighbours,
And say, "To-morrow is Saint Crispian."
Then will he strip his sleeve, and show his scars,
And say, "These wounds I had on Crispin's day."
Old men forget; yet all shall be forgot,
50 But he'll remember, with advantages,
What feats he did that day. Then shall our names,
Familiar in his mouth as household words,
Harry the king, Bedford and Exeter,
Warwick and Talbot, Salisbury and Gloucester,
Be in their flowing cups freshly remembered.
This story shall the good man teach his son:
And Crispin Crispian shall ne'er go by,
From this day to the ending of the world,
But we in it shall be rememberéd;
60 We few, we happy few, we band of brothers:
For he to-day that sheds his blood with me
Shall be my brother: be he ne'er so vile,
This day shall gentle his condition.
And gentlemen in England, now a-bed,
Shall think themselves accursed they were not here;
And hold their manhoods cheap, whiles any speaks
That fought with us upon Saint Crispin's day.

Salisbury returns.

SALISBURY.
My sovereign lord, bestow yourself with speed:
The French are bravely in their battles set,
70 And will with all expedience charge on us.
KING HENRY.
All things are ready, if our minds be so.
WESTMORELAND.
Perish the man whose mind is backward now!
KING HENRY.
Thou dost not wish more help from England, coz?
WESTMORELAND.
God's will, my liege, would you and I alone,
Without more help, could fight this royal battle!
KING HENRY.
Why, now thou hast unwished five thousand men:

nien[38] : qui survivra à ce jour, et rentrera sauf chez lui, se
dressera de tout son haut quand on invoquera ce jour, et se
ranimera au nom de Crépinien. Qui aura vu ce jour et atteint
la vieillesse traitera ses voisins chaque année à la vigile et
dira : « C'est demain la Saint-Crépinien. » Puis, retroussant
sa manche, montrant ses cicatrices, il dira : « Ces blessures,
je les ai reçues le jour de Saint-Crépin. » Les vieillards oublient,
mais tout sera oublié qu'il se rappellera encore, lui, avec des
enjolivures, les exploits qu'il fit en ce jour. Nos noms alors,
familiers sur ses lèvres comme des mots de tous les jours —
Harry le Roi, Bedford et Exeter, Warwick et Talbot, Salisbury et Gloster — seront armi leurs verres débordants évo-
qués avec force. Cette histoire, le bonhomme l'apprendra
à son fils; le jour de Crépin-Crépinien ne passera jamais, à
compter d'aujourd'hui jusqu'à la fin du monde, sans qu'on
se souvienne de nous; de nous, cette poignée, cette heureuse poignée d'hommes, cette bande fraternelle; car quiconque aujourd'hui verse avec moi son sang sera mon frère :
si roturier qu'il soit, cette journée l'anoblira. Quant aux gentilshommes anglais qui sont dans leur lit à cette heure, ils
se tiendront pour maudits de n'avoir pas été ici, et compteront
pour rien leur valeur quand parlera quiconque aura combattu
avec nous au jour de Saint-Crépin!

Salisbury revient.

SALISBURY.
Mon souverain seigneur, en hâte à votre poste : les Français
sont magnifiquement rangés en bataille et vont nous charger
sans perdre un instant.
LE ROI HENRY.
Tout est prêt si nos cœurs le sont.
WESTMORELAND.
Périsse l'homme qui perd cœur à présent!
LE ROI HENRY.
Tu ne souhaites plus de renfort d'Angleterre, cousin?
WESTMORELAND.
Pour Dieu, sire, que ne sommes-nous seuls, vous et moi,
à livrer sans autre secours ce royal combat!
LE ROI HENRY.
Bon, voici que ton vœu annule cinq mille hommes; ce qui me

Which likes me better than to wish us one...
You know your places: God be with you all!

A 'tucket' sounds and Montjoy approaches.

MONTJOY.
Once more I come to know of thee, King Harry,
80 If for thy ransom thou wilt now compound,
Before thy most assuréd overthrow:
For certainly thou art so near the gulf,
Thou needs must be englutted.   Besides, in mercy,
The Constable desires thee thou wilt mind
Thy followers of repentance; that their souls
May make a peaceful and a sweet retire
From off these fields: where, wretches, their poor bodies
Must lie and fester.

KING HENRY.
Who hath sent thee now?

MONTJOY.
The Constable of France.

KING HENRY.
90 I pray thee bear my former answer back:
Bid them achieve me, and then sell my bones.
Good God, why should they mock poor fellows thus?
The man that once did sell the lion's skin
While the beast lived, was killed with hunting him.
A many of our bodies shall no doubt
Find native graves: upon the which, I trust,
Shall witness live in brass of this day's work.
And those that leave their valiant bones in France,
Dying like men, though buried in your dunghills,
100 They shall be famed: for there the sun shall greet them,
And draw their honours reeking up to heaven,
Leaving their earthly parts to choke your clime,
The smell whereof shall breed a plague in France.
Mark then abounding valour in our English:
That being dead, like to the bullet's crasing,
Break out into a second course of mischief,
Killing in relapse of mortality...
Let me speak proudly: tell the Constable
We are but warriors for the working-day:
110 Our gayness and our gilt are all besmirched
With rainy marching in the painful field.
There's not a piece of feather in our host—
Good argument, I hope, we will not fly—
And time hath worn us into slovenry.
But, by the mass, our hearts are in the trim:
And my poor soldiers tell me, yet ere night

plaît plus que d'en souhaiter aucun... Chacun connaît son poste; Dieu soit avec vous tous!

'Appel de trompette' et Montjoie apparaît.

MONTJOIE.

Encore un coup je viens te demander, Roi Harry, si tu veux à présent traiter pour ta rançon, avant ta chute inévitable; car, certes, tu es si proche du gouffre que tu ne peux manquer d'être englouti. De plus, par merci, le Connétable souhaite que tu rappelles à tes suivants de se repentir afin que leurs âmes puissent dans une douce paix se retirer de ce terrain où, les malheureux, leurs pauvres corps devront rester à pourrir.

LE ROI HENRY.

Qui t'envoie cette fois?

MONTJOIE.

Le Connétable de France.

LE ROI HENRY.

Rapporte, je te prie, ma réponse première : dis-leur qu'ils en finissent avec moi avant que de vendre mes os. Grand Dieu, pourquoi narguer ainsi de pauvres hères? L'homme qui vendit jadis la peau du lion du vivant de la bête périt en le chassant. Bon nombre de nos corps, sans nul doute, trouveront en terre natale des tombes où, j'en suis sûr, le bronze commémorera l'ouvrage de ce jour. Pour ceux qui laisseront leurs vaillants os en France, étant morts comme des hommes, même enterrés dans votre fumier ils connaîtront la gloire, car le soleil ira les y saluer et fera monter leur honneur au ciel en fumées, laissant leur dépouille empoisonner votre air et leur odeur engendrer la peste en France. Voyez comme la valeur abonde chez nos Anglais : quand ils sont morts, pareils au boulet qui ricoche, ils entament une seconde carrière destructrice, et tuent par un rebondissement meurtrier... Parlons haut et clair : dis au Connétable que nous ne sommes pas des guerriers du dimanche; notre parure, notre dorure sont toutes souillées à marcher sous la pluie dans la glèbe besogneuse. Il ne reste pas un brin de plume en notre armée (c'est bon signe, il me semble, nous ne nous envolerons pas) et l'usure du temps nous a mis en loques. Mais, par la messe, nos cœurs sont pimpants; et mes pauvres soldats me disent qu'avant

They'll be in fresher robes, or they will pluck
The gay new coats o'er the French soldiers' heads,
And turn them out of service.   If they do this—
120 As, if God please, they shall—my ransom then
Will soon be levied.   Herald, save thou thy labour:
Come thou no more for ransom, gentle herald,
They shall have none, I swear, but these my joints:
Which if they have, as I will leave 'em them,
Shall yield them little, tell the Constable.

MONTJOY.
I shall, King Harry.   And so fare thee well:
Thou never shalt hear herald any more.

[he goes.

KING HENRY.
I fear thou wilt once more come again for a ransom.

The Duke of York comes up.

YORK.
My lord, most humbly on my knee I beg
130 The leading of the vaward.

KING HENRY.
Take it, brave York... Now soldiers, march away,
And how thou pleasest, God, dispose the day!

[the host marches forward.

[IV, 4.]   Near the field of battle

'*Alarum. Excursions. Enter* PISTOL, FRENCH SOL-
DIER,' *and* 'BOY.'

PISTOL.
Yield, cur!·

FRENCH SOLDIER.
Je pense que vous êtes le gentilhomme de bonne qualité.

PISTOL.
Qualtitie!   Calen o custure me!   Art thou a gentleman?
what is thy name? discuss.

174

la nuit, ou bien ils seront vêtus de plus blanches robes[39], ou bien ils tireront leur belle livrée neuve aux soldats français par-dessus leur tête, les mettant du coup en chômage. S'ils le font (et s'il plaît à Dieu, ils le feront) alors ma rançon sera bientôt levée. Héraut, épargne ta peine : ne viens plus me demander de rançon, gentil héraut, ils n'en auront pas d'autre, je le jure, que ces miens membres; et s'ils les ont, dans l'état où je les leur laisserai, ils n'en tireront guère de profit, dis-le au Connétable.

LE ROI HENRY.

MONTJOIE.
J'y vais, Roi Harry. Je te dis donc adieu : jamais plus tu n'entendras de héraut.

Il part.

LE ROI HENRY.
Je crains que tu ne reviennes me parler encore un coup de rançon.

Le Duc d'York s'avance.

YORK.
Seigneur, très humblement à genoux je vous demande le commandement de l'avant-garde.

LE ROI HENRY.
Prends-le, brave York... Maintenant, soldats, en avant, et vous, mon Dieu, selon votre plaisir, décidez de la journée!

L'armée se met en marche.

[IV, 4.]   Près du champ de bataille

'*Appel de trompette. Sorties. Entrent* PISTOLET, *un* SOLDAT FRANÇAIS', *et* 'LE VALET'.

PISTOLET.
Rends-toi, chien!

LE SOLDAT FRANÇAIS.
'Je pense que vous êtes le gentilhomme de bonne qualité.'

PISTOLET.
Kaltité! Calen o custure me [40]! Es-tu gentilhomme? Quel est ton nom? Divulgue.

FRENCH SOLDIER.
O Seigneur Dieu!
PISTOL.
O, Signieur Dew should be a gentleman:
Perpend my words, O Signieur Dew, and mark:
O Signieur Dew, thou diest on point of fox,
Except, O signieur, thou do give to me
10 Egregious ransom.
FRENCH SOLDIER.
O, prenez miséricorde! ayez pitié de moi!
PISTOL.
Moy shall not serve, I will have forty moys:
Or I will fetch thy rim out at thy throat,
In drops of crimson blood.
FRENCH SOLDIER.
Est-il impossible d'échapper la force de ton bras?
PISTOL.
Brass, cur?
Thou damnéd and luxurious mountain goat,
Offer'st me brass?
FRENCH SOLDIER.
O pardonnez-moi!
PISTOL.
20 Say'st thou me so? is that a ton of moys?
Come hither, boy, ask me this slave in French
What is his name.
BOY.
Ecoutez : comment êtes-vous appelé?
FRENCH SOLDIER.
Monsieur le Fer.
BOY.
He says his name is Master Fer.
PISTOL.
Master Fer! I'll fer him, and firk him, and ferret him:
discuss the same in French unto him.
BOY.
I do not know the French for fer, and ferret, and firk.
PISTOL.
Bid him prepare, for I will cut his throat.
FRENCH SOLDIER.
30 Que dit-il, monsieur?

176

LE SOLDAT FRANÇAIS.
'O Seigneur Dieu!'
PISTOLET.
Oh, le Signor Diou devrait être grand gentilhomme; médite sur mes mots, O Signor Diou, et note; O Signor Diou, tu meurs à la pointe du glaive, à moins que, Signor Diou, tu me remettes une émérite rançon.
LE SOLDAT FRANÇAIS.
'O, prenez miséricorde! Ayez pitié de moi!'
PISTOLET.
Un 'moi' [41] ne fait point l'affaire; c'est quarante 'mois' d'or qu'il me faut, ou je te fais sortir le diaphragme par la gorge, en gouttes de sang vermeil.
LE SOLDAT FRANÇAIS.
'Est-il impossible d'échapper la force de ton bras?'
PISTOLET.
« Brass », du billon [42], chien? Sacré bouc lubrique des montagnes, tu m'offres du billon?
LE SOLDAT FRANÇAIS.
'O pardonnez-moi!'
PISTOLET.
Que me dis-tu là? Tu me donneras une tonne de « mois »? Ici, petit, demande à ce maraud en français quel est son nom.
LE VALET.
'Ecoutez: comment êtes-vous appelé?'
LE SOLDAT FRANÇAIS.
'Monsieur Le Fer.'
LE VALET.
Il dit que son nom est Maître Fer.
PISTOLET.
Maître Fer! Je m'en vais le ferrer, le forger, le river; divulgue-lui la chose en sa langue.
LE VALET.
Je ne sais point comment on dit en sa langue ferrer, ni forger ni river.
PISTOLET.
Dis-lui de s'apprêter, car je vais lui trancher la gorge.
LE SOLDAT FRANÇAIS.
'Que dit-il, monsieur?'

BOY.

Il me commande à vous dire que vous faites vous prêt,
car ce soldat ici est disposé tout à cette heure de couper
votre gorge.

PISTOL.

Owy, cuppele gorge, permafoy,
Peasant, unless thou give me crowns, brave crowns;
Or mangled shalt thou be by this my sword.

FRENCH SOLDIER.

O, je vous supplie, pour l'amour de Dieu, me pardonner!
Je suis le gentilhomme de bonne maison, gardez ma vie,
et je vous donnerai deux cents écus.

PISTOL.

40 What are his words?

BOY.

He prays you to save his life, he is a gentleman of a good
house, and for his ransom he will give you two hundred
crowns.

PISTOL.

Tell him my fury shall abate, and I
The crowns will take.

FRENCH SOLDIER.

Petit monsieur, que dit-il?

BOY.

Encore qu'il est contre son jurement de pardonner aucun
prisonnier : néanmoins, pour les écus que vous l'avez
promis, il est content à vous donner la liberté, le franchise-
50 ment.

FRENCH SOLDIER.

Sur mes genoux je vous donne mille remerciements, et je
m'estime heureux que je suis tombé entre les mains d'un
chevalier, je pense, le plus brave, vaillant, et très distingué
seigneur d'Angleterre.

PISTOL.

Expound unto me, boy.

BOY.

He gives you upon his knees a thousand thanks, and he
esteems himself happy that he hath fallen into the hands
of one, as he thinks, the most brave, valorous, and thrice-
worthy signieur of England.

178

LE VALET.

'Il me commande à vous dire que vous faites vous prêt, car ce soldat ici est disposé tout à cette heure de couper votre gorge.'

PISTOLET.

'Owy, cuppele gorge, permafoy', manant, si tu ne me donnes des écus, de beaux écus; sinon tu seras déchiqueté par cette mienne épée.

LE SOLDAT FRANÇAIS.

'O, je vous supplie, pour l'amour de Dieu, me pardonner! Je suis le gentilhomme de bonne maison, gardez ma vie, et je vous donnerai deux cents écus.'

PISTOLET.

Que dit-il?

LE VALET.

Il vous prie de lui garder vie sauve, c'est un gentilhomme de bonne maison, et pour rançon il vous donnera deux cents écus.

PISTOLET.

Dis-lui que mon courroux va s'apaiser, et que j'accepterai ses écus.

LE SOLDAT FRANÇAIS.

'Petit monsieur, que dit-il?'

LE VALET.

'Encore qu'il est contre son jurement de pardonner aucun prisonnier; néanmoins, pour les écus que vous l'avez promis, il est content à vous donner la liberté, le franchisement.'

LE SOLDAT FRANÇAIS.

'Sur mes genoux je vous donne mille remerciements, et je m'estime heureux que je suis tombé entre les mains d'un chevalier, je pense, le plus brave, vaillant, et très distingué seigneur d'Angleterre.'

PISTOLET.

Explique-moi, petit.

LE VALET.

Il vous offre à genoux mille mercis, et il s'estime heureux d'être tombé entre les mains d'un homme qui est, croit-il, le plus brave, le plus valeureux, et le plus digne seigneur d'Angleterre.

PISTOL.

60 As I suck blood, I will some mercy show.   Follow me!

[*Pistol passes in.*

BOY.

Suivez-vous le grand capitaine!

[*the French soldier follows.*

I did never know so full a voice issue from so empty a
heart: but the saying is true, "The empty vessel makes
the greatest sound." Bardolph and Nym had ten times
more valour than this roaring devil i'th'old play, that
every one may pare his nails with a wooden dagger, and
they are both hanged, and so would this be, if he durst
steal any thing adventurously... I must stay with the lackeys
with the luggage of our camp; the French might have a
70 good prey of us, if he knew of it, for there is none to guard
it but boys.

[*he goes.*

[IV, 5.]

'*Enter* CONSTABLE, ORLEANS, BOURBON,
DAUPHIN, *and* RAMBURES' *in flight.*

CONSTABLE.
O diable!

ORLEANS.
O Seigneur! le jour est perdu, tout est perdu!

DAUPHIN.
Mort Dieu! ma vie! all is confounded, all!
Reproach and everlasting shame
Sits mocking in our plumes.

['*a short alarum.*'

O méchante fortune! Do not run away.

CONSTABLE.
Why, all our ranks are broke.

180

PISTOLET.

Aussi vrai que je suce le sang, je veux montrer quelque merci.
Suivez-moi!

Pistolet sort.

LE VALET.

'Suivez-vous le grand capitaine!'

Le soldat français sort, suivant Pistolet.

Jamais je n'ai entendu voix si pleine émaner d'un cœur
si creux : mais le proverbe dit vrai, « Ce sont les vases vides
qui résonnent le plus fort ». Bardolph et Filou avaient dix fois
plus de bravoure que ce diable braillard des vieilles moralités,
dont n'importe qui peut rogner les griffes avec un sabre
de bois ; or, on les a pendus tous les deux, et notre homme le
serait aussi s'il osait prendre des risques pour voler... Il faut
que je reste avec les valets auprès des bagages de notre
camp ; les Français pourraient nous enlever un fameux
butin, s'ils s'en doutaient, car il n'y a que des gamins pour
le garder.

Il part.

[IV, 5.]

'*Entrent le* CONNÉTABLE, ORLÉANS, BOURBON,
LE DAUPHIN *et* RAMBURES' *en fuite.*

LE CONNÉTABLE.

'O diable!'

ORLÉANS.

'O Seigneur! le jour est perdu, tout est perdu!'

LE DAUPHIN.

'Mort Dieu! Ma vie!' tout est anéanti, tout! Reproche et
honte éternelle se perchent sur nos plumets pour nous
railler. ['*bref appel aux armes*'] 'O méchante fortune!'
Ne fuyez pas.

LE CONNÉTABLE.

Voyons, tous nos rangs sont enfoncés.

DAUPHIN.
O perdurable shame! let's stab ourselves:
Be these the wretches that we played at dice for?
ORLEANS.
10 Is this the king we sent to for his ransom?
BOURBON.
Shame, and eternal shame, nothing but shame!
†Let us die in harness: once more back again,
And he that will not follow Bourbon now,
Let him go hence, and with his cap in hand
Like a base pandar hold the chamber-door,
Whilst by a slave, no gentler than my dog,
His fairest daughter is contaminated.
CONSTABLE.
Disorder, that hath spoiled us, friend us now!
Let us on heaps go offer up our lives.
ORLEANS.
20 We are enow yet living in the field
To smother up the English in our throngs,
If any order might be thought upon.
BOURBON.
The devil take order now! I'll to the throng;
Let life be short, else shame will be too long.

[*they return to the field.*

[IV, 6.]

'*Alarum. Enter the King and his train, with prisoners,*'
EXETER *and others*

KING HENRY.
Well have we done, thrice-valiant countrymen,
But all's not done—yet keep the French the field.
EXETER.
The Duke of York commends him to your majesty.
KING HENRY.
Lives he, good uncle? thrice within this hour
I saw him down; thrice up again, and fighting,
From helmet to the spur all blood he was.

182

LE DAUPHIN.

O perdurable honte! Poignardons-nous! Sont-ce là les misérables que nous avons joués aux dés?

ORLÉANS.

Est-ce là le roi pour qui nous réclamions rançon?

BOURBON.

Honte, éternelle honte, et rien que honte! Mourons sous le harnais, retournons-y encore un coup; quiconque refuse de suivre Bourbon pour l'heure s'en aille d'ici et, le bonnet à la main, se tienne à la porte, en vil entremetteur, tandis qu'un rustre moins noble que mon chien souillera la plus belle de ses filles.

LE CONNÉTABLE.

Que le désordre, qui a fait notre ruine, soit maintenant notre ami! Allons en masse offrir nos vies!

ORLÉANS.

Nous sommes encore assez de vivants ici pour étouffer l'Anglais sous notre nombre, si l'on s'ingéniait à rétablir un semblant d'ordre.

BOURBON.

Foin de l'ordre à présent! Je vais me jeter dans la mêlée. Faisons notre vie courte; ou longue sera la honte.

Ils retournent au combat.

[IV, 6.]

'*Appel de trompette. Entrent le Roi et sa suite, avec des prisonniers*', EXETER *et d'autres.*

LE ROI HENRY.

Bonne besogne, trois fois vaillants compatriotes, mais il en reste à faire, les Français tiennent encore.

EXETER.

Le Duc d'York envoie ses compliments à Votre Majesté.

LE ROI HENRY.

Est-il vivant, bon oncle? Trois fois en moins d'une heure, je l'ai vu tomber, trois fois se relever et se battre, en sang du casque aux éperons.

EXETER.
In which array, brave soldier, doth he lie,
Larding the plain: and by his bloody side,
Yoke-fellow to his honour-owing wounds,
10 The noble Earl of Suffolk also lies.
Suffolk first died, and York, all haggled over,
Comes to him, where in gore he lay insteeped,
And takes him by the beard, kisses the gashes
That bloodily did yawn upon his face,
And cries aloud, 'Tarry, my cousin Suffolk!
My soul shall thine keep company to heaven:
Tarry, sweet soul, for mine, then fly abreast:
As in this glorious and well-foughten field
We kept together in our chivalry.'
20 Upon these words I came, and cheered him up,
He smiled me in the face, raught me his hand,
And, with a feeble gripe, says, 'Dear my lord,
Commend my service to my sovereign.'
So did he turn, and over Suffolk's neck
He threw his wounded arm, and kissed his lips,
And so espoused to death, with blood he sealed
A testament of noble-ending love:
The pretty and sweet manner of it forced
Those waters from me which I would have stopped,
30 But I had not so much of man in me,
And all my mother came into mine eyes,
And gave me up to tears.

    KING HENRY.
                    I blame you not,
For, hearing this, I must perforce compound
With mistful eyes, or they will issue too...

                              ['*alarum.*'

But hark! what new alarum is this same?
The French have reinforced their scattered men:
Then every soldier kill his prisoners,
Give the word through.

                        [*they hasten forward.*

[IV, 7.]

            '*Enter* FLUELLEN *and* GOWER.'

    FLUELLEN.
Kill the poys and the luggage! 'tis expressly against the
law of arms, 'tis as arrant a piece of knavery, mark you now,
as can be offert. In your conscience now, is it not?

EXETER.

C'est en cet appareil que ce brave gît, engraissant la plaine;
et à son sanglant côté, compagnon de ses honorables blessures,
le noble Comte de Suffolk gît de même. Suffolk mourut
d'abord; et York, tout taillardé, vient à lui qu'il voyait baigné
de sang épais, le prend par la barbe, baise les rouges entailles
béantes de son visage, et lui crie d'une voix forte : « Attends,
cousin Suffolk ! Mon âme veut accompagner la tienne au ciel;
attends, chère âme, la mienne, et volons côte à côte, comme
sur ce champ glorieux et bien disputé nous sommes restés
de front dans nos prouesses. » A ces mots, je survins et le
réconfortai; il me sourit, me tendit la main et me dit avec une
faible étreinte : « Cher seigneur, présentez mes devoirs à mon
souverain. » Puis il se retourna et, jetant au cou de Suffolk
son bras blessé, lui baisa les lèvres : en cette union pour la
mort, il scella de sang un testament d'amour noble jusqu'à
son terme; la manière gracieuse et tendre de ce geste fît
surgir de moi ces flots que je voulais retenir; mais je n'avais
pas en moi assez de virilité, et ma mère a jailli tout entière
dans mes yeux, me livrant à mes larmes.

LE ROI HENRY.

Je ne vous blâme pas, car en vous entendant force m'est de
composer avec mes yeux embrumés, sous peine de les voir
fondre, eux aussi... *('Appel de trompette.')* Ecoutez!
Que veut dire ce nouvel appel ? Les Français ont rallié leurs
forces éparses; alors, que chaque soldat tue ses prisonniers;
faites-en passer l'ordre.

Ils s'avancent en hâte.

[IV, 7.]

'Entrent FLUELLEN *et* GOWER.'

FLUELLEN.

Tuer les paches et les bacaches! C'est expressément contraire
à la loi tes armes, c'est la plus fieffée scélératesse, remarquez-le
bien, qu'on puisse berpétrer. Dites, en conscience, est-ce
pas frai ?

GOWER.

'Tis certain there's not a boy left alive, and the cowardly
rascals that ran from the battle ha' done this slaughter:
besides, they have burned and carried away all that was in
the king's tent, wherefore the king most worthily hath
caused every soldier to cut his prisoner's throat. O,
'tis a gallant king!

FLUELLEN.

10 Ay, he was porn at Monmouth, Captain Gower: what call
you the town's name where Alexander the pig was born?

GOWER.

Alexander the Great.

FLUELLEN.

Why, I pray you, is not pig great? The pig, or the great,
or the mighty, or the huge, or the magnanimous, are all
one reckonings, save the phrase is a little variations.

GOWER.

I think Alexander the Great was born in Macedon, his
father was called Philip of Macedon, as I take it.

FLUELLEN.

I think it is in Macedon where Alexander is porn: I tell
you, captain, if you look in the maps of the 'orld, I warrant
20 you sall find, in the comparisons between Macedon and
Monmouth, that the situations, look you, is both alike.
There is a river in Macedon, and there is also moreover
a river at Monmouth, it is called Wye at Monmouth:
but it is out of my prains what is the name of the other
river: but 'tis all one, 'tis alike as my fingers is to my fingers,
and there is salmons in both. If you mark Alexander's
life well, Harry of Monmouth's life is come after it indiffe-
rent well, for there is figures in all things. Alexander,
God knows, and you know, in his rages, and his furies, and
30 his wraths, and his cholers, and his moods, and his dis-
pleasures, and his indignations, and also being a little intoxi-
cates in his prains, did in his ales and his angers, look you,
kill his best friend Cleitus.

GOWER.

Il est certain qu'il ne reste pas un seul page en vie, et que ce massacre est le fait des lâches fripons qui ont fui le champ de bataille; en outre ils ont brûlé ou emporté tout ce qu'il y avait dans la tente du Roi, et c'est pourquoi le Roi a fort justement donné ordre que chaque soldat tranche la gorge à son prisonnier. Ah, quel vaillant roi!

FLUELLEN.

Ouais, c'est qu'il est né à Monmouth, Capitaine Gower; comment appelez-fous le nom de la ville où est né Alexandre le faste?

GOWER.

Alexandre le Grand.

FLUELLEN.

Et alors, dites donc, est-ce que faste, ce n'est pas grand? Le faste, ou le grand, ou le puissant, ou l'immense, ou le magnanime, c'est du pareil au même, sauf que la formule est un peu fariante.

GOWER.

Je crois qu'Alexandre le Grand est né en Macédoine et que son père s'appelait Philippe de Macédoine, ce me semble.

FLUELLEN.

Oui, je crois que c'est en Macédoine qu'Alexandre est né; je fous tis, capitaine, que si fous examinez dans les cartes du monde, je fous garantis que fous gonztatrez, dans les gomparaisons entre la Macédoine et Monmouth, que la situation, comprenez-vous, est la même pour les deux. Il y a une rifière en Macédoine, et en outre il y a aussi une rifière à Monmouth, qui s'appelle la Wye à Monmouth; mais je n'ai pas brésent à l'esprit le nom de l'autre rifière; ça ne fait rien, elles se ressemblent autant que mes doigts entre eux, et il y a des saumons dans toutes les deux. Si vous opserfez bien la fie d'Alexandre, la fie de Harry de Monmouth la suit passablement, car il y a des analochies en toutes choses. Dieu sait, et vous savez de même, qu'Alexandre, dans ses rages, et ses fureurs, et ses courroux, et ses colères, et ses humeurs, et ses déplaisirs et ses indignations, et aussi comme il avait le cerfeau un peu dans l'enivrement, donc avec ses bières et ses irritations, comprenez-vous, il a tué son meilleur ami Clitus.

GOWER.
Our king is not like him in that, he never killed any of his
friends.

FLUELLEN.
It is not well done, mark you now, to take the tales out of
my mouth, ere it is made and finished. I speak but in the
figures and comparisons of it: as Alexander killed his friend
Cleitus, being in his ales and his cups; so also Harry Mon-
40 mouth, being in his right wits and his good judgements,
turned away the fat knight with the great-belly doublet:
he was full of jests, and gipes, and knaveries, and mocks,
I have forgot his name.

GOWER.
Sir John Falstaff.

FLUELLEN.
That is he: I'll tell you, there is good men porn at Monmouth.

GOWER.
Here comes his majesty.

'*Alarum.   Enter King Harry and Bourbon with prisoners,*'
meeting Warwick, Gloucester, Exeter, heralds and soldiers,
Williams among them. 'Flourish.'

KING HENRY.
I was not angry since I came to France
Until this instant... Take a trumpet, herald,
50 Ride thou unto the horsemen on yon hill:
If they will fight with us, bid them come down,
Or void the field: they do offend our sight.
If they'll do neither, we will come to them,
And make them skirr away, as swift as stones
Enforcéd from the old Assyrian slings:
Besides, we'll cut the throats of those we have,
And not a man of them that we shall take
Shall taste our mercy... Go and tell them so.

[*an English herald obeys.*
Montjoy approaches.

EXETER.
Here comes the herald of the French, my liege.

188

GOWER.

Notre roi ne lui ressemble pas sur ce point : il n'a jamais tué aucun de ses amis.

FLUELLEN.

Ce n'est pas bien, remarquez, de m'enlefer les histoires de la bouche avant qu'elles soient achefées et finies. Je ne parle que par manière d'analochies et de gomparaisons : de même qu'Alexandre a tué son ami Clitus, étant dans ses bières et ses boissons, de même aussi Harry Monmouth, étant dans son bon sens et son droit jugement, a chassé le gros chefalier au pourpoint fentru ; il était plein de drôleries et de sarcasmes, et de friponneries et de railleries, mais j'ai oublié son nom.

GOWER.

Sir John Falstaff.

FLUELLEN.

Lui-même; je fais vous dire une chose : c'est qu'il naît des hommes de pien à Monmouth.

GOWER.

Voici Sa Majesté.

'*Appel de trompette. Entrent le roi Henry et Bourbon avec d'autres prisonniers*', et, *de l'autre côté, Warwick, Exeter, des hérauts et des soldats, parmi lesquels Williams. 'Fanfare.*'

LE ROI HENRY.

Voici la première fois depuis mon arrivée en France que je me mets en colère... Prends ta trompette, héraut, va trouver les cavaliers là-bas sur la colline; s'ils veulent nous combattre, dis-leur qu'ils en redescendent, ou qu'ils vident les lieux : ils offusquent notre vue. S'ils se refusent à l'un comme à l'autre, nous irons à eux et les ferons déguerpir aussi vite que les pierres lancées jadis par les frondes des Assyriens; de plus nous trancherons la gorge à ceux que nous tenons et, de ceux que nous prendrons, pas un ne saura le goût de notre merci... Va le leur dire.

Sort un héraut anglais.
Montjoie apparaît.

EXETER.

Voici venir le héraut des Français, sire.

189

GLOUCESTER.
60 His eyes are humbler than they used to be.
KING HENRY.
How now, what means this, herald? Know'st thou not
That I have fined these bones of mine for ransom?
Com'st thou again for ransom?
MONTJOY.
No, great king:
I come to thee for charitable licence,
That we may wander o'er this bloody field,
To book our dead, and then to bury them,
To sort our nobles from our common men.
For many of our princes—woe the while!—
Lie drowned and soaked in mercenary blood:
70 So do our vulgar drench their peasant limbs
In blood of princes, and their wounded steeds
Fret fetlock deep in gore, and with wild rage
Yerk out their arméd heels at their dead masters,
Killing them twice... O, give us leave, great king,
To view the field in safety, and dispose
Of their dead bodies.
KING HENRY.
I tell thee truly, herald,
I know not if the day be ours or no,
For yet a many of your horsemen peer,
And gallop o'er the field.
MONTJOY.
The day is yours.
KING HENRY.
80 Praiséd be God, and not our strength, for it!
What is this castle called that stands hard by?
MONTJOY.
They call it Agincourt.
KING HENRY.
Then call we this the field of Agincourt,
Fought on the day of Crispin Crispianus.
FLUELLEN.
Your grandfather of famous memory, an't please your
majesty, and your great-uncle Edward the Plack Prince of
Wales, as I have read in the chronicles, fought a most prave
pattle here in France.
KING HENRY.
They did, Fluellen.
FLUELLEN.
90 Your majesty says very true: if your majesties is remembered

GLOSTER.

Il a des yeux plus humbles que naguère.

LE ROI HENRY.

Or çà, que signifie, héraut ? Ne sais-tu pas que j'ai fixé le prix de mes os pour rançon ? Viens-tu encore chercher rançon ?

MONTJOIE.

Non, grand roi ; je viens demander à ta charité licence de parcourir ce terrain sanglant pour dénombrer nos morts, puis pour les enterrer, en triant nos nobles parmi nos roturiers. Car nombre de nos princes — heure funeste ! — gisent baignés, imprégnés de sang mercenaire ; tandis que nos manants trempent dans un sang princier leurs membres de rustres, et que leurs montures blessées, agitant leurs fanons dans cette boue de sang, frénétiques, frappent de leurs sabots armés leurs défunts maîtres, les tuant ainsi deux fois... Ah, permets-nous, grand roi, d'inspecter le champ de bataille librement, et d'enlever leurs corps sans vie.

LE ROI HENRY.

A dire vrai, héraut, je ne sais si la victoire est nôtre ou vôtre, car on voit encore beaucoup de vos cavaliers galoper sur le champ de bataille.

MONTJOIE.

La victoire est à vous.

LE ROI HENRY.

Louange en soit à Dieu, et non point à nos forces ! Quel est le nom de ce château tout proche ?

MONTJOIE.

On le nomme Azincourt.

LE ROI HENRY.

Alors nous dirons que ceci fut la bataille d'Azincourt, livrée le jour des saints Crépin et Crépinien.

FLUELLEN.

Fotre grand-père de célèbre mémoire, n'en déplaise à Fotre Majesté, et fotre grand-oncle Edouard le Noir Brince de Galles, à ce que j'ai lu dans les chroniques, ont livré une pien faillante pataille ici en France.

LE ROI HENRY.

En effet, Fluellen.

FLUELLEN.

Fotre Majesté dit très vrai ; si Fotre Majesté en a gardé le

of it, the Welshmen did good service in a garden where
leeks did grow, wearing leeks in their Monmouth caps,
which your majesty know to this hour is an honourable
badge of the service: and I do believe your majesty takes
no scorn to wear the leek upon Saint Tavy's day.

KING HENRY.

I wear it for a memorable honour:
For I am Welsh, you know, good countryman.

FLUELLEN.

All the water in Wye cannot wash your majesty's Welsh
plood out of your pody, I can tell you that: God pless it,
100 and preserve it, as long as it pleases his grace, and his
majesty too!

KING HENRY.

Thanks, good my countryman.

FLUELLEN.

By Jeshu, I am your majesty's countryman, I care not who
know it: I will confess it to all the 'orld, I need not to be
ashamed of your majesty, praised be God, so long as your
majesty is an honest man.

KING HENRY.

God keep me so! Our heralds go with him,
Bring me just notice of the numbers dead
On both our parts...

[heralds depart with Montjoy.
Call yonder fellow hither...

[he points to Williams.

EXETER.

110 Soldier, you must come to the king.

KING HENRY.

Soldier, why wear'st thou that glove in thy cap?

WILLIAMS.

An't please your majesty, 'tis the gage of one that I should
fight withal, if he be alive.

KING HENRY.

An Englishman?

WILLIAMS.

An't please your majesty, a rascal that swaggered with me
last night: who, if a' live and ever dare to challenge this
glove, I have sworn to take him a box o'th'ear: or if I can
see my glove in his cap—which he swore, as he was a sol-

192

souvenir, les Gallois se sont très pien comportés dans un jardin planté de poireaux, portant des poireaux à leurs chapeaux de Monmouth, et Fotre Majesté n'ignore pas que c'est aujourd'hui encore un insigne en l'honneur de cet exploit; et je crois en vérité que Fotre Majesté ne tétaigne pas de porter le poireau pour la Saint-Tavy.

LE ROI HENRY.

Je le porte en l'honneur d'un glorieux souvenir : car je suis Gallois, savez-vous, mon bon compatriote.

FLUELLEN.

Toute l'eau de la Wye ne peut effacer de fotre corps le sang gallois de Fotre Majesté, je peux bien fous le dire; Dieu le bénisse, et le bréserfe, tant qu'il plaira à Sa Grâce, et à Sa Majesté aussi!

LE ROI HENRY.

Merci, brave compatriote.

FLUELLEN.

Par Chésus, je suis le compatriote de Fotre Majesté, et tant pis si cela se sait; je l'avouerai devant le monde entier, je n'ai pas à rougir de Fotre Majesté, Dieu soit loué, tant que Fotre Majesté sera honnête homme.

LE ROI HENRY.

Dieu veuille me garder tel! Que nos hérauts l'escortent, et qu'on m'apporte le compte exact des morts dans chacun des deux camps. *(Les hérauts partent avec Montjoie.)* Appelez-moi ce gaillard là-bas. *(Il désigne Williams.)*

EXETER.

Soldat, le roi te demande.

LE ROI HENRY.

Soldat, pourquoi portes-tu ce gant à ton chapeau?

WILLIAMS.

N'en déplaise à Votre Majesté, c'est le gage d'un homme avec qui je dois me battre, s'il est vivant.

LE ROI HENRY.

Est-ce un Anglais?

WILLIAMS.

N'en déplaise à Votre Majesté, un fripon qui a fait le bravache avec moi la nuit dernière; s'il vit et que jamais il ose réclamer ce gant, j'ai juré de lui donner un soufflet; ou bien, si j'aperçois mon gant à son chapeau (et il m'a donné sa pa-

dier, he would wear if alive—I will strike it out soundly.

KING HENRY.

120 What think you, Captain Fluellen, is it fit this soldier keep his oath?

FLUELLEN.

He is a craven and a villain else, an't please your majesty, in my conscience.

KING HENRY.

It may be his enemy is a gentleman of great sort, quite from the answer of his degree.

FLUELLEN.

Though he be as good a gentleman as the devil is, as Lucifer and Belzebub himself, it is necessary, look your grace, that he keep his vow and his oath: if he be perjured, see you now, his reputation is as arrant a villain and a Jack-sauce
130 as ever his black shoe trod upon God's ground and his earth, in my conscience, la!

KING HENRY.

Then keep thy vow, sirrah, when thou meet'st the fellow.

WILLIAMS.

So I will, my liege, as I live.

KING HENRY.

Who serv'st thou under?

WILLIAMS.

Under Captain Gower, my liege.

FLUELLEN.

Gower is a good captain, and is good knowledge and literatured in the wars.

KING HENRY.

Call him hither to me, soldier.

WILLIAMS.

I will, my liege.

[he goes.

KING HENRY.

140 Here, Fluellen, wear thou this favour for me, and stick it in thy cap: when Alençon and myself were down together,

role de soldat qu'il l'y porterait s'il survivait), je le lui
ferai sauter d'un fier coup.

LE ROI HENRY.

Qu'en dites-vous, Capitaine Fluellen, sied-il que ce soldat
tienne parole?

FLUELLEN.

Oui, sous peine d'être un lâche et un coquin, n'en déplaise
à Votre Majesté, pour parler selon ma conscience.

LE ROI HENRY.

Peut-être son ennemi est-il gentilhomme de haut rang, et ne
saurait-il rendre raison à quelqu'un de sa sorte.

FLUELLEN.

Quand il serait aussi crand gentilhomme que le tiable, que
Lucifer et Péelzébuth en personne, il est nécessaire — Fotre
Grâce le comprenne! — qu'il accomplisse son vœu et son
serment; s'il se parjure, foyez donc, sa réputation, c'est le
plus fieffé des coquins et des effrontés qui aient jamais posé
leurs souliers noirs sur le sol et la terre de Dieu, en mon
âme et conscience, oui da!

LE ROI HENRY.

Alors, tiens parole, bonhomme, quand tu rencontreras le
gaillard.

WILLIAMS.

Je n'y manquerai pas, sire, aussi vrai que je vis.

LE ROI HENRY.

Sous qui sers-tu?

WILLIAMS.

Sous le Capitaine Gower, sire.

FLUELLEN.

Gower est un pon capitaine, et il est fersé dans la science et
les littératures des guerres.

LE ROI HENRY.

Appelle-le-moi, soldat.

WILLIAMS.

J'y vais, sire.

Il part.

LE ROI HENRY.

Tiens, Fluellen, tu vas porter cet insigne à ma place, et le
piquer à ton chapeau; quand je suis tombé en même temps

I plucked this glove from his helm: if any man challenge
this, he is a friend to Alençon, and an enemy to our person;
if thou encounter any such, apprehend him, an thou dost
me love.

  FLUELLEN.
Your grace does me as great honours as can be desired in
the hearts of his subjects: I would fain see the man that has
but two legs that shall find himself aggriefed at this glove;
that is all: but I would fain see it once, an please God of
150 his grace that I might see.

  KING HENRY.
Know'st thou Gower?

  FLUELLEN.
He is my dear friend, an please you.

  KING HENRY.
Pray thee, go seek him, and bring him to my tent.

  FLUELLEN.
I will fetch him

                                         [he goes

  KING HENRY.
My Lord of Warwick, and my brother Gloucester,
Follow Fluellen closely at the heels
The glove which I have given him for a favour
May haply purchase him a box o'th'ear
It is the soldier's: I by bargain should
160 Wear it myself.   Follow, good cousin Warwick:
If that the soldier strike him, as I judge
By his blunt bearing he will keep his word,
Some sudden mischief may arise of it:
For I do know Fluellen valiant
And, touched with choler, hot as gunpowder,
And quickly will return an injury.
Follow, and see there be no harm between them...
Go you with me, uncle of Exeter.

  [Gloucester and Warwick hasten after Fluellen; the King,
                           Exeter and the rest following.

qu'Alençon, j'ai arraché ce gant de son heaume; si quelqu'un le réclame, c'est un ami d'Alençon et un ennemi de notre personne; si tu rencontres un tel homme, appréhende-le, pour peu que tu m'aimes.

FLUELLEN.

Fotre Grâce me fait le plus crand honneur que puisse tésirer le cœur de ses sujets : je foudrais bien voir l'homme doué seulement de deux jambes qui prendra omprage de ce gant, foilà tout; mais je foudrais bien foir cela une fois, s'il plaît à Dieu dans sa bonté de me le faire foir.

LE ROI HENRY.

Connais-tu Gower ?

FLUELLEN.

Il est te mes plus chers amis, avec fotre permission.

LE ROI HENRY.

Va le quérir, je te prie, et amène-le à ma tente.

FLUELLEN.

Je fais le chercher.

Il part.

LE ROI HENRY.

Messire de Warwick, et vous Gloster mon frère, suivez Fluellen de près; marchez sur ses talons. Le gant que je lui ai donné pour insigne risque de lui valoir un soufflet. C'est celui du soldat; j'avais convenu de le porter moi-même. Suivez, bon cousin Warwick; si le soldat le frappait, et son air bourru me fait croire qu'il va tenir parole, quelque soudain malheur peut en résulter; car je sais Fluellen vaillant : une fois pris de courroux, il est vif comme la poudre, et il aura tôt fait de riposter à une insulte. Suivez, pour être sûrs qu'il ne se passe rien de fâcheux entre eux... Quant à vous, mon oncle d'Exeter, venez avec moi.

Gloster et Warwick se lancent à la poursuite de Fluellen ; puis sortent le Roi, Exeter et les autres.

197

[iv, 8.]   Before King Henry's pavilion

GOWER *and* WILLIAMS *in conversation.*

WILLIAMS.
I warrant it is to knight you, captain.

Fluellen is seen approaching

FLUELLEN [*hails Gower*].
God's will, and his pleasure, captain, I beseech you now,
come apace to the king: there is more good toward you,
peradventure, than is in your knowledge to dream of.

[*Williams confronts him.*

WILLIAMS [*points to his own bonnet*].
Sir, know you this glove?
FLUELLEN,
Know the glove? I know the glove is a glove.
WILLIAMS [*points to Fluellen's cap*].
I know this, and thus I challenge it.

[*'strikes him'.*

FLUELLEN.
'Sblood, an arrant traitor as any's in the universal world,
or in France, or in England.
GOWER.
10 How now, sir? you villain!
WILLIAMS.
Do you think I'll be forsworn?
FLUELLEN.
Stand away, Captain Gower, I will give treason his payment
into plows, I warrant you.
WILLIAMS.
I am no traitor.
FLUELLEN.
That's a lie in thy throat. I charge you in his majesty's
name, apprehend him, he's a friend of the Duke Alençon's.

*Warwick and Gloucester hurry up, with the King and Exeter
following.*

198

[IV, 8.]   Devant la tente du Roi Henry

GOWER *et* WILLIAMS *en conversation.*

WILLIAMS.
Je vous assure que c'est pour vous faire chevalier, mon
capitaine.

On voit approcher Fluellen.

FLUELLEN, *saluant Gower.*
Par le fouloir de Dieu et son pon plaisir, capitaine, je fous en
prie, fenez fite auprès du roi : il y a peut-être sous roche plus
d'afantages pour fous que fotre esprit ne saurait en rêver.

Williams se met en face de lui.

WILLIAMS, *montrant sa propre coiffure.*
Monsieur, reconnaissez-vous ce gant ?
FLUELLEN.
Si je reconnais ce gant ? Je reconnais que ce gant est un gant.
WILLIAMS, *montrant le chapeau de Fluellen.*
Je reconnais le vôtre, et voici comme je m'en réclame.

'*Il frappe Fluellen.*'

FLUELLEN.
Palsambleu, c'est le plus fieffé traître qui soit dans le monde
unifersel, ou même en France ou en Angleterre.
GOWER.
Comment, monsieur ? Scélérat !
WILLIAMS.
Croyez-vous que je vais me parjurer ?
FLUELLEN.
Écartez-vous, Capitaine Gower, je vais payer de goups sa
traîtrise, je fous le garantis.
WILLIAMS.
Je ne suis pas un traître.
FLUELLEN.
C'est là un mensonge qui te restera dans la gorge. Je vous
ortonne au nom de Sa Majesté de l'appréhender, car c'est
un ami tu Tuc Alençon.

Warwick et Gloster s'avancent en hâte, suivis du Roi et d'Exeter.

199

WARWICK.
How now, how now, what's the matter?

FLUELLEN.
My Lord of Warwick, here is, praised be God for it, a
most contagious treason come to light, look you, as you
20 shall desire in a summer's day... Here is his majesty.

KING HENRY.
Now now, what's the matter?

FLUELLEN.
My liege, here is a villain and a traitor, that, look your
grace, has struck the glove which your majesty is take
out of the helmet of Alençon.

WILLIAMS.
My liege, this was my glove, here is the fellow of it: and he
that I gave it to in change promised to wear it in his cap:
I promised to strike him, if he did: I met this man with
my glove in his cap, and I have been as good as my word.

FLUELLEN.
Your majesty, hear now, saving your majesty's manhood,
30 what an arrant, rascally, beggarly, lousy knave it is: I
hope your majesty is pear me testimony and witness,
and will avouchment, that this is the glove of Alençon,
that your majesty is give me, in your conscience now.

KING HENRY.
Give me thy glove, soldier; look, here is the fellow of it:
'Twas I indeed thou promised'st to strike,
And thou hast given me most bitter terms.

FLUELLEN.
An please your majesty, let his neck answer
for it, if there is any martial law in the world.

KING HENRY.
How canst thou make me satisfaction?

WILLIAMS.
40 All offences, my lord, come from the heart: never came any
from mine that might offend your majesty.

KING HENRY.
It was ourself thou didst abuse.

WILLIAMS.
You majesty came not like yourself: you appeared to me but

WARWICK.
Eh bien, eh bien, que se passe-t-il ?

FLUELLEN.
Messire de Warwick, voici, Dieu en soit loué, qu'est percée à jour la plus pestilentielle traîtrise, comprenez-vous, qu'on puisse désirer voir par un jour d'été... Voici Sa Majesté.

LE ROI HENRY.
Eh bien, que se passe-t-il ?

FLUELLEN.
Sire, cet homme est un traître et un scélérat qui, Fotre Grâce doit le savoir, vient de frapper le gant que Fotre Majesté afait bris sur le heaume d'Alençon.

WILLIAMS.
Sire, c'était mon gant, voici son frère; et l'homme à qui je l'avais donné en échange a promis de le porter à son chapeau; j'ai promis de le frapper en ce cas; et, rencontrant cet homme avec mon gant à son chapeau, j'ai tenu parole.

FLUELLEN.
Fotre Majesté, écoutez donc, sauf le respect dû à la prafoure de Fotre Majesté, quelle fieffée canaille, quel pouilleux coquin est ce gueux-là; j'espère que Fotre Majesté est pour me porter témoignage et certification, et va proclamationner que ce gant est celui d'Alençon, que Fotre Majesté m'a tonné, dites-le, en conscience.

LE ROI HENRY.
Donne ton gant, soldat : voici son frère. C'est moi, en vérité, que tu as promis de battre, et tu m'as décoché de cruelles injures.

FLUELLEN.
N'en déplaise à Fotre Majesté, que son cou en réponde, s'il y a encore en ce monde une loi martiale.

LE ROI HENRY.
Comment peux-tu me faire réparation ?

WILLIAMS.
Toute offense, sire, vient du cœur; du mien n'est jamais venue aucune qui puisse offenser Votre Majesté.

LE ROI HENRY.
C'est nous-même que tu as insulté.

WILLIAMS.
Votre Majesté n'avait pas l'air d'être elle-même : vous m'êtes

as a common man; witness the night, your garments, your
lowliness: and what your highness suffered under that
shape, I beseech you take it for your own fault, and not
mine: for had you been as I took you for, I made no offence;
therefore I beseech your highness pardon me.

KING HENRY.

Here, uncle Exeter, fill this glove with crowns,
50 And give it to this fellow.   Keep it, fellow,
And wear it for an honour in thy cap,
Till I do challenge it.   Give him the crowns,
And, captain, you must needs be friends with him.

FLUELLEN.

By this day and this light, the fellow has mettle enough
in his belly... [*takes a shilling from his poke*] Hold, there
is twelve-pence for you, and I pray you to serve God, and
keep you out of prawls and prabbles, and quarrels and
dissensions, and I warrant you it is the better for you.

WILLIAMS.

I will none of your money.

FLUELLEN.

60 It is with a good will: I can tell you it will serve you to mend
your shoes: come, wherefore should you be so pashful?
your shoes is not so good: 'tis a good silling, I warrant you,
or I will change it.

An English Herald returns from the battlefield.

KING HENRY.

Now herald, are the dead numbered?

HERALD.

Here is the number of the slaughtered French.

[*he delivers a paper.*

KING HENRY.

What prisoners of good sort are taken, uncle?

EXETER.

Charles Duke of Orleans, nephew to the king,
John Duke of Bourbon, and Lord Bouciqualt:

202

apparu comme un homme du commun; qu'en témoignent la nuit, vos vêtements, vos humbles dehors. Ce que Votre Altesse a enduré sous cet aspect, je vous implore de l'imputer à votre faute, non à la mienne : eussiez-vous été l'homme pour qui je vous prenais, je n'eusse point commis d'offense; je supplie donc Votre Altesse de me pardonner.

LE ROI HENRY.

Allons, oncle Exeter, emplissez ce gant d'écus, et donnez-le à ce gaillard. Garde-le, l'ami, et porte-le en signe d'honneur à ton chapeau jusqu'à ce que je le réclame. Donnez-lui les écus. Quant à vous, capitaine, il faut vous réconcilier avec lui.

FLUELLEN.

Par ce jour et cette lumière, le gaillard vous a du cœur au ventre... *(il prend un shilling dans son sac.)* Tenez, voici douze pence pour vous, et je vous prie de servir Dieu, et de vous garder des tisputes et des tésaccords et des querelles et des mésententes, et je fous garantis que fous fous en trouferez mieux.

WILLIAMS.

Je ne veux pas de votre argent.

FLUELLEN.

C'est de pon cœur; je peux fous le dire, il vous servira à raccommoder vos souliers; foyons, pourquoi fous montrer si hésidant? Vos souliers ne sont pas si fameux; mon shilling est pon, je vous le garantis, sans quoi je fous le changerai.

Entre un héraut anglais revenant du champ de bataille.

LE ROI HENRY.

Eh bien, héraut, a-t-on dénombré les morts?

LE HÉRAUT.

Voici le compte des Français occis.

Il lui remet un papier.

LE ROI HENRY.

Quels prisonniers de marque avons-nous faits, mon oncle?

EXETER.

Charles, Duc d'Orléans, neveu du roi, Jean, Duc de Bourbon, et Messire Boucicaut; en fait d'autres seigneurs, barons, che-

Of other lords and barons, knights and squires,
70 Full fifteen hundred, besides common men.
KING HENRY.
This note doth tell me of ten thousand French
That in the field lie slain: of princes, in this number,
And nobles bearing banners, there lie dead
One hundred twenty-six: added to these,
Of knights, esquires, and gallant gentlemen,
Eight thousand and four hundred: of the which,
Five hundred were but yesterday dubbed knights.
So that, in these ten thousand they have lost,
There are but sixteen hundred mercenaries:
80 The rest are princes, barons, lords, knights, squires,
And gentlemen of blood and quality.
The names of those their nobles that lie dead:—
Charles Delabreth, high constable of France,
Jaques of Chatillon, admiral of France,
The master of the cross-bows, Lord Rambures,
Great Master of France, the brave
    Sir Guichard Dolphin,
John Duke of Alençon, Anthony Duke of Brabant,
The brother to the Duke of Burgundy,
And Edward Duke of Bar: of lusty earls,
90 Grandpré and Roussi, Faulconbridge and Foix,
Beaumont and Marle, Vaudemont and Lestrake.
Here was a royal fellowship of death!
Where is the number of our English dead?

                    [*the herald presents another paper.*
Edward the Duke of York, the Earl of Suffolk,
Sir Richard Kikely, Davy Gam, esquire;
None else of name: and, of all other men,
But five and twenty... O God, thy arm was here:
And not to us, but to thy arm alone,
Ascribe we all: when, without stratagem,
100 But in plain shock, and even play of battle,
Was ever known so great and little loss,
On one part and on th'other? Take it, God,
For it is none but thine!
EXETER.
                    'Tis wonderful!
KING HENRY.
Come, go we in procession to the village:
And be it death proclaiméd through our host
To boast of this or take that praise from God
Which is his only.
FLUELLEN.
Is it not lawful, an please your majesty, to tell how many
is killed?

valiers et écuyers, non moins de quinze cents, sans compter ceux du commun.

LE ROI HENRY.

Ce billet parle de dix mille Français qui gisent morts sur le terrain; dans ce nombre les princes et les nobles portant bannière figurent pour cent vingt-six; auxquels s'ajoutent, en chevaliers, écuyers et braves gentilshommes, huit mille quatre cents; dont cinq cents n'avaient été faits chevaliers que d'hier. Ainsi donc, sur les dix mille hommes qu'ils ont perdus, il n'y a que seize cents mercenaires; les autres sont princes, barons, seigneurs, chevaliers, écuyers, et gentilshommes par le sang et par le rang. Voici les noms de ces nobles qui gisent morts : Charles d'Albret, Grand Connétable de France; Jacques de Chatillon, Amiral de France [43]; le maître des arbalétriers, le seigneur de Rambures; le Grand Maître de France, le brave Sire Guichard Dauphin, Jean, Duc d'Alençon, Antoine, Duc de Brabant, le propre frère du Duc de Bourgogne, et Edouard, Duc de Bar; parmi les fiers comtes : Grandpré et Roussy, Fauquembergue et Foix, Beaumont et Marle, Vaudemont et Lestraque. Une royale confrérie de morts! Où est le compte des tués parmi les nôtres? *(Le héraut présente un autre papier.)* Edouard, le Duc d'York, le Comte de Suffolk, Sir Richard Kikely, Davy Gam, écuyer; nul autre de marque; et, pour le reste, vingt-cinq hommes seulement... Ah Dieu! Ton bras était présent : ce n'est donc point à nous, mais à ton bras seul, que nous attribuons tout; quand donc, sans stratagème, dans un simple assaut, dans le franc jeu de la guerre, a-t-on jamais connu pour l'un et l'autre camp si grande perte ici, si faible perte là? Prends-en le tribut, Dieu, car il est à toi seul!

EXETER.

C'est prodigieux!

LE ROI HENRY.

Allons, rendons-nous au village en cortège, et que la peine de mort soit proclamée dans toute l'armée pour qui se vantera de ce jour, ou ravira à Dieu la louange qui n'est due qu'à Lui seul.

FLUELLEN.

N'est-il pas licite, n'en déplaise à Fotre Majesté, de dire le nombre des tués?

KING HENRY.
110 Yes, captain: but with this acknowledgement,
That God fought for us.
FLUELLEN.
Yes, my conscience, he did us great good.
KING HENRY.
Do we all holy rites:
Let there be sung 'Non nobis' and 'Te Deum',
The dead with charity enclosed in clay:
And then to Calais, and to England then,
Where ne'er from France arrived more happy men.

[*they move on towards the village.*

[v. Prologue]

'*Enter* CHORUS.'

CHORUS.
Vouchsafe to those that have not read the story,
That I may prompt them: and of such as have,
I humbly pray them to admit th'excuse
Of time, of numbers, and due course of things,
Which cannot in their huge and proper life
Be here presented... Now we bear the king
Toward Calais: grant him there; there seen,
Heave him away upon your wingéd thoughts,
Athwart the sea: behold the English beach
10 Pales in the flood with men, with wives, and boys,
Whose shouts and claps out-voice the deep-mouthed sea,
Which like a mighty whiffler 'fore the king
Seems to prepare his way: so let him land,
And solemnly see him set on to London.
So swift a pace hath thought, that even now
You may imagine him upon Blackheath:
Where that his lords desire him to have borne
His bruiséd helmet, and his bended sword
Before him through the city: he forbids it,
20 Being free from vainness and self-glorious pride;
Giving full trophy, signal, and ostent,
Quite from himself, to God... But now behold,
In the quick forge and working-house of thought,
How London doth pour out her citizens—
The mayor and all his brethren in best sort,

LE ROI HENRY.

Oui, capitaine, mais en marquant que Dieu a combattu pour nous.

FLUELLEN.

Oui, en conscience, il nous a bien aidés.

LE ROI HENRY.

Accomplissons tous les rites sacrés; qu'on chante 'Non nobis' et 'Te Deum'; que les morts soient avec charité mis en terre; alors nous gagnerons Calais, puis l'Angleterre, où jamais n'arrivèrent de France hommes plus heureux.

Ils se mettent en marche vers le village.

[V, PROLOGUE]

'Entre LE CHŒUR.'

LE CHŒUR.

Accordez à ceux qui n'ont pas lu l'histoire, que je la leur souffle; et pour ceux qui l'ont lue, je les prie humblement de ne pas exiger qu'on respecte le temps, les nombres et le cours réel des choses, qui ne sauraient dans leur immensité et leur vie propre être ici présentées... A présent nous transportons le Roi vers Calais; admettez qu'il y soit; puis, quand vous l'aurez vu, enlevez-le sur les ailes de vos pensées à travers la mer; voyez : la côte anglaise ceint les eaux d'hommes, d'épouses et d'enfants, dont les clameurs et les applaudissements dominent la voix grave de la mer qui, comme un puissant huissier devant le Roi, semble lui préparer le chemin; ainsi donc qu'il débarque, puis voyez-le s'en aller solennellement vers Londres. Si prompte est la pensée qu'à cette heure déjà vous pouvez l'imaginer à Blackheath; là ses seigneurs le prient de faire porter devant lui par la ville son casque bosselé et son épée tordue; il s'y refuse, car il est exempt de vanité, d'orgueil et de gloriole; trophées, emblèmes, parade, n'en voulant pas pour lui-même, il offre tout à Dieu. Mais voyez à présent dans la forge vive, dans l'atelier de la pensée, comme Londres déverse à flots ses citoyens... le Maire et tous ses frères en leurs plus beaux atours, semblables aux sénateurs de

Like to the senators of th'antique Rome,
With the plebeians swarming at their heels,
Go forth and fetch their conqu'ring Cæsar in:
As, by a lower but loving likelihood,
30 Were now the general of our gracious empress,
As in good time he may, from Ireland coming,
Bringing rebellion broachéd on his sword,
How many would the peaceful city quit,
To welcome him! much more, and much more cause,
Did they this Harry... Now in London place him—
As yet the lamentation of the French
Invites the King of England's stay at home:
The emperor's coming in behalf of France,
To order peace between them—and omit
40 All the occurrences, whatever chanced,
Till Harry's back-return again to France:
There must we bring him; and myself have played
The interim, by rememb'ring you 'tis past.
Then brook abridgement, and your eyes advance,
After your thoughts, straight back again to France.

['*Exit.*'

[v, 1.]   France. The English camp

G O W E R *and* F L U E L L E N *(a leek in his cap and a cudgel
beneath his arm).*

   GOWER.
Nay, that's right... But why wear you your leek to-day?
Saint Davy's day is past.
   FLUELLEN.
There is occasions and causes why and wherefore in all
things: I will tell you ass my friend, Captain Gower; the
rascally, scauld, beggarly, lousy, pragging knave Pistol,
which you and yourself, and all the world, know to be no
petter than a fellow, look you now, of no merits—he is
come to me, and prings me pread and salt yesterday,
look you, and bid me eat my leek: it was in a place where
10 I could not breed no contention with him; but I will be
so bold as to wear it in my cap till I see him once again,

208

la Rome antique, avec les plébéiens grouillant sur leurs talons, s'avancent pour ramener leur César victorieux; de même, comparaison moins haute, mais aimable, si le général de notre gracieuse impératrice [44] nous revenait à présent d'Irlande, comme il viendra peut-être un jour, apportant la révolte embrochée au bout de son épée, combien d'hommes quitteraient la paisible cité pour l'accueillir! Plus nombreux encore, à meilleur titre encore, ceux-là se pressaient pour notre Harry... A présent placez-le à Londres... A cette heure les lamentations des Français invitent le Roi d'Angleterre à rester chez lui; arrive l'empereur [45], pour le compte de la France, afin de ménager la paix entre eux... puis enjambez tous les événements, quels qu'ils soient, jusqu'au nouveau retour en France de Harry; c'est là qu'il nous faut le conduire; j'ai joué moi-même l'intérim en vous rappelant que c'est le passé. Souffrez donc qu'on abrège, et que vos regards, derrière vos pensées, retournent droit en France.

'Il sort.

[v, i.]   En France. Au camp des Anglais

G O W E R *et* F L U E L L E N *avec un poireau à son chapeau et un gourdin sous le bras.*

G O W E R.
Oui, vous avez raison... Mais pourquoi portez-vous votre poireau en ce jour ? La Saint-Davy est passée.
F L U E L L E N.
En toutes choses il y a des motifs et des causes, des pourquoi et des parce que; je vais vous barler en ami, Capitaine Gower : ce coquin, ce scélérat, ce faurien, ce miséraple, ce pouilleux, ce fantard de Pistolet, lui que vous connaissez, et vous-même comme tout le monde, pour quelqu'un qui ne vaut pas plus, comprenez-moi donc, qu'un gaillard sans aucun mérite... il est venu me trouver, et voilà qu'il m'apporte du bain et du zel hier, comprenez-vous, et qu'il me dit de manger mon poireau; c'était dans un endroit où je poufais pas suziter une tispute avec lui; mais je me ferai fort de porter le poireau à mon chapeau jusqu'à notre prochaine rencontre,

and then I will tell him a little piece of my desires.

Pistol is seen strutting towards them.

GOWER.

Why, here he comes, swelling like a turkey-cock.

FLUELLEN.

'Tis no matter for his swellings, nor his turkey-cocks...
God pless you, Ancient Pistol! you scurvy lousy knave,
God pless you.

PISTOL.

Ha! art thou bedlam? Dost thou thirst, base Trojan,
To have me fold up Parca's fatal web?
Hence! I am qualmish at the smell of leek.

FLUELLEN.

20 I peseech you heartily, scurvy lousy knave, at my desires,
and my requests, and my petitions, to eat, look you, this
leek; because, look you, you do not love it, nor your affections, and your appetites and your disgestions does not agree
with it, I would desire you to eat it.

PISTOL.

Not for Cadwallader and all his goats.

FLUELLEN.

There is one goat for you.

['*strikes him*'.

Will you be so good, scauld knave, as eat it?

PISTOL.

Base Trojan, thou shalt die.

[*draws his sword.*

FLUELLEN.

You say very true, scauld knave, when God's will is: I will
30 desire you to live in the mean time, and eat your victuals:
come, there is sauce for it... [*striking him again*] You called
me yesterday mountain-squire, but I will make you to-day
'a squire of low degree'... [*he knocks him down*] I pray you
fall to--if you can mock a leek, you can eat a leek.

GOWER.

Enough, captain, you have astonished him.

210

et alors je lui ferai un tantinet tâter de ce que je lui souhaite.

Arrive Pistolet, qui se pavane.

GOWER.

Tenez, le voici qui vient, enflé comme un dindon.

FLUELLEN.

Ne fous inquiétez pas de ses enflures, ni de ses dindon-
neries... Dieu fous brotèche, Enseigne Pistolet! Pouilleux,
galeux, coquin, Dieu fous brotèche!

PISTOLET.

Là! As-tu perdu le sens? As-tu soif, vil Troyen, de me voir
arrêter le fatal tissu de la Parque? Arrière! Mon cœur se
soulève à l'odeur du poireau.

FLUELLEN.

Je fous en prie de tout cœur, pouilleux, galeux, coquin, selon
mes désirs et mes demandes et mes pétitions, de manger,
comprenez-vous, ce poireau; et c'est parce que, comprenez-
vous, vous ne l'aimez pas, et que vos inclinations, et non plus
vos appétits et vos digestions, il ne leur convient pas, que je
vous demanderai de bien vouloir le manger.

PISTOLET.

Pas même pour Cadwallader [46] et tous ses boucs!

FLUELLEN.

Voilà toujours un coup de corne pour fous *('il le frappe'.)*
Aurez-fous la bonté, galeux, fripon, de le manger?

PISTOLET.

Misérable Troyen, tu vas mourir.

Il dégaine.

FLUELLEN.

Vous dites très vrai, galeux, fripon, quand tel sera le vouloir
de Dieu; mais en attendant je vous brierai de fifre, et de
manger fotre plat : tenez, foilà de la sauce pour aller avec...
(il le frappe à nouveau). Vous m'avez appelé hier « gentilhomme de montagne », mais je vais faire de fous aujourd'hui
un « gentilhomme de bas étage » ... *(il le jette à terre)* Attaquez,
je fous prie... si vous pouvez rire d'un poireau, vous pouvez
bien en afaler un.

GOWER.

C'est assez, capitaine, vous l'avez estourbi.

211

FLUELLEN [*kneels upon him*].
I say, I will make him eat some part of my leek, or I will
peat his pate four days: bite, I pray you, it is good for your
green wound, and your ploody coxcomb.

[*he thrusts the leek between his teeth.*

PISTOL.
Must I bite?

FLUELLEN.
40 Yes certainly, and out of doubt and out of question too,
and ambiguities.

[*he cudgels him.*

PISTOL [*roaring in pain*].
By this leek, I will most horribly revenge I eat and eat
I swear.

FLUELLEN.
Eat, I pray you, will you have some more sauce to your
leek? there is not enough leek to swear by.

[*he beats him again.*

PISTOL [*whimpers*].
Quiet thy cudgel, thou dost see I eat.

FLUELLEN.
Much good do you, scauld knave, heartily... [*he releases
Pistol*] Nay, pray you throw none away, the skin is good
for you broken coxcomb; when you take occasions to see
50 leeks hereafter, I pray you mock at 'em, that is all.

PISTOL.
Good.

FLUELLEN.
Ay, leeks is good... Hold you, there is a groat to heal
your pate.

PISTOL.
Me a groat!

FLUELLEN.
Yes verily, and in truth you shall take it, or I have another
leek in my pocket, which you shall eat.

212

FLUELLEN, *s'agenouillant sur lui.*

Je fous tis que je feux lui faire mancher une partie de mon poireau, sans quoi je lui gognerai la capoche quatre jours turant; groquez, je fous prie, cela fera du pien à votre plessure fraîche, et à votre zanglante crête de coq.

Il lui fourre le poireau entre les dents.

PISTOLET.

Faut-il que je croque?

FLUELLEN.

Oui, assurément, et sans aucun doute et sans aucune hésitation non plus, et sans ambiguïtés.

Il le bâtonne.

PISTOLET, *hurlant de douleur.*

Par ce poireau, il me faudra une revanche atroce, je mange tant que je peux, je le jure.

FLUELLEN.

Mangez donc; dites-moi, foulez-vous encore de la sauce avec fotre poireau? Il n'y a pas assez de poireau pour jurer dessus.

Il le bat encore.

PISTOLET, *geignant.*

Calme ton gourdin, tu vois bien que je mange.

FLUELLEN.

Grand pien fous tasse, galeux fripon, c'est de tout cœur...*(il relâche Pistolet).* Mais, je fous prie, n'en laissez rien perdre, la peau est ponne pour fotre crête de coq endommagée; et désormais, quand vous aurez l'occasion de voir des poireaux, moquez-vous-en, je fous en prie, et je n'en tis pas plus long.

PISTOLET.

Bon!

FLUELLEN.

Ouais, c'est pon, les poireaux... Attendez, voici un liard pour vous soigner la capoche.

PISTOLET.

Un liard pour moi!

FLUELLEN.

Oui, certes, et en vérité vous allez le prendre, sans quoi j'ai dans ma poche un autre poireau qu'il vous faudra manger.

PISTOL.
I take thy groat in earnest of revenge.
    FLUELLEN.
If I owe you any thing, I will pay you in cudgels, you shall
be a woodmonger, and buy nothing of me but cudgels...
60 God bye you, and keep you, and heal your pate.

[*he goes.*

    PISTOL.
All hell shall stir for this.
    GOWER.
Go, go, you are a counterfeit cowardly knave—will you
mock at an ancient tradition, began upon an honourable
respect, and worn as a memorable trophy of predeceased
valour, and dare not avouch in your deeds any of your
words?   I have seen you gleeking and galling at this gentleman twice or thrice.   You thought, because he could not
speak English in the native garb, he could not therefore
handle an English cudgel: you find it otherwise, and hen-
70 ceforth let a Welsh correction teach you a good English
condition—fare ye well.

[*he goes.*

    PISTOL.
Doth Fortune play the huswife with me now?
News have I that †my Doll is dead i'th'spital
O' malady of France,
And there my rendezvous is quite cut off...
Old I do wax, and from my weary limbs
Honour is cudgelled...   Well, bawd I'll turn,
And something lean to cutpurse of quick hand:
To England will I steal, and there I'll steal:
80 And patches will I get unto these cudgelled scars,
And swear I got them in the Gallia wars.

[*he hobbles away.*

214

PISTOLET.
J'accepte ton liard comme acompte de ma vengeance.

FLUELLEN.
Si je fous tois quelque chose, je fous paierai avec du bâton, fous tefientrez marchand de bois vert, et n'aurez de moi que du bâton... Dieu soit avec fous, et fous garde, et fous guérisse la capoche.

Il s'en va.

PISTOLET.
Tout l'enfer en résonnera.

GOWER.
Allons, allons, vous n'êtes qu'un lâche fanfaron... Fallait-il vous moquer d'une antique tradition, née d'un motif d'honneur, et arborée comme un trophée mémorable de la bravoure défunte, quand vous n'osez pas prouver par vos actions une seule de vos paroles? Je vous ai vu deux ou trois fois narguer et railler cet honnête homme. Vous avez cru, parce qu'il ne parle pas anglais à la mode du pays, qu'il ne saurait pas pour autant manier un gourdin anglais; vous voyez qu'il en va autrement; eh bien, que désormais une correction galloise vous enseigne les bonnes manières anglaises... Adieu.

Il part.

PISTOLET.
Fortune devient-elle mégère envers moi? J'apprends que ma Doll est morte au dispensaire, du mal français : de ce côté, tout refuge m'est fermé... Je me fais vieux, et de mes membres las l'honneur est chassé à coups de gourdin... Bah, je vais me lancer dans la débauche, non sans donner un peu dans le genre du coupe-bourse à la main leste. Je vais m'envoler au pays, et m'y faire voleur; je vais me mettre des emplâtres sur les plaies que m'a faites le gourdin, et jurer que je les ai reçues dans les guerres des Gaules.

Il s'éloigne en boitillant.

'*Enter, at one door, King* HENRY, EXETER, BEDFORD,
WARWICK', GLOUCESTER, WESTMORELAND,
'*and other Lords; at another,* Queen ISABEL, *the*
FRENCH 'KING', *the Princess* KATHARINE,
ALICE, *and other Ladies,* '*the duke of* BURGUNDY,
and other French'.

KING HENRY.
Peace to this meeting, wherefore we are met!
Unto our brother France, and to our sister,
Health and fair time of day: joy and good wishes
To our most fair and princely cousin Katharine:
And, as a branch and member of this royalty,
By whom this great assembly is contrived,
We do salute you, Duke of Burgundy;
And, princes French, and peers, health to you all!
FRENCH KING.
Right joyous are we to behold your face,
10 Most worthy brother England, fairly met—
So are you, princes English, every one.
QUEEN ISABEL.
So happy be the issue, brother England,
Of this good day, and of this gracious meeting,
As we are now glad to behold your eyes,
Your eyes which hitherto have borne in them
Against the French, that met them in their bent,
The fatal balls of murdering basilisks.
The venom of such looks, we fairly hope,
Have lost their quality, and that this day
20 Shall change all griefs and quarrels into love.
KING HENRY.
To cry amen to that, thus we appear.
QUEEN ISABEL.
You English princes all, I do salute you.
BURGUNDY.
My duty to you both, on equal love...
Great kings of France and England: that I have laboured
With all my wits, my pains, and strong endeavours,
To bring your most imperial majesties
Unto this bar and royal interview,
Your mightiness on both parts best can witness...
Since then my office hath so far prevailed,

216

[v, 2.]　　　　　En France. Un palais royal

'*Entrent, par une porte*, LE ROI HENRY, EXETER, BEDFORD, WARWICK,' GLOSTER, WESTMORELAND, '*et d'autres seigneurs ; par une autre*, LA REINE ISABELLE, LE 'ROI' DE FRANCE, LA PRINCESSE CATHERINE, ALICE, *et d'autres dames*, 'LE DUC DE BOURGOGNE, *et d'autres Français*'.

LE ROI HENRY.

Paix à cette assemblée qui s'est formée pour elle! A notre frère de France ainsi qu'à notre sœur, santé et moments heureux; joie et bons vœux à notre tant belle et princière cousine Catherine; et vous, membre et rameau de cette parenté royale, vous par qui cette grande assemblée fut préparée, nous vous saluons, Duc de Bourgogne; princes et pairs de France, santé à vous tous!

LE ROI DE FRANCE.

Nous sommes tout joyeux de voir votre visage, très digne frère d'Angleterre : vous êtes le bienvenu; comme l'est aussi, princes anglais, chacun de vous.

LA REINE ISABELLE.

Puisse-t-elle être aussi heureuse, frère d'Angleterre, l'issue de ce beau jour et de cette gracieuse rencontre, que nous le sommes à présent de voir vos yeux, ces yeux qui jusqu'alors avaient dardé contre les Français placés sous leur feu les globes meurtriers du fatal basilic [47]. Nous espérons bien que le venin de ces regards a perdu sa vertu, et que ce jour va muer en affection tous les griefs, toutes les querelles.

LE ROI HENRY.

C'est pour crier amen à ce vœu que nous nous trouvons ici.

LA REINE ISABELLE.

Vous tous, princes anglais, je vous salue.

BOURGOGNE.

Mes devoirs à tous deux, d'un égal amour.. Grands Rois de France et d'Angleterre : si j'ai travaillé de tout mon esprit, de tout mon zèle, de toutes mes forces, afin d'amener vos impériales Majestés en cette cour pour cette rencontre royale, vos augustes présences à tous deux mieux que tout l'attestent... Maintenant que mes efforts ont prévalu au point que face à

30 That face to face, and royal eye to eye,
   You have congreeted: let it not disgrace me,
   If I demand before this royal view,
   What rub, or what impediment there is,
   Why that the naked, poor, and mangled Peace,
   Dear nurse of arts, plenties, and joyful births,
   Should not in this best garden of the world,
   Our fertile France, put up her lovely visage?
   Alas, she hath from France too long been chased,
   And all her husbandry doth lie on heaps,
40 Corrupting in it own fertility.
   Her vine, the merry cheerer of the heart,
   Unprunéd, dies: her hedges even-pleached,
   Like prisoners wildly over-grown with hair,
   Put forth disordered twigs: her fallow leas
   The darnel, hemlock, and rank fumitory
   Doth root upon; while that the coulter rusts,
   That should deracinate such savagery:
   The even mead, that erst brought sweetly forth
   The freckled cowslip, burnet, and green clover,
50 Wanting the scythe, all uncorrected, rank,
   Conceives by idleness, and nothing teems
   But hateful docks, rough thistles, kecksies, burs,
   Losing both beauty and utility;
   And as our vineyards, fallows, meads, and hedges,
   Defective in their natures, grow to wildness,
   Even so our houses, and ourselves, and children,
   Have lost, or do not learn, for want of time,
   The sciences that should become our country;
   But grow like savages, as soldiers will,
60 That nothing do but meditate on blood,
   To swearing, and stern looks, diffused attire,
   And every thing that seems unnatural.
   Which to reduce into our former favour,
   You are assembled: and my speech entreats,
   That I may know the let, why gentle Peace
   Should not expel these inconveniences,
   And bless us with her former qualities.

   KING HENRY.
   If, Duke of Burgundy, you would the peace,
   Whose want gives growth to th'imperfections
70 Which you have cited, you must buy that peace
   With full accord to all our just demands,
   Whose tenours and particular effects
   You have, enscheduled briefly, in your hands.

   BURGUNDY.
   The king hath heard them: to the which, as yet,
   There is no answer made.

218

face, les yeux dans les yeux, vous vous soyez salués en rois, qu'on ne me tienne pas rigueur si je demande en cette royale assistance quel obstacle, quel empêchement s'oppose à ce que la Paix, nue, pauvre et déchirée, chère source des arts, de l'abondance, des joyeuses naissances, vienne en ce plus beau jardin du monde qu'est notre France fertile, montrer son visage adorable! Hélas, voici trop longtemps qu'elle est chassée de France et que toutes ses récoltes amoncelées pourrissent par leur propre fertilité. Sa vigne, joyeux réconfort du cœur, faute d'être émondée, périt; ses haies régulièrement taillées, lancent comme des prisonniers hérissés de cheveux fous, des brins désordonnés; en ses jachères l'ivraie, la ciguë et la luxuriante fumeterre enfoncent leurs racines, tandis que rouille le soc qui devrait extirper toute cette sauvagerie; le pré lisse qu'embaumaient naguère le coucou tavelé, la pimprenelle, le trèfle vert, délaissé par la faux, indiscipliné, fécondé par la paresse, n'engendre plus rien que de haïssables patiences, des chardons brutaux, des berces et des bardanes, perdant à la fois charme et utilité; et de même que nos vignes, nos jachères, nos haies, nos prés, infidèles à leur nature, retournent à l'état inculte, de même aussi nos maisons, nos personnes et nos enfants oublient, ou n'apprennent pas, faute de temps, les connaissances qui devraient orner notre pays; ils poussent en sauvages, comme les soldats qui ne font que ruminer des pensées de sang : ce sont jurons, airs farouches, habits en désordre, et tout ce qui semble offenser la nature. C'est pour nous redonner notre ancien visage que vous êtes réunis, et mon discours implore qu'on me dise quel obstacle empêche la gente Paix de bannir pareils maux pour nous rendre ses vertus bénies de jadis.

LE ROI HENRY.

Duc de Bourgogne si vous souhaitez la paix dont l'absence fait naître les vices que vous citiez, il vous faut l'acheter en donnant votre plein accord à toutes nos justes demandes, dont la teneur et les clauses particulières sont là, brièvement couchées entre vos mains.

BOURGOGNE.

Le Roi en a pris connaissance; mais jusqu'à présent il n'y a pas eu de réponse.

KING HENRY.
Well then: the peace, which you before so urged,
Lies in his answer.
FRENCH KING.
I have but with a †cursitory eye
O'erglanced the articles: pleaseth your grace
80 To appoint some of your council presently
To sit with us once more, with better heed
To re-survey them; we will suddenly
Pass our accept and peremptory answer.
KING HENRY.
Brother, we shall... Go, uncle Exeter,
And brother Clarence, and you, brother Gloucester,
Warwick, and Huntingdon, go with the king,
And take with you free power, to ratify,
Augment, or alter, as your wisdoms best
Shall see advantageable for our dignity,
90 Any thing in or out of our demands,
And we'll consign thereto... Will you, fair sister,
Go with the princes, or stay here with us?
QUEEN ISABEL.
Our gracious brother, I will go with them:
Haply a woman's voice may do some good,
When articles too nicely urged be stood on.
KING HENRY.
Yet leave our cousin Katharine here with us,
She is our capital demand, comprised
Within the fore-rank of our articles.
QUEEN ISABEL.
She hath good leave.

[*All depart but King Henry, Katharine,
and her Gentlewoman.*

KING HENRY.
                    Fair Katharine, and most fair,
100 Will you vouchsafe to teach a soldier terms,
Such as will enter at a lady's ear,
And plead his love-suit to her gentle heart?
KATHARINE.
Your majesty shall mock at me, I cannot speak your England.
KING HENRY.
O fair Katharine, if you will love me soundly with your

LE ROI HENRY.
Fort bien : la paix pour laquelle vous plaidiez si fort tout à
l'heure dépend de sa réponse.

LE ROI DE FRANCE.
Je n'ai fait que jeter un coup d'œil rapide sur ces articles;
qu'il plaise à Votre Grâce de nommer sur l'heure quelques
membres de votre conseil pour conférer une fois encore et
les réexaminer avec plus d'attention; puis sans délai nous
proférerons notre réponse expresse et péremptoire.

LE ROI HENRY.
Frère, nous y consentons... Allez, oncle Exeter, et vous frère
Clarence, et vous frère Gloster, aussi Warwick et Huntingdon,
allez avec le Roi; vous avez plein pouvoir pour ratifier, aug-
menter ou modifier, selon que votre sagesse le jugera bien-
séant pour notre dignité, tout ce qui peut être ajouté ou soustrait à nos exigences : nous contresignerons... Voulez-vous,
ma noble sœur, aller avec les princes ou rester avec nous ?

LA REINE ISABELLE.
Mon gracieux frère, je les accompagnerai; peut-être la voix
d'une femme pourra-t-elle faire quelque bien, quand on
s'obstinera sur d'excessives arguties.

LE ROI HENRY.
Mais laissez-nous ici notre cousine Catherine; elle est notre
revendication majeure, et elle figure au premier rang de nos
articles.

LA REINE ISABELLE.
Elle a toute permission.

*Tous sortent, sauf le Roi Henry, Catherine, et sa dame de
compagnie.*

LE ROI HENRY, *en anglais.*
Belle, toute belle Catherine, daignerez-vous apprendre à un
soldat des termes qui puissent avoir accès à l'oreille d'une
dame, et plaider pour l'amour près de son tendre cœur ?

CATHERINE, *en mauvais anglais.*
Votre Majesté va se rire de moi, je ne peux pas parler votre
langue Angleterre.

LE ROI HENRY, *en anglais.*
Oh belle Catherine, si vous voulez bien m'aimer franchement
de votre cœur français, je serai heureux de vous l'entendre

French heart, I will be glad to hear you confess it brokenly
with your English tongue. Do you like me, Kate?
KATHARINE.
Pardonnez-moi, I cannot tell vat is 'like me'.
KING HENRY.
An angel is like you, Kate, and you are like an angel.
KATHARINE.
Que dit-il? que je suis semblable à les anges?
ALICE.
110 Oui, vraiment, sauf votre grace, ainsi dit-il.
KING HENRY.
I said so, dear Katharine, and I must not blush to affirm it.
KATHARINE.
O bon Dieu! les langues des hommes sont pleines de trom-
peries.
KING HENRY.
What says she, fair one? that the tongues of men are full
of deceits?
ALICE.
Oui, dat de tongues of de mans is be full of deceits: dat
is de princess.
KING HENRY.
The princess is the better Englishwoman... I'faith,
Kate, my wooing is fit for thy understanding; I am glad
120 thou canst speak no better English, for if thou couldst,
wouldst find me such a plain king, that thou wouldst think
I had sold my farm to buy my crown... I know no ways
to mince it in love, but directly to say "I love you"; then
if you urge me farther than to say "Do you in faith?"
I wear out my suit... Give me your answer, i'faith do,
and so clap hands, and a bargain: how say you, lady?
KATHARINE.
Sauf votre honneur, me understand vell.
KING HENRY.
Marry, if you would put me to verses, or to dance for your
sake, Kate, why, you undid me: for the one, I have neither
130 words nor measure; and for the other, I have no strength
in measure, yet a reasonable measure in strength. If I could

avouer tant bien que mal en votre langue anglaise. 'Do you like me, Kate' ? [48]

CATHERINE, *mêlant français et mauvais anglais.*
'Pardonnez-moi', je ne sais que veut dire 'like me'

LE ROI HENRY, *en anglais.*
Un ange est 'like you', Kate, et vous êtes comme un ange.

CATHERINE, *en français.*
'Que dit-il ? Que je suis semblable à les anges ?'

ALICE, *en français.*
'Oui, vraiment, sauf votre grâce, ainsi dit-il.'

LE ROI HENRY, *en anglais.*
Oui, je l'ai dit, chère Catherine, et je ne saurais rougir de l'affirmer.

CATHERINE, *en français.*
'O bon Dieu! les langues des hommes sont pleines de tromperies.'

LE ROI HENRY, *en anglais.*
Que dit-elle, ma belle ? Que les hommes ont la langue pleine de tromperies ?

ALICE, *en mauvais anglais.*
'Oui', que les langues de les hommes sont être pleins de tromperies : ce dit la princesse.

LE ROI HENRY, *en anglais.*
La princesse est des deux celle qui parle le mieux ma langue... Ma foi, Kate, ma façon de faire la cour est à la mesure de ton entendement; je suis heureux que tu ne saches pas mieux parler ma langue, sans quoi tu verrais en moi un si piètre roi que tu me soupçonnerais d'avoir vendu ma ferme pour acheter une couronne... Je ne sais pas mâcher les mots en amour, mais seulement dire tout net : « Je vous aime. » Si vous me poussez plus loin que : « Est-ce bien vrai ? » je serai pris de court... Donnez votre réponse, je vous en prie, et alors, tope, marché conclu; qu'en dites-vous, madame ?

CATHERINE, *mêlant français et mauvais anglais.*
'Sauf votre honneur,' moi bien comprendre.

LE ROI HENRY, *en anglais.*
Morbleu, si vous voulez me réduire à parler en vers, ou à danser pour vous, Kate, alors je suis perdu : pour les vers, il me manque les mots et la mesure; et pour la danse, je ne suis pas fort sur la mesure, encore que j'aie bonne mesure

win a lady at leap-frog, or by vaulting into my saddle with
my armour on my back, under the correction of bragging
be it spoken, I should quickly leap into a wife: or if I might
buffet for my love, or bound my horse for her favours, I
could lay on like a butcher, and sit like a jack-an-apes,
never off. But before God, Kate, I cannot look greenly,
nor gasp out my eloquence, nor I have no cunning in pro-
testation; only downright oaths, which I never use till
140 urged, nor never break for urging. If thou canst love
a fellow of this temper, Kate, whose face is not worth
sun-burning, that never looks in his glass for love of any
thing he sees there, let thine eye be thy cook. I speak
to thee plain soldier: if thou canst love me for this, take
me; if not, to say to thee that I shall die is true; but for
thy love, by the Lord, no: yet I love thee too. And while
thou liv'st, dear Kate, take a fellow of plain and uncoined
constancy, for he perforce must do thee right, because he
hath not the gift to woo in other places: for these fellows of
150 infinite tongue, that can rhyme themselves into ladies'
favours, they do always reason themselves out again.
What! a speaker is but a prater, a rhyme is but a ballad;
a good leg will fall, a straight back will stoop, a black
beard will turn white, a curled pate will grow bald, a fair
face will wither, a full eye will wax hollow: but a good heart,
Kate, is the sun and the moon, or rather the sun and not
the moon; for it shines bright, and never changes, but
keeps his course truly. If thou would have such a one,
take me! And take me, take a soldier: take a soldier, take
160 a king. And what say'st thou then to my love? speak,
my fair, and fairly, I pray thee.
      KATHARINE.
Is it possible dat I sould love de enemy of France?
      KING HENRY.
No, it is not possible you should love the enemy of France,
Kate; but, in loving me, you should love the friend of

de force. Si je pouvais conquérir une dame à saute-mouton, ou en sautant en selle d'un seul bond avec mon armure sur le dos, j'ose le dire quitte à passer pour un vantard, j'aurais tôt fait d'entrer dans la place; ou bien si je pouvais me battre à coups de poing pour mon amour, ou faire caracoler mon cheval pour gagner ses faveurs, je serais capable de multiplier les coups comme un boucher, ou de rester en selle comme un singe sans jamais tomber. Mais, devant Dieu, Kate, je ne sais pas prendre un air transi, ni soupirer éloquemment, ni émettre d'adroites protestations; je n'ai dans mon sac que des serments sans ambages, auxquels je ne recours que si l'on m'y pousse, et que je ne viole jamais même si l'on m'y pousse. Si tu peux, Kate, aimer un gaillard de cette trempe, dont le visage n'a plus rien à craindre du soleil, qui ne regarde jamais son miroir par amour de ce qu'il y verrait, alors, que ton œil accommode le mets à ton goût. Je te parle simplement en soldat : si tu peux m'aimer comme tel, prends-moi; sinon, il serait vrai de dire que je mourrai, mais d'amour pour toi, juste Ciel, non; et pourtant je t'aime. Et, sur ta vie, chère Kate, prends un homme à la constance droite et lisse, car il sera forcé de se bien conduire envers toi, puisqu'il n'a pas le don d'aller faire sa cour ailleurs; les hommes au babil inépuisable, qui savent gagner les dames à force de rimes, trouvent toujours de belles raisons pour se dégager ensuite. Parbleu! un orateur n'est jamais qu'un bavard, un poème qu'une chansonnette; avec le temps la jambe bien faite s'affaisse, le corps droit se voûte, la barbe noire blanchit, la tête bouclée devient chauve, le beau visage se fane, l'œil vif se creuse; mais un vrai cœur, Kate, c'est le soleil et la lune, ou plutôt le soleil et non la lune, car il brille avec éclat, et jamais ne change, mais suit fidèlement son cours. Si tu en veux un de ce genre, prends-moi! En me prenant, tu prends un soldat; en prenant ce soldat tu prends un roi. Eh bien, que dis-tu de mon amour? Parle, ma beauté, fais-moi belle réponse, je t'en prie.

    CATHERINE, *en mauvais anglais.*
Est-il possible que je aimerais le ennemi de France?

    LE ROI HENRY, *en anglais.*
Non, il n'est pas possible que vous aimiez l'ennemi de la France, Kate; mais en m'aimant, c'est l'ami de la France que

France: for I love France so well that I will not part with
a village of it; I will have it all mine: and, Kate, when France
is mine, and I am yours, then yours is France, and you are
mine.

KATHARINE.

I cannot tell vat is dat.

KING HENRY.

170 No, Kate? I will tell thee in French, which I am sure
will hang upon my tongue like a new-married wife about
her husband's neck, hardly to be shook off... Je quand sur
le possession de France, et quand vous avez le possession
de moi,—let me see, what then? Saint Dennis be my
speed!—donc votre est France, et vous êtes mienne.
It is as easy for me, Kate, to conquer the kingdom, as to
speak so much more French: I shall never move thee in
French, unless it be to laugh at me.

KATHARINE.

Sauf votre honneur, le Français que vous parlez, il est
180 meilleur que l'Anglais lequel je parle.

KING HENRY.

No, faith, is't not, Kate: but thy speaking of my tongue, and
I thine, most truly falsely, must needs be granted to be
much at one. But, Kate, dost thou understand thus much
English? Canst thou love me?

KATHARINE.

I cannot tell.

KING HENRY.

Can any of your neighbours tell, Kate? I'll ask them...
Come, I know thou lovest me: and at night, when you
come into your closet, you'll question this gentlewoman
about me; and I know, Kate, you will to her dispraise those
190 parts in me that you love with your heart: but, good Kate,
mock me mercifully, the rather, gentle princess, because
I love thee cruelly. If ever thou beest mine, Kate, as I
have a saving faith within me tells me thou shalt, I get
thee with scambling, and thou must therefore needs prove

vous aimeriez; car j'aime tant la France que je ne veux pas renoncer à un seul de ses villages : je la veux toute mienne; et alors, Kate, quand la France sera mienne, et que je serai vôtre, vôtre sera la France, et vous serez mienne.

CATHERINE, *en mauvais anglais.*

Je ne peux dire qu'est cela.

LE ROI HENRY, *faisant alterner l'anglais et le mauvais français.*

Vraiment, Kate? Je vais te le dire en ton parler, et je suis sûr qu'il va rester collé à ma langue comme une jeune mariée au cou de son époux : rien à faire pour l'en détacher... 'Je quand sur le possession de France, et quand vous avez le possession de moi'... Voyons, et après? Que saint Denis me vienne en aide!... 'donc vôtre est France, et vous êtes mienne.' Il me serait aussi aisé, Kate, de conquérir le royaume que de dire encore autant de mots en ta langue; jamais je ne te ferai pleurer en français, à moins que je ne te fasse pleurer de rire.

CATHERINE, *en français.*

'Sauf votre honneur, le français que vous parlez, il est meilleur que l'anglais lequel je parle.'

LE ROI HENRY, *en anglais.*

Non, Kate, en vérité il n'en est rien; mais ta façon de parler ma langue et ma façon de parler la tienne, avec la plus authentique fausseté, sont à peu près à l'unisson, il faut bien le reconnaître. Mais, Kate, comprends-tu du moins ces mots-ci : peux-tu m'aimer?

CATHERINE, *en anglais.*

Je ne puis le dire.

LE ROI HENRY, *en anglais.*

Quelqu'un de ton entourage pourra-t-il le dire, Kate? Je vais m'en enquérir... Allons, je sais que tu m'aimes; ce soir, en entrant dans ton boudoir, tu questionneras cette dame à mon sujet; et je sais, Kate, que tu dénigreras devant elle les traits de ma personne que tu aimes de tout ton cœur; au moins, ma bonne Kate, raille-moi miséricordieusement, d'autant plus, gente princesse, que je t'aime cruellement. Si jamais tu dois être à moi, Kate, comme cette foi intime qui me sauve me dit que tu le seras, c'est à la force du poignet

a good soldier-breeder: shall not thou and I, between
Saint Dennis and saint George, compound a boy, half
French half English, that shall go to Constantinople, and
take the Turk by the beard? shall we not? what say'st
thou, my fair flower-de-luce?

KATHARINE.
200 I do not know dat.

KING HENRY.
No: 'tis hereafter to know, but now to promise: do but
now promise, Kate, you will endeavour for your French
part of such a boy; and, for my English moiety, take the
word of a king and a bachelor. How answer you, la plus
belle Katharine du monde, mon très cher et devin déesse?

KATHARINE.
Your majestee 'ave fause French enough to deceive de most
sage demoiselle dat is en France.

KING HENRY.
Now fie upon my false French! By mine honour, in true
English, I love thee, Kate; by which honour, I dare not
210 swear thou lovest me, yet my blood begins to flatter me
that thou dost; notwithstanding the poor and untemper-
ing effect of my visage. Now beshrew my father's ambition! he was thinking of civil wars when he got me, therefore was I created with a stubborn outside, with an aspect
of iron, that when I come to woo ladies, I fright them: but
in faith, Kate, the elder I wax, the better I shall appear.
My comfort is, that old age, that ill layer up of beauty, can
do no more spoil upon my face. Thou hast me, if thou
hast me, at the worst; and thou shalt wear me, if thou
220 wear me, better and better: and therefore tell me, most
fair Katharine, will you have me? Put off your maiden
blushes, avouch the thoughts of your heart with the looks
of an empress, take me by the hand, say "Harry of England,
I am thine": which word thou shalt no sooner bless mine
ear withal, but I will tell thee aloud "England is thine,
Ireland is thine, France is thine, and Henry Plantagenet
is thine"; who, though I speak it before his face, if he be
not fellow with the best king, thou shalt find the best king

que je t'aurai conquise, aussi faudra-t-il à toute force que
tu te révèles experte à fabriquer des soldats; n'allons-nous
pas tous deux, entre saint Denis et saint Georges, composer
un garçon mi-français, mi-anglais, qui s'en ira jusqu'à Constantinople pour tirer la barbe au Turc [49] ? Hein ? Qu'en dis-tu,
ma belle fleur de lis ?

CATHERINE, *en mauvais anglais.*
Je sais pas cela.

LE ROI HENRY, *en anglais, puis en mauvais français.*
Non, c'est plus tard qu'on le saura, mais maintenant qu'il
faut promettre; promets seulement pour l'heure, Kate, que
tu t'efforceras de produire ta moitié française de ce garçon;
et pour ma moitié anglaise, accepte la parole d'un Roi et
d'un célibataire. Que réponds-tu, 'la plus belle Katharine
du monde, mon très cher et devin déesse ?'

CATHERINE, *mêlant anglais et français.*
Votre Majesté savoir assez de 'fausse' français pour tromper
le plus 'sage demoiselle' qui soit 'en France'.

LE ROI HENRY.
Foin de mon mauvais français! Sur mon honneur, en bon
anglais, je t'aime, Kate; et sur cet honneur, je n'ose jurer
que tu m'aimes, mais mon sang commence à me bercer de
l'espoir qu'il en est ainsi, malgré le pauvre aspect rébarbatif
de mon visage. Maudite ambition de mon père! Il pensait à
des guerres civiles quand il m'a engendré, j'ai donc été créé
avec des dehors revêches, avec un visage de fer, si bien que,
quand je viens courtiser les dames, je leur fais peur; mais
en vérité, Kate, plus je vieillirai, plus j'aurai bon air. Mon
réconfort, c'est que l'âge, ce méchant économe de la beauté,
ne pourra plus ravager mon visage. Tu me prends, si tu me
prends, au pire moment; et tu verras à l'usage, si tu uses de
moi, que je m'améliore sans cesse : dis-moi donc, toute belle
Catherine, veux-tu de moi ? Laissez-là vos rougeurs virginales, proclamez les pensées de votre cœur avec des airs
d'impératrice, prenez-moi par la main, et dites : « Harry
d'Angleterre, je suis à toi »; tu n'auras pas plus tôt enchanté
de ces mots mes oreilles, que je te dirai bien haut : « L'Angleterre est à toi, l'Irlande est à toi, la France est à toi, et Henry
Plantagenet est à toi »; lequel Henry, qu'il me soit permis
de le dire, s'il n'est pas le digne compagnon du plus grand

of good fellows... Come, your answer in broken music;
for thy voice is music, and thy English broken: therefore,
queen of all, Katharine, break thy mind to me in broken
English; wilt thou have me?

KATHARINE.

Dat is as it sall please de roi mon père.

KING HENRY.

Nay, it will please him well, Kate; it shall please him, Kate.

KATHARINE.

Den it sall also content me.

KING HENRY.

Upon that I kiss your hand, and I call you my queen.

KATHARINE.

Laissez, mon seigneur, laissez, laissez: ma foi, je ne veux
point que vous abaissiez votre grandeur en baisant la main
d'une de votre seigneurie indigne serviteur; excusez-moi,
je vous supplie, mon très-puissant seigneur.

KING HENRY.

Then I will kiss your lips, Kate.

KATHARINE.

Les dames et demoiselles pour être baisées devant leurs
noces, il n'est pas la coutume de France.

KING HENRY.

Madam my interpreter, what says she?

ALICE.

Dat it is not be de fashon pour les ladies of France,—I cannot
tell vat is baiser en Anglish.

KING HENRY.

To kiss.

ALICE.

Your majestee entendre bettre que moi.

KING HENRY.

It is not fashion for the maids in France to kiss before they
are married, would she say?

ALICE.

Oui, vraiment.

KING HENRY.

O, Kate, nice customs curtsy to great kings. Dear Kate,
you and I cannot be confined within the weak list of a

des rois, est du moins, tu le verras, le plus grand roi des bons
compagnons... Allons, votre réponse en musique entrecou-
pée; car ta voix est une musique, et ton parler entrecoupé;
ainsi, reine des reines, Catherine, ouvre-moi ton esprit dans
un parler entrecoupé : veux-tu de moi?

C A T H E R I N E , *mêlant mauvais anglais et français.*
Cela sera comme il plaira à le 'roi mon père'.

L E   R O I   H E N R Y , *en anglais.*
Mais cela lui plaira fort, Kate; cela lui plaira, Kate.

C A T H E R I N E , *en mauvais anglais.*
Alors cela contentera aussi moi.

L E   R O I   H E N R Y , *en anglais.*
Sur ce je vous baise la main, et vous nomme ma reine.

C A T H E R I N E , *en français.*
'Laissez, mon seigneur, laissez, laissez; ma foi, je ne veux
point que vous abaissiez votre grandeur en baisant la main
d'une de votre seigneurie indigne serviteur; excusez-moi.
je vous supplie, mon très-puissant seigneur.'

L E   R O I   H E N R Y , *en anglais.*
Alors je vais vous baiser les lèvres, Kate.

C A T H E R I N E , *en français.*
'Les dames et demoiselles pour être baisées devant leurs
noces, il n'est pas la coutume de France.'

L E   R O I   H E N R Y , *en anglais.*
Madame mon interprète, que dit-elle?

A L I C E , *en mauvais anglais mêlé de français.*
Que ce ne pas être de coutume 'pour' les dames de France...
je ne sais dire ce qu'est 'baiser' en votre langue.

L E   R O I   H E N R Y , *en anglais.*
Embrasser.

A L I C E , *en anglais mêlé de français.*
Votre Majesté 'entendre' meilleur 'que moi'.

L E   R O I   H E N R Y .
Ce n'est pas la coutume pour les filles de France d'embrasser
avant d'être mariées, veut-elle dire?

A L I C E , *en français.*
'Oui, vraiment.'

L E   R O I   H E N R Y , *en anglais.*
Oh, Kate, les coutumes pointilleuses s'inclinent devant les
grands rois. Chère Kate, nous ne saurions, vous et moi,

231

country's fashion: we are the makers of manners, Kate;
and the liberty that follows our places stops the mouth
of all find-faults, as I will do yours, for upholding the nice
fashion of your country, in denying me a kiss: therefore
patiently, and yielding. [*kissing her*] You have witchcraft
in your lips, Kate: there is more eloquence in a sugar touch
260 of them than in the tongues of the French council; and
they should sooner persuade Harry of England than a
general petition of monarchs... Here comes your father.

The French King and Queen return with Burgundy, Exeter,
Westmoreland, and other French and English Lords; the
ladies talk apart.

BURGUNDY.
God save your majesty! my royal cousin, teach you our
princess English?

KING HENRY.
I would have her learn, my fair cousin, how perfectly I love
her, and that is good English.

BURGUNDY.
Is she not apt?

KING HENRY.
Our tongue is rough, coz, and my condition is not smooth:
so that, having neither the voice nor the heart of flattery
270 about me, I cannot so conjure up the spirit of love in her,
that he will appear in his true likeness.

BURGUNDY.
Pardon the frankness of my mirth, if I answer you for that.
If you would conjure in her, you must make a circle: if
conjure up love in her in his true likeness, he must appear
naked, and blind. Can you blame her then, being a maid
yet rosed over with the virgin crimson of modesty, if she
deny the appearance of a naked blind boy in her naked
seeing self? It were, my lord, a hard condition for a maid
to consign to.

nous laisser enfermer dans la débile clôture qu'est la mode
d'un pays; c'est nous qui faisons les coutumes, Kate;
et la liberté qui s'attache à notre rang fermera la bouche à
tous les détracteurs, de même que je vais vous clore la vôtre,
pour avoir mis en avant les coutumes pointilleuses de votre
pays en me refusant un baiser : ainsi donc, soyez docile,
laissez-vous faire *(il l'embrasse)*. Vous avez, Kate, un sorti-
lège sur les lèvres; il y a plus d'éloquence dans leur suave
contact qu'en toutes les bouches du conseil de France; et
elles auraient plus tôt fait de convaincre Harry d'Angleterre
qu'une pétition générale des monarques... Voici venir votre
père.

*Le Roi et la Reine de France reviennent avec Bourgogne, Exeter,
Westmoreland, et d'autres seigneurs français et anglais ; les
dames conversent à part.*

BOURGOGNE.

Dieu sauve Votre Majesté! Mon royal cousin, enseignez-vous
l'anglais à notre princesse?

LE ROI HENRY.

Je voudrais qu'elle apprît, mon noble cousin, combien parfait
est mon amour pour elle, et c'est là de bon anglais.

BOURGOGNE.

N'est-elle point douée?

LE ROI HENRY.

Notre parler est rude, cousin, et mon naturel manque de
douceur; de sorte que, n'ayant en moi ni la voix ni le cœur
d'un flatteur, je ne sais pas susciter en elle l'esprit d'amour
de telle sorte qu'il apparaisse sous son vrai jour.

BOURGOGNE.

Pardonnez à la franchise de ma gaieté si je vous réponds là-
dessus. Si vous voulez susciter en elle un esprit, il vous
faut tracer un cercle; si vous voulez susciter l'amour en elle
sous son vrai jour, il faut qu'il apparaisse nu et aveugle.
Pouvez-vous donc blâmer cette jeune fille encore empreinte
des rougeurs virginales de la pudeur, si elle se refuse à voir
paraître un garçon nu et aveugle dans la nudité clairvoyante
de son âme ? Ce serait là, monseigneur, une condition bien
dure à accepter pour une pucelle.

KING HENRY.

280 Yet they do wink and yield, as love is blind and enforces.

BURGUNDY.

They are then excused, my lord, when they see not what they do.

KING HENRY.

Then, good my lord, teach your cousin to consent winking.

BURGUNDY.

I will wink on her to consent, my lord, if you will teach her to know my meaning: for maids, well summered and warm kept, are like flies at Bartholomew—tide, blind, though they have their eyes, and then they will endure handling, which before would not abide looking on.

KING HENRY.

This moral ties me over to time, and a hot summer; and 290 so I shall catch the fly, your cousin, in the latter end, and she must be blind too.

BURGUNDY.

As love is, my lord, before it loves.

KING HENRY.

It is so: and you may, some of you, thank love for my blindness, who cannot see many a fair French city for one fair French maid that stands in my way.

FRENCH KING.

Yes, my lord, you see them perspectively: the cities turned into a maid; for they are all girdled with maiden walls, that war hath never entered.

KING HENRY.

Shall Kate be my wife?

FRENCH KING.

300 So please you.

KING HENRY.

I am content, so the maiden cities you talk of may wait on her: so the maid that stood in the way for my wish shall show me the way to my will.

LE ROI HENRY.

Mais elles ferment toutes les yeux et cèdent à la violence aveugle de l'amour.

BOURGOGNE.

Elles ont donc l'excuse, monseigneur, de ne pas voir ce qu'elles font.

LE ROI HENRY.

Alors, mon bon seigneur, apprenez à votre cousine comment on consent à fermer les yeux.

BOURGOGNE.

Je veux bien fermer les yeux sur son consentement, monseigneur, si vous voulez bien lui apprendre ce que j'entends; car les filles, bien nourries et tenues au chaud, sont comme les mouches à la Saint-Barthélemy [50] : savoir, aveugles, tout en ayant leurs yeux; alors, elles acceptent de se laisser manier, elles qui, auparavant, ne souffraient pas qu'on les regardât.

LE ROI HENRY.

Cette morale me rend tributaire du temps et des chaleurs estivales; j'attraperai donc en fin de compte cette mouche qu'est votre cousine, et il faudra qu'elle soit aveugle à son tour.

BOURGOGNE.

Comme l'amour, monseigneur, avant d'aimer.

LE ROI HENRY.

C'est vrai : et certains d'entre vous peuvent rendre grâces à mon amour de la cécité qui m'empêche de voir mainte belle ville de France à cause d'une belle fille de France que je trouve sur mon chemin.

LE ROI DE FRANCE.

Oui, monseigneur, vous les voyez en trompe-l'œil [51], ce qui mue ces villes en une fille; car elles sont toutes encerclées de virginales murailles que la guerre n'a jamais forcées.

LE ROI HENRY.

Kate sera-t-elle ma femme?

LE ROI DE FRANCE.

S'il vous plaît.

LE ROI HENRY.

J'en suis heureux, pourvu qu'elle ait pour suite les villes vierges dont vous parlez; ainsi la fille qui barrait le chemin de mes désirs me montrera le chemin de ma volonté.

FRENCH KING.
We have consented to all terms of reason.
KING HENRY.
Is't so, my lords of England?
WESTMORELAND.
The king hath granted every article:
His daughter first; and then in sequel all,
According to their firm proposéd natures.
EXETER.
Only he hath not yet subscribéd this·
310 Where your majesty demands that the King of France,
having any occasion to write for matter of grant, shall
name your highness in this form, and with this addition,
in French: Notre très-cher fils Henri, Roi d'Angleterre,
Héritier de France: and thus in Latin; Præclarissimus
filius noster Henricus, Rex Angliæ, et hæres Franciæ.
FRENCH KING.
Nor this I have not, brother, so denied,
But your request shall make me let it pass.
KING HENRY.
I pray you then, in love and dear alliance,
Let that one article rank with the rest,
320 And thereupon give me your daughter.
FRENCH KING.
Take her, fair son, and from her blood raise up
Issue to me, that the contending kingdoms
Of France and England, whose very shores look pale
With envy of each other's happiness,
May cease their hatred; and this dear conjunction
Plant neighbourhood and Christian-like accord
In their sweet bosoms: that never war advance
His bleeding sword 'twixt England and fair France.
ALL.
Amen!
KING HENRY.
330 Now welcome, Kate: and bear me witness all,
That here I kiss her as my sovereign queen.

['*Flourish.*']

QUEEN ISABEL.
God, the best maker of all marriages,

236

LE ROI DE FRANCE.
Nous avons consenti à toutes les conditions raisonnables.

LE ROI HENRY.
En est-il ainsi, messeigneurs d'Angleterre?

WESTMORELAND.
Le roi a consenti à chacun des articles; sa fille d'abord, puis tout le reste, tel qu'il était fermement stipulé.

EXETER.
A une clause seulement il n'a pas souscrit encore : celle par laquelle Votre Majesté exige que le Roi de France, chaque fois qu'il aura lieu d'écrire pour un octroi d'office, désigne Votre Altesse par la formule et sous le titre que voici, en français « Notre très-cher fils Henri, Roi d'Angleterre, héritier de France »; et ainsi en latin « Praeclarissimus [52] filius noster Henricus, Rex Angliae, et haeres Franciae ».

LE ROI DE FRANCE.
Encore n'ai-je pas, mon frère, refusé de telle sorte que votre requête ne m'y fasse consentir.

LE ROI HENRY.
Je vous prie donc, au nom de notre chère et précieuse alliance, de laisser cet unique article prendre rang avec le reste, et là-dessus de me donner votre fille.

LE ROI DE FRANCE.
Prenez-la, noble fils, et de son sang donnez-moi une postérité afin que les royaumes en lutte de France et d'Angleterre, dont les rivages mêmes pâlissent de l'envie qu'inspire à l'un le bonheur de l'autre, puissent faire taire leur haine; et que cette grande union implante bon voisinage et chrétienne entente en leurs cœurs adoucis; en sorte que jamais la guerre ne pousse son glaive sanglant entre l'Angleterre et notre belle France.

TOUS.
Amen!

LE ROI HENRY.
Alors, bienvenue, Kate; et soyez-moi tous témoins que je l'embrasse ici pour ma souveraine épouse.

'Fanfare.'

LA REINE ISABELLE
Que Dieu, premier auteur de tous les mariages, fonde vos

Combine your hearts in one, your realms in one!
As man and wife, being two, are one in love,
So be there 'twixt your kingdoms such a spousal,
That never may ill office, or fell jealousy,
Which troubles oft the bed of blessèd marriage,
Thrust in between the paction of these kingdoms,
To make divorce of their incorporate league:
340 That English may as French, French Englishmen,
Receive each other... God speak this Amen!

ALL.
Amen!

KING HENRY.
Prepare we for our marriage: on which day,
My Lord of Burgundy, we'll take your oath,
And all the peers', for surety of our leagues.
Then shall I swear to Kate, and you to me,
And may our oaths well kept and prosp'rous be!

[*A trumpet sounds as King Henry leads Katharine
forth, the rest following in procession.*

[Epilogue]

'*Enter* CHORUS.'

CHORUS.
Thus far, with rough and all-unable pen,
    Our bending author hath pursued the story,
In little room confining mighty men,
    Mangling by starts the full course of their glory.
Small time: but, in that small, most greatly lived
    This star of England.   Fortune made his sword;
By which the world's best garden he achieved:
    And of it left his son imperial lord.
Henry the Sixth, in infant bands crowned King
10   Of France and England, did this king succeed:
Whose state so many had the managing,
    That they lost France, and made his England bleed:
Which oft our stage hath shown; and, for their sake,
In your fair minds let this acceptance take.

[*Exit.*

cœurs en un, vos royaumes en un! Comme femme et mari
de deux ne font qu'un dans l'amour, qu'entre vos royaumes
aussi se fassent des épousailles, que jamais les mauvais offices
ni l'affreuse jalousie qui souvent trouble la couche du saint
mariage ne s'insinuent dans le pacte de ces royaumes pour
réduire au divorce leur intime alliance; puissent s'entre-
recevoir Anglais et Français comme des compatriotes... Dieu
dise amen à ce vœu!

TOUS.

Amen!

LE ROI HENRY.

Préparons-nous pour notre mariage; ce jour-là, Messire de
Bourgogne, nous vous ferons prêter serment, ainsi qu'à tous
les pairs, pour garantir nos accords. Ensuite je jurerai ma foi
à Kate, puis vous me jurerez la vôtre, et puissent tous nos
serments, fidèlement tenus, prospérer!

*Une trompette sonne, tandis que le Roi Henry s'éloigne, donnant
le bras à Catherine ; et les autres suivent en cortège.*

[ÉPILOGUE.]

'*Entre le Chœur.*'

LE CHŒUR.

Jusque-là, de sa plume rude et toute incapable, notre auteur —
qui s'incline — a poursuivi l'histoire, confinant en un mince
espace de puissants hommes, mutilant par ses sautes l'ampleur
de leur glorieuse carrière. Temps bien petit, mais dans ce
petit temps très grandement vécut notre astre d'Angleterre.
Fortune fit son épée, et lui d'en conquérir le plus noble jardin
du monde, pour en laisser son fils impérial seigneur. Henri le
sixième, en ses langes couronné roi de France et d'Angleterre
ensemble, à ce monarque succéda : mais si nombreux furent-
ils à mener ses états qu'ils perdirent la France et firent
saigner son Angleterre. Notre scène a souvent montré [53]
pareilles choses : ce pourquoi veuille votre indulgence faire
à celles-ci bon accueil.

[*Il sort.*

NOTES

DU TRADUCTEUR

1. *cet O de bois* : la salle de théâtre (probablement le *Curtain Theatre*) où fut représentée la pièce. Cf. la description de cette salle par J. D. Jump, tome I, p. xxxix.

2. *qui sur le sol de France joua une tragédie* : première allusion (voir ensuite II, 4) à la bataille de Crécy, remportée en 1346 par Edouard III et son fils le Prince Noir, sur Philippe VI.

3. *le Roi des Ecossais* : le roi David II fut fait prisonnier à Neville's Cross en 1346, mais ne fut pas envoyé en France.

4. *ceux qui subtilisent* : le texte comporte une manière de calembour sur les mots *pretty* (*pretty traps* : de jolis pièges) et *petty* (*petty thieves* : les voleurs de peu d'envergure).

5. *comme muet de Turquie* : on sait qu'en Turquie l'usage était de confier les fonctions de bourreau ou d'autres fonctions exigeant le secret à des hommes privés de langue, ou à des muets.

6. *ouverts* : au jeu de paume, ouvertures ménagées entre les piliers le long de la galerie transversale.

7. *chasses* : au jeu de paume, balles qui exécutent un deuxième bond après avoir touché le sol.

8. *Barbason* : c'est le nom d'un démon, cité également dans les *Gaillardes Epouses de Windsor*. En entendant le style étrange de Pistolet, Filou pense à une formule d'exorcisme.

9. *Doll Beaux-Draps* : le nom anglais de ce personnage (qu'on trouve aux scènes II, 4 et V, 4 de *2 Henry IV*) signifie littéralement : 'Déchire-drap'.

10. *chez mon maître* : c'est-à-dire chez sir John Falstaff (cf. *Henry IV* et, plus loin, II, 3).

11. *Le Roi lui a brisé le cœur* : allusion à *2 Henry IV*, V, 5, scène où le Prince Hal, devenu le Roi Henry V, rejette son vieux compagnon de plaisir.

12. *Un noble auras-tu* : le *noble* anglais vaut 6 shillings et 8 pence; le reste de la dette (1 shilling 4 pence) étant réglé en nature.

13. *que pour l'or étranger* : tel ne fut pas dans l'histoire le

241

seul mobile de ce complot. Les conjurés voulaient tuer Henry pour mettre sur le trône Edmond Mortimer, Comte des Marches, et descendant direct d'Edouard III par son troisième fils, le Duc de Clarence. Edmond Mortimer était le beau-frère du Comte de Cambridge (dont les propres enfants eussent pu lui succéder).

14. *baptâge :* notre traduction s'inspire de l'exemple donné par l'Hôtesse; elle combine ici en un mot de son cru *(christom)* l'idée de l'innocence du très jeune âge *(chrisom)* et celle de baptême *(christened)*.

15. *des histoires de verts pâturages :* le texte de l'in-folio porte *a Table of greene fields,* c'est-à-dire *une table de champs verts.* Le texte du *New Shakespeare* (et notre traduction) repose sur la fameuse conjecture de Theobald qui suggéra de lire *'a babbled (il babillait, marmonnait)* au lieu de *a Table.* Signalons, à titre de curiosité historique, l'ingénieuse hypothèse de Pope, qui voyait dans ces mots une indication scénique et, décidant que Greenfield était le nom d'un machiniste, proposait de lire *a Table of Greenfield's (une table de chez Greenfield)* et souhaitait que l'on apportât à ce moment une table et des rafraîchissements sur la scène.

16. *des récents exemples :* allusion aux batailles de Crécy et de Poitiers, dont il sera question plus bas (aux vers 53-62).

17. *le Romain Lucius Brutus :* le texte dit simplement *the Roman Brutus* pour distinguer de Marcus Junius Brutus (qui figure dans le *Jules César* de Shakespeare) le personnage dont il est question ici; Lucius Junius Brutus, qui vécut quatre siècles plus tôt, était le neveu de Tarquin le Superbe et feignit la stupidité (d'où le surnom de Brutus) pour échapper à la mort.

18. *dans la poussière de l'oubli lointain :* comme la Loi salique, dont se réclament les Français.

19. *garde ses armes intactes :* le texte comporte un jeu de mots sur le verbe *break,* qui signifie briser; mais l'expression *break one's word* veut dire manquer à sa parole. Il y a donc dans le texte une opposition qu'il n'est pas possible de rendre en français, entre *break* et *keep whole* (garder intact).

20. *en appelant ça emplettes :* le terme anglais employé dans le texte *(purchase :* acquisition) appartient au langage technique des voleurs. Moll Flanders, l'héroïne de Daniel Defoe, désigne toujours ainsi le produit de ses larcins.

21. *en empocher plus que de raison :* encore un jeu de mots dans le texte. Le sens littéral de *pocket up wrongs* serait l'équivalent du français : avaler des couleuvres.

22. *Fluellen :* Fluellen est un Gallois; sa syntaxe et sa prononciation sont représentées par Shakespeare au moyen de nombreuses formes erronées, embarrassées ou fantaisistes. Ces formes sont irrégulièrement réparties dans le parler de Fluellen, sans doute parce que Shakespeare jugeait suffisant d'indiquer çà et là aux acteurs le genre de prononciation qu'ils devaient imiter. Il en est de même pour l'Irlandais Macmorris et l'Ecossais Jamy. Notre traduction atténue quelque peu, sans esprit de système abusif, l'irrégularité des prononciations figurées (en transformant parfois, au besoin, des anomalies grammaticales en particularités de diction). De plus, pour donner au lecteur français une impression correspondant, au moins approximativement, à celle que produit le texte original, nous avons considéré que les particularités phonétiques et psychologiques de Fluellen rappelaient celles d'un Français de l'Est, que Macmorris faisait penser à un Méridional, et Jamy à un Normand.

23. *avec d'autres dames de compagnie :* cette scène est tout entière, on le voit, « en français dans le texte ». Au risque de la rendre plus divertissante pour le lecteur français qu'elle ne l'est en Grande-Bretagne, et faute d'un principe indiscutable de remise en ordre, on a ici conservé sa toute sa saveur le texte du *New Shakespeare,* qui suit d'assez près le français de Shakespeare. L'authenticité de cette scène a parfois été mise en doute, car on n'était pas sûr que Shakespeare sût assez de français pour l'avoir écrite lui-même. Aujourd'hui on sait du moins qu'il habita (en 1604, il est vrai) chez un huguenot d'origine française, Christopher Mountjoy. Quelques indications à ce propos sont données par le *Tableau chronologique* (tome I, p. LXXX) ainsi que par l'*Introduction* de M. M. Reese pour le tome III (p. XXI). Si l'on tient compte des déformations possibles dues à l'écriture de l'auteur, à l'ignorance du compositeur, à l'adoption d'orthographes phonétiques pour faciliter la tâche des jeunes acteurs, il ne semble pas que le français de cette scène ait été particulièrement incorrect à l'origine.

24. *'O Dieu vivant !' :* dans cette scène et dans toutes les autres

scènes françaises ou franco-anglaises (III, 7, IV, 2, IV, 5, et surtout IV, 4 et V, 2), les répliques ou expressions que nous plaçons entre guillemets simples sont 'en français dans le texte'.

25. *criblée de trous perdus :* les commentateurs ne sont pas unanimes quant au sens de la difficile expression *nook-shotten*. *Nook* peut signifier un recoin et *shotten* marquer une idée de perforation multiple ou de déchiquètement. Seule l'intention péjorative ne fait pas de doute.

26. *Lestraque :* ce personnage est appelé *Lestrale* dans le texte de Shakespeare; chez Holinshed, où Shakespeare a relevé cette liste de noms, il figurait sous la forme *Lestrake ;* mais dans les *Chroniques* d'Enguerrand de Monstrelet on ne relève aucun nom semblable, les formes les plus proches étant, soit Jean de Malestrait, soit Eustache de Laîctre (mais ce dernier ne fut pas à Azincourt comme le Lestrake de Holinshed et de Shakespeare).

27. *si le nom dit quelque chose à Votre Majesté :* si le roi pouvait se souvenir de ses fredaines de jeunesse (Cf. *Henry IV*). il se rappellerait que Bardolph avait été l'un de ses compagnons familiers.

28. *anthroncles :* ce mot représente un alliage d'*anthrax* et de *furoncle*, de même que le terme employé par Fluellen *(bubukles)* confond *bubo* (abcès) et *carbuncle* (anthrax ou furoncle).

29. *le nez est tranché :* les condamnés, mis au pilori avant l'exécution, devaient d'abord avoir le nez fendu.

30. *du crin pour entrailles :* le cheval est implicitement comparé aux balles de paume, qui étaient bourrées de crin.

31. *et la truie lavée au bourbier :* citation du Nouveau Testament (2 Pierre, II, 22).

32. *un courage chaperonné :* comme un faucon à qui, au cours de son dressage, on couvre la tête d'un cuir (ou chaperon) pour l'empêcher de voir.

33. *volontaire dans une compagnie :* les gentilshommes volontaires devaient commencer leur carrière militaire comme simples soldats et, par exemple, « traîner la pique », c'est-à-dire servir dans l'infanterie avant de gagner des galons.

34. *le jour de la Saint-Davy :* Saint David (ou Davy) est le saint national des Gallois; sa fête est célébrée le 1er mars en mémoire, dit-on parfois, de la victoire remportée sur les

Saxons en 540 par les soldats gallois, qui portaient ce jour-là des poireaux à leur coiffure sur l'ordre de saint David. Fluellen offrira une autre explication de cette coutume (Cf. IV, 7, 96-101) qu'il fait remonter à la bataille de Crécy. La présente allusion a surtout pour but de préparer V, I. Aujourd'hui encore, le poireau reste associé à la fête de saint David dans les régiments gallois.

35. *on l'entend depuis le début de la nuit :* Enguerrand de Monstrelet rapporte au contraire que dans le camp des Français : « à peine hennissaient nuls de leurs chevaux toute la nuit », et que chez les Anglais on entendait « trompettes et plusieurs manières d'instruments de musique, tellement que toute la terre autour d'eux retentissait par leurs sons, nonobstant qu'ils fussent moult lassés et travaillés de faim, de froid et autres mésaises ».

36. *ils grouillent comme chancres :* le texte contient un double jeu de mots sur *crown*, qui signifie à la fois *écu* et *tête*, et *French crown*, qui désigne la pelade due à une maladie vénérienne et, par extension, le 'mal français'. D'où notre emploi de l'approximation 'ils grouillent comme chancres' et la substitution de *nobles* (cf. note 10 ci-dessus) à *écus*. Le noble de France valait 20 à 24 francs. Rogner des pièces d'or était une opération frauduleuse punie de mort.

37. *'Rien puis? L'air et le feu?' :* le Dauphin semble inviter son cheval à s'élancer en avant, par-dessus les eaux et la terre. A la question d'Orléans : 'Est-ce tout ? Point par-dessus l'air et le feu aussi ?' il répondra : 'Si! le ciel!'

38. *fête de Crépinien :* le 25 octobre est la fête de deux frères, Crépinien et Crépin (patron des cordonniers) qui furent martyrisés ensemble en l'an 287. Bien qu'aucun commentateur ne semble l'avoir souligné, rien dans le texte de Shakespeare ne donne à penser qu'il s'agisse de deux personnages distincts : il ne parle, selon les nécessités métriques, que de Crépin, ou Crépinien, ou Crépin Crépinien.

39. *vêtus de plus blanches robes :* c'est-à-dire, au Ciel (cf. *Apocalypse*, VII. 9).

40. *Calen o custure me :* Pistolet commence par répéter en le déformant le dernier mot entendu, puis, pour ne pas être en reste de jargon, cite les premiers mots d'une chanson irlandaise, imprimée sous cette forme vers 1565 (dans

Handeful of Pleasant Delites, de Clement Robinson). Le texte exact, identifié en 1939 par le Prof. Gerard Murphy, est " *Cailin ó chois tSiúre mé" (je suis une fille des bords de la Suir)*.

41. *un 'moi'* : (dans le texte : *Moy*) Pistolet répète la dernière syllabe entendue, et, ayant lui-même parlé de rançon, croit qu'il s'agit d'une monnaie. Tous les efforts pour identifier le 'moi' (par exemple avec le *moidore* du Portugal) restent peu convaincants.

42. *'Brass', du billon :* nous adaptons ici, tant bien que mal, un calembour bilingue, donc doublement intraduisible. Dans le texte, Pistolet répète simplement le dernier mot du prisonnier *(bras)*. Il croit comprendre *brass* et s'indigne, car ce mot anglais désigne le cuivre ou la monnaie de cuivre (idée que nous rendons par billon).

43. *Jacques de Chatillon, Amiral de France :* dans ses *Chroniques*, E. de Monstrelet appelle Jacques de Chatillon, seigneur de Dampierre « soi-disant amiral de France »; selon un autre chroniqueur, le Religieux de Saint-Denys, c'est Clignet de Brabant qui était amiral de France. Quant à Messire Guichard Dauphin, il était maître d'hôtel du roi.

44. *le général de notre gracieuse impératrice :* la présente allusion a permis de dater la pièce ou du moins ce prologue; elle concerne Essex, le général de la Reine Elizabeth, envoyé en Irlande le 27 mars 1599; bien loin de rentrer en vainqueur, il devait être accusé de trahison et emprisonné à son retour (septembre 1599). Après cet événement, l'allusion eût été du plus mauvais goût, et des plus dangereuses.

45. *arrive l'empereur :* dans ce passage quelque peu obscur, et peut-être inachevé, on trouve une allusion à la visite faite à Londres, en mai 1416, par l'empereur Sigismond, mais il n'est pas fait mention de la deuxième campagne de Henry IV en France (1417-1420); et c'est en 1420 que se passe l'acte v.

46. *Cadwallader :* le dernier des rois du pays de Galles.

47. *du fatal basilic :* en anglais comme en français, le basilic est à la fois un animal fabuleux au regard meurtrier et un gros canon analogue à la coulevrine.

48. *'Do you like me, Kate?' :* il a été impossible ici, encore une fois, de rendre exactement un jeu de mots dans une scène bilingue. *Like*, verbe, signifie aimer. Henry demande :

246

M'aimez-vous, Kate ?' Mais quand Kate répond : 'Je ne sais ce qu'est *like me*', Henry feint de prendre le verbe *like* pour son homophone, la conjonction signifiant comme, et d'entendre : je ne sais ce qui est comme moi. D'où sa réplique (un ange est comme vous...).

49. *tirer la barbe au Turc :* anachronisme, puisque c'est seulement en 1453 que les Turcs s'établiront à Constantinople.

50. *à la Saint-Barthélemy :* le 24 août, les soirées deviennent plus fraîches, les mouches s'abritent dans les maisons, s'engourdissent et sont plus faciles à prendre.

51. *en trompe-l'œil :* le mot anglais *perspectively* peut désigner soit un verre déformant, soit un autre type d'illusion d'optique, qui fait percevoir des images différentes selon l'angle de vision. Cf. note anglaise et glossaire, et aussi tome II, *Richard II*, ii, 2, 18, pp. 1218 (texte), 1219 (traduction), 1336 (note française), 1468 (note anglaise) et 1556 (glossaire).

52. *Praeclarissimus : très-cher* avait été écrit dans le traité, comme il convient, *praecarissimus*, ou, sur le texte de Hall, *praecharissimus ;* Holinshed, et après lui Shakespeare, ont mal lu, et disent *praeclarissimus (très illustre)*.

53. *a souvent montré :* dans les trois parties de *Henry VI* (Cf. tome I) dont la composition est antérieure à celle de *Henry V.*

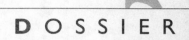

DOSSIER

1

— *Le roi et ses sujets*

Dossier

> *Il est supposé que l'office royal est institué par Dieu, qu'il est la garantie nécesssaire de l'ordre dans un État conçu en termes de nation et de patrie ; la pensée politique présente dans ces pièces combine le nationalisme fervent de l'époque, entretenu par la monarchie en place, avec les notions relatives à la monarchie considérée comme sacrement [1].*

> *Préparons-nous pour notre mariage ; ce jour-là, Messire de Bourgogne, nous vous ferons prêter serment, ainsi qu'à tous les pairs, pour garantir nos accords. Ensuite je jurerai ma foi à Kate, puis vous me jugerez la vôtre, et puissent tous nos serments, fidèlement tenus, prospérer [2].*

On trouvera ici une mise en relief des notions essentielles qui permettent de comprendre la conception shakespearienne de la royauté. La monarchie est en partie un sacrement, le monarque celui à qui le sujet fait un serment d'allégeance. Mais que signifie ce dernier terme ?

L'ALLÉGEANCE DU SUJET

L'allégeance est l'obéissance sincère et fidèle que le sujet doit au souverain. En retour, le souverain se doit de gouverner et de protéger ses sujets. Il existe donc entre eux un lien réciproque. Le droit commun du royaume distingue quatre sortes d'allégeance. Nous évoquerons les deux premières.

---

1. Derek A. Traversi, « Henry the Fifth », art. cit. Nous traduisons.
2. V, 2, 342 *sq.*, p. 238-239.

La première est dite « naturelle » [...] Elle est « originellement due par nature et droit de naissance *(birthright)* ». C'est *l'alta ligeantia* [la haute allégeance]. Chose caractéristique [...], la qualité de sujet [est] une propriété ne découlant pas du droit commun positif, mais antérieure à ce droit et qui a sa source et son fondement dans le droit naturel. Ainsi comprise, l'allégeance est une relation aussi indissoluble que les liens du mariage, une relation à la fois charnelle et sacrée. Elle enferme des notions (ou des sentiments) que recouvrent des termes tels que « foi », « lien », « obéissance » ; de ce fait, elle ne peut être topographiquement ni temporellement limitée.

La seconde sorte d'allégeance est dite « acquise ». Elle n'est pas le fait de la nature ni de la naissance, mais elle s'obtient dans sa plénitude par décision du Parlement : c'est la naturalisation à proprement parler [...]. Elle s'obtient enfin par conquête : tous les sujets du roi, ceux qui ont combattu comme ceux qui ont monté la garde au pays, deviennent dès lors des *denizens* du royaume ou du territoire conquis [...]. La conquête n'implique pas [...] la « naturalisation » des peuples soumis. [...] La qualité de « sujet », qui découle de l'allégeance, et de l'allégeance seule, est une qualité qu'à défaut d'autre terme il faut appeler mystique, car elle est comme incorporée à l'homme.

L'allégeance, ainsi que la foi et la fidélité qui sont ses membres et les parties, sont des qualités de l'esprit et de l'âme de l'homme. [...] Enfin, l'allégeance naturelle n'est limitée par aucune borne, frontière ou confin [1].

Le lien qui lie le sujet à son souverain est donc absolu, dégagé des circonstances de temps et de lieu. Il faut comprendre que cette définition et celle qui va suivre revêtent une fonction idéologique, mais qu'elles sont surtout, pour Shakespeare, la source d'une vision poétique – concrète et abstraite à la fois – du monde. Elles ouvrent un espace à la fois religieux et poétique où l'homme de la Renaissance va puiser le matériau d'une activité artistique qui, à l'instar du théâtre, mime la création de ce monde double, à la fois concret et idéal.

1. Richard Marienstras, *Le Proche et le Lointain*, Éditions de Minuit, 1981, p. 155 *sq.*

Le double corps du roi

Le double corps du roi est ce à quoi, à la fois concrètement et symboliquement, l'allégeance est due. Dans ce qui suit, je reprends l'étude de Richard Marienstras :

> Le roi a en lui deux capacités, il existe sous deux espèces confondues en une. Il a un corps naturel, issu du rang royal du royaume ; ce corps est la création de Dieu tout-puissant et il est sujet à la mort, aux infirmités et aux autres maux de cette sorte. [...] Il a aussi un corps ou une capacité politique, ainsi nommée parce qu'elle est modelée par la police des hommes [...] on l'appelle un corps immatériel (*a mystical body*) ; en cette capacité, le roi est considéré comme immortel, invisible, non sujet à la mort ni aux infirmités ni aux étapes de la petite enfance, de la minorité, etc.
> [...] L'allégeance est due à la personne naturelle du roi (laquelle est toujours compagne de sa capacité politique), sa capacité politique étant, pour ainsi dire, une propriété de sa capacité naturelle ; elle n'est pas due à sa capacité politique seulement, c'est-à-dire à sa couronne ou à son royaume indépendamment de sa capacité naturelle [1].

Cette formulation est essentielle :

> Le roi n'est pas un « corps politique » incarné, il est au contraire un corps *naturel* dans lequel est investi le corps ou la capacité politique. Il y a à cela [...] six raisons :

> 1. La loi présume que chaque sujet a prêté serment au roi, de même que le roi prête serment à ses sujets. Et ce serment, il ne peut le prêter qu'en tant que personne naturelle, car la capacité politique est invisible et immortelle ; mieux, le corps politique n'a pas d'âme, puisqu'il est modelé par la police des hommes. N'ayant pas d'âme, il ne peut prêter serment.
> 2. [...] L'allégeance est due au corps naturel.
> 3. Le roi *in genere* ne meurt pas. Mais il est évident qu'il meurt *in individuo*.
> 4. Un corps politique en tant que tel ne peut, étant invisible, rendre ni recevoir d'hommage.
> 5. En matière de foi ou d'allégeance, rien ne doit être dissimulé, mais tout doit être *ex fide non ficta* [d'une foi qui n'est pas feinte].

---

1. Richard Marienstras, *Le Proche et le Lointain, op. cit.*, p. 159 *sq.*

Dossier

6. Le roi tient le royaume d'Angleterre par droit de naissance, héréditairement, par transmission du sang royal. La succession est un attribut de droit héréditaire.

Le couronnement n'est qu'un ornement de la royauté et une confirmation solennelle et extérieure de la succession royale, mais n'est pas une part essentielle du titre. La couronne est un hiéroglyphe [c'est-à-dire un emblème] des lois ; elle permet que justice soit rendue. Or, si on soustrait ce qui est signifié par la couronne, c'est-à-dire : juger et rendre la justice, conserver la paix du royaume, séparer le bien du mal et la vérité de l'erreur, on soustrait tout ce qui appartient à la capacité naturelle du roi : car c'est de manière concrète [...] que le roi est doté de qualités corporelles et spirituelles qui le rendent capable de faire justice, mais on ne soustrait pas ce qui appartient à sa capacité invisible et immortelle : celle-ci n'a pas de telles qualités, car, en elle-même, elle n'a ni corps ni âme.
Il est remarquable que la prééminence de la personne concrète sur la fonction, marquée par l'accent mis sur le droit du sang, soit une idée populaire aussi bien que savante. Elle est liée à la croyance aux pouvoirs thaumaturgiques du souverain et attestée sous le règne d'Élizabeth [1].

Ce point a une formulation juridique précise, qui place la succession à l'abri de toute contestation :

Ce n'est pas le couronnement qui fait le roi, c'est le sang royal héréditairement transmis depuis Noé. [...] Il en va de même de l'allégeance [...] L'allégeance due au roi découle de la loi naturelle [...] La loi naturelle est intrinsèque aux lois positives du royaume ; [...] elle est antérieure à ces lois positives ; [...] elle est immuable, ne peut être abolie ou brisée [2].

À ces commentaires de Richard Marienstras, nous ajouterons simplement ceci : ce point a une illustration théâtrale précise, le roi joue un rôle qu'il ne peut pas interpréter s'il n'est pas d'abord une personne, un individu tout à fait constitué du point de vue « naturel ». Le théâtre de la royauté trouve son assise dans la réalité du rôle, et celle-ci dans la réalité d'une personne qui est comme toutes les autres. La problématique de fond est celle de savoir ce qu'est une personne réelle au sens de la loi naturelle [3]. Aussi la ra-

---

1. Richard Marienstras, *Le Proche et le Lointain*, *op. cit.*, p. 160-161.
2. *Ibid.*, p. 161-162.
3. Pour une mise au point sur la théorie du droit naturel, voir dossier, p. 267-268.

cine commune et ordinaire de la personne du roi doit-elle faire l'objet d'une exposition théâtrale, en même temps que doivent faire l'objet d'une démonstration ses qualités royales. D'où les deux tonalités de la pièce : l'épique et le tragique d'une part, l'épique et le comique de l'autre.

LE MARIAGE DU ROI : FONCTION SYMBOLIQUE DE LA REINE

Le mariage entre Catherine et Henry réalise l'union des corps royaux des deux nations. Le thème du mariage, par ailleurs, est caractéristique de la conception shakespearienne de la comédie.

On notera que les chevaliers français tiennent des propos obscènes, irrespectueux de leurs compagnes [1]. Ce n'est pas là un simple motif comique. Henry V s'est amendé, du jour au lendemain il a cessé de mener la vie licencieuse qu'on le voyait mener dans *Henry IV.* Catherine, pour sa part, reste en dehors de cette ambiance de camp militaire, car elle représente l'*image de la reine vierge*, seule susceptible d'être une souveraine. C'est là une image essentielle dans le monde élizabéthain. En épousant Catherine, le roi Henry sort des combats héroïques d'un Moyen Âge qui s'attarde, et il accède à une autre époque de la royauté, à une époque que l'on pourrait dire renaissante, hors de la guerre et d'un rapport contraint à la violence :

> LE ROI HENRY [...] certains d'entre vous peuvent rendre grâces à mon amour de la cécité qui m'empêche de voir mainte belle ville de France à cause d'une belle fille de France que je trouve sur mon chemin.
> LE ROI DE FRANCE. Oui, monseigneur, vous les voyez en trompel'œil, ce qui mue ces villes en une fille ; car elles sont toutes encerclées de virginales murailles que la guerre n'a jamais forcées.
> LE ROI HENRY. Kate sera-t-elle ma femme ?
> LE ROI DE FRANCE. S'il vous plaît.
> LE ROI HENRY. J'en suis heureux, pourvu qu'elle ait pour suite les villes vierges dont vous parlez ; ainsi la fille qui barrait le chemin de mes désirs me montrera le chemin de ma volonté [2].

---

1. III, 7, 34 *sq.*, p. 130 *sq.*
2. V, 2, 293-303, p. 234-237.

Cette « vision en trompe-l'œil » (*perspectively*) est très importante. Elle permet d'insister sur la mise en perspective de la cité et de la jeune fille vierge, heureusement traduite ici par le jeu de mots ville/fille. Pensons un instant au tableau des *Ambassadeurs* de Holbein, et imaginons que la tête de mort anamorphosée qui est comme le message sous-jacent à leurs rencontres d'État soit ici remplacée par le visage de la jeune fille vierge en future souveraine. « Mettre en perspective », c'est déplier l'anamorphose du pouvoir, c'est donner à « voir » qui se fait « pouvoir » » [1].

LA GÉNÉALOGIE ET L'IMAGE ROYALES

La question de la généalogie est au centre de *Henry V*. Une fois que le roi a démontré la qualité de son sang en remportant une victoire inattendue, et qu'il a fait preuve d'un art consommé de la diplomatie, Shakespeare le transforme en amoureux [2], car réussir la conquête de Catherine, c'est encore mieux certifier la valeur naturelle de son sang. Le mariage, le sang et la transmission du sang dans le mariage sont, en effet, les termes mêmes dans lesquels le pouvoir *symboliquement* se concentre [3]. Un roi célibataire n'est pas souverain véritablement. Il lui faut Catherine, c'est-à-dire l'image-personne significative de la souveraineté sur

---

1. C'est là la mission propre du théâtre où « pouvoir » et « voir » peuvent être réconciliés grâce au travail de celui dont « la fonction et le savoir sont de montrer et d'expliquer aux autres le principe hermétique du reflet de l'univers dans l'esprit humain », d'un théâtre conçu comme une expérience religieuse, qui peut sous certaines conditions devenir presque une technique magico-religieuse qui sert à saisir et à unifier le monde des apparences à travers des arrangements d'images significatives (voir Frances Yates, *Astrée,* trad. J.-Y. Pouilloux, Belin, 1989, p. 121-134, et *La Philosophie occulte à l'époque élizabéthaine*, Dervy Livres, 1987, p. 223-229).
2. Notons que, dans l'œuvre de Shakespeare, le personnage de roi doté de la plus grande capacité d'humanité et d'amour (malgré ses défaillances par ailleurs), c'est non pas Henry V, mais Henry VI, le fruit de l'union de Catherine et de Henry V.
3. Inversement, ces moments où Henry V hésite et montre son humanité sont liés à cette dissociation du sang et du mariage. Ainsi, lorsqu'il est seul et se déguise en simple soldat avant la bataille, il fait alors part de ses craintes que des couards comme Pistolet pourraient fort bien reprendre à leur compte.

la France. La logique de ce comportement est la suivante : hors du mariage, la crise de pouvoir n'est pas résolue. L'homme souverain, qui devrait être au centre du système de l'univers, n'est pas au centre. Être au centre veut dire pouvoir engendrer et, par là, voir sa propre image dans le miroir, en perspective, pouvoir organiser autour de soi (avant soi et après soi, avant la naissance comme après la mort) le théâtre à la fois légal et naturel de son apparition dans le monde. Être au centre, c'est inventer sa généalogie, un ordre naturel qui dure – c'est également pouvoir occuper un point toujours stable de l'espace, qui permette de construire toute la perspective du tableau.

Pour être au centre, il faut donc une femme. Après le glaive, doit venir la reine vierge, image de la rédemption, ou de la « faveur » [1] divine. Cette imagerie quasi cultuelle de la vierge rédemptrice est plus évidente pour les Élizabéthains qu'elle ne l'est pour nous aujourd'hui. Le culte de la reine vierge, en effet,

> avait une signification plus large qu'un enthousiasme purement national [...] Au-delà du rôle manifeste qu'avait la reine d'Angleterre : protéger et soutenir la cause protestante en Europe, on sent que son renom transcende l'opposition catholique-protestant, et qu'elle sert de support à des aspirations plus vastes et plus profondes vers une solution universelle des problèmes religieux, aspirations qui circulaient sous la surface de l'Europe au XVIe siècle [2].

Aussi Catherine devient-elle le symbole même du théâtre dans le drame de *Henry V*. Elle est la visibilité, la mise en perspective de toute l'histoire guerrière, l'aboutissement dialectique de la lutte pour le pouvoir ; elle marque la conquête d'un idéal concret. Par là, elle fait glisser la pièce vers la comédie d'une part, mais plus encore peut-être vers ce théâtre intime qui a été auparavant occulté par l'outrecuidance de la conquête guerrière. *Henry V* ménage une place aux plaisirs privés, à ces langages indicibles qui ne se comprennent pas (Henry et Catherine parlent dans leur idiome respectif) et qui, pourtant, créent et appellent une autre musique. Catherine signe par là l'irruption de la poésie au sein du drame, comme une anamorphose de la poésie amoureuse dans le tableau

---

1. Voir l'analyse de ce terme dans la présentation, p. 22.
2. Frances Yates, *Astrée, op. cit.*, p. 204.

viril de la chronique historique. Objet de l'amour courtois, complément obligé du roman chevaleresque, Catherine déclare la fin de l'espace et du temps propres au seul récit des faits historiques ; elle est donc la figure qui réconcilie le poème et la question politique.

La main de Catherine, dit Henry, est son « exigence capitale ». Ainsi, Shakespeare met en place une stratégie typique des comédies renaissantes, dans lesquelles c'est la femme qui, en accordant ses faveurs à son prétendant, fait de celui-ci l'homme qu'il n'était pas encore. Mais, dans *Henry V*, on doit noter que c'est le roi lui-même qui décide qu'il en ira ainsi pour son cas, dotant la princesse française d'un pouvoir qu'elle ne semble pas avoir en elle-même. Il la crée comme objet de conquête légitimant son pouvoir sur la France dont on pourrait penser qu'il s'est rendu maître par sa victoire militaire. D'un certain point de vue, ce transfert du pouvoir sur la femme peut n'être qu'une manière pour Shakespeare de soulager la pièce de son poids guerrier, mais plus profondément, par ce biais, Shakespeare est conduit à donner une nouvelle définition de la question politique dans sa pièce.

Le transfert du pouvoir vers la femme a un effet salutaire : la France y redevient l'objet d'un discours amoureux pétrarquisant dont on trouverait d'autres exemples dans les *Sonnets* de Shakespeare. La grâce de Catherine va en quelque sorte raffiner un roi guerrier un peu grossier (comme il l'avoue lui-même, d'ailleurs). Mais il faut sur ce point avancer avec prudence : le roi Henry fait une cour bien particulière, qui le met un peu en marge des amants pétrarquisants issus des cours raffinées de l'Europe. Le roi Henry n'est pas un homme de cour. Son discours amoureux est poétique, mais sans ambages ; il est viril et attentif, c'est-à-dire que la poésie amoureuse dont est capable Henry ne badine ni avec la réalité de son désir, ni avec la situation politique, ni avec l'amour, ni avec l'Histoire : Henry est bien un héros amoureux, mais ce discours amoureux vise une réalité historique qui est aussi une femme « réelle ». Cette distinction est essentielle. En même temps qu'elle précise le sens de l'action politique dans *Henry V*, elle nous aide à définir le programme poétique de Shakespeare. Le roi refuse en effet avec mépris ces « hommes au babil inépuisable, qui savent gagner les dames à force de rimes [1] ». En refusant de la sorte d'entrer

---

1. 2, 150-151, p. 224-225.

dans le jeu poétique de l'amour égocentrique et élégant, Henry affirme qu'il ne ressemble à personne, surtout pas à un courtisan lettré. C'est précisément pour cette exceptionnelle dissemblance que Catherine le choisit. Le « roi d'Angleterre, héritier de France » a été capable de parler comme un simple soldat et de se libérer de tous les paradigmes esthétiques de l'homme de cour. Lorsqu'il courtise Catherine, c'est en souverain qu'il le fait, comme pour lui conférer le pouvoir de modifier la teneur de l'autorité guerrière en lui permettant de s'incarner dans une autorité naturelle.

Dans cette pièce, l'autorité est rendue naturelle dès que le discours poétique amoureux apparaît. En même temps, Catherine incarne la souveraineté naturelle « douce » face à la décision de la souveraineté politique du roi (qui est certes tout aussi naturelle, mais *dure*, puisqu'elle est issue du sang guerrier). De surcroît, elle rappelle la différence des nations anglaise et française. Catherine a une double fonction : elle donne à la dureté de la nature la douceur qu'elle n'avait pas ; elle transforme l'humeur noire du drame en humeur accorte ; dans le même temps, elle est de la même lignée que Henry, elle figure l'aristocratie légitime de la nation dont elle est issue.

Dans le cas de Henry V, la lignée mâle de la liaison entre France et Angleterre demeure anglaise, ne laisse aucune possibilité de conflit entre la France et l'Angleterre. La nation anglaise domine la française, comme le mari sa femme. Catherine incarne le sujet idéal : France, femme et sujet, s'inscrivant dans la lignée mâle de l'Angleterre comme par réappropriation naturelle. On remarquera que, dans la savoureuse scène 4 de l'acte III, la leçon d'anglais à Catherine – une leçon de traduction qui, telle la poésie amoureuse, célèbre les blasons du corps humain – souligne bien l'écart entre les nations française et anglaise, en même temps qu'elle annonce déjà le terrain de leur rencontre.

Ce n'est pas du tout un hasard : lorsque Catherine nomme en anglais les membres épars du corps humain (III, 4), c'est bien parce qu'elle seule a la faculté de remembrer le double corps du roi Henry, à la fois France et Angleterre, à la fois humain et symbolique, terrestre et divin. Mais le langage du corps « en anglais » la rebute (III, 4, 52-54), c'est-à-dire qu'elle reste étrangère à la brutalité initiale de l'anglais, qu'il soit homme ou langue. Parallèlement, Henry refuse de parler français en même temps qu'il rejette le langage de l'amour courtois, qui passerait très bien en français. Afin de

259

faire un visage concret de reine à la femme qu'il choisit, il incarne l'autre représentation du pouvoir, qui incorpore l'élément populaire, sauvage, sans raffinement, naturel, avant de maîtriser la culture, le langage raffiné et poli de la cour française.

2

── *Poétique*
des genres dramatiques

Dossier

Le drame historique de Shakespeare ne définit pas un genre théâtral à proprement parler ; il n'est certainement pas un genre au même titre que la comédie, à laquelle il emprunte le mariage pour sa conclusion, ni au même titre que la tragédie, à laquelle il emprunte l'angoissante gravité des scènes qui précèdent la bataille d'Azincourt. Le drame historique de Shakespeare entend plutôt enrichir une histoire connue par les chroniques en rattachant cette histoire aux traits « génériques » que tout spectateur attend de trouver lorsqu'il vient au théâtre. La marque du génie théâtral se superpose à la matière de l'Histoire ; elle ne se coule pas vraiment à l'intérieur de la chronique. On a le sentiment d'une pièce certes virtuose, mais qui atteint seulement à de rares moments l'unité et l'intensité d'émotion qui sont le propre d'une tragédie comme *Le Roi Lear* ou *Hamlet*. De la même manière, ni l'admiration du spectateur pour le héros guerrier ni le bonheur du mariage avec Catherine ne recouvrent le même genre d'émotion que celle produite par des comédies, comme *Le Songe d'une nuit d'été* ou *La Nuit des rois*, des comédies dans lesquelles l'effet de réconciliation est beaucoup plus évident et large que dans le mariage de Henry et de Catherine.

TRAGIQUE ET ÉPIQUE

Le tragique se fonde sur le libre-arbitre de l'homme, lequel est libre d'affronter un destin pourtant tout tracé par les dieux. L'élément épique implique la présence d'un destin qui contrôle et dirige tous les faits et gestes de l'homme. Dans l'épopée, le héros est soumis à cette influence, et lorsque les accidents et les incidents se produisent, ils sont toujours le résultat de causes précises, appliquées par la volonté humaine. Le héros épique ne connaît pas la part de liberté maudite du héros tragique, qui est, au contraire, involontairement victime de sa volonté. De ce point de vue, rien n'est plus étranger à la tragédie que l'épopée.

Un drame épique commence et se finit de manière arbitraire ; l'épopée a simplement besoin d'un début, d'un milieu et d'une fin. Ainsi, l'*Iliade* se termine avec la mort d'Hector, et le destin final de Troie est laissé en suspens. Les événements historiques sont laissés dans un état d'imperfection. L'Histoire n'intéresse que le commencement du drame, elle n'en est pas l'objet ; tout au plus est-elle un cadre, de sorte que le drame épique finit par s'opposer à l'objet historique que pourtant il doit également incarner. En outre, les origines usurpées de la souveraineté de Henry V rappellent l'existence d'une faute à expier, ce qui rend aussi fortement présent l'élément de la prédétermination tragique.

Pour faire un drame historique de l'histoire de Henry V, Shakespeare doit donc tenter de surmonter la contradiction qui existe entre l'épique et le tragique. On le voit, la dialectique du drame historique shakespearien est complexe ; elle a trois moments :

1. *Henry V* rapproche le récit historique de la narration scénique. la chronique de Holinshed passe dans le dialogue, l'Histoire dans le théâtre.

2. *Henry V* donne à l'idéologie nationale un poids esthétique via le théâtre : il s'agit d'esthétiser l'Histoire. L'Histoire doit apparaître comme l'objet épique d'un théâtre qui n'en est que le moyen d'illustration. De ce point de vue, le but des drames historiques (de *Henry V* à *Richard II*) est certainement d'animer le spectateur de sentiments patriotiques, de rendre les Anglais fiers d'être Anglais.

D'où l'ambivalence du drame historique : il n'est même pas nécessaire que les faits soient totalement avérés, mais simplement qu'ils soient exprimés de manière épique, de façon à consacrer une tradition historique.

3. Mais l'épopée n'est pas dans l'Histoire réelle, et le spectateur finit toujours par comprendre qu'elle n'est qu'au théâtre [1]. En quoi *Henry V* légitime le théâtre comme forme d'art national, cependant que l'Histoire, secondaire par rapport au travail de l'écriture théâtrale, s'en trouve instrumentalisée. En un mot, Histoire et scène s'opposent à nouveau ; mais le théâtre, par sa virtuosité mêlée, donne son épaisseur de sensibilité et d'émotion à la froide histoire des chroniques – d'où le constant flux de sentiments, d'atermoiements, de questions et de débats, d'où le virtuose mélange des genres que Shakespeare pratique sans cesse. L'espace théâtral des

---

1. Voir dossier, p. 272-273.

sentiments intérieurs des personnages rivalise avec l'espace de l'action extérieure.

COMIQUE ET ÉPIQUE

La comédie doit être tenue en respect, éloignée, mais en même temps, elle n'est pas bien éloignée, elle doit être possible. C'est ce que signifie l'évocation de Falstaff. Il faut que l'ancien compagnon de « Hal » meure pour que Henry ne soit plus ce prince de Galles, dissolu et ripailleur, inscrit dans l'espace de la comédie, mais bien un roi crédible qui puisse aborder aux rivages de l'épopée et de la tragédie. La mort de Falstaff, racontée par madame Quickly (II, 3), accompagne de son ombre les préparatifs de la guerre. Cette mort est un signe des temps, d'un changement d'époque : on ne rit plus comme autrefois.

Le rire de la comédie ne convient pas au drame de la royauté. La *joie* royale sera différente, elle s'exprimera dans la victoire et dans Catherine. Touchant le souverain, la comédie ne peut être qu'élevée et, partant, elle est problématique puisque, dans toute la tradition théâtrale, le personnage noble n'est pas d'essence comique.

Dans *Henry V*, cependant, Shakespeare se sert de certains traits de ses comédies pour les faire servir à d'autres fins que celles de la comédie. Ainsi la scène finale acquiert-elle une force politique indubitable. Après la scène de la victoire d'Azincourt et le décompte des morts français et anglais, au moment où Shakespeare veut faire entrer le drame dans sa conclusion, il est tout à fait significatif qu'il reprenne des traits de la comédie du mariage pour représenter la réconciliation des nations. Le dramaturge choisit de dramatiser la conquête de la France, en la symbolisant par la cour effrénée que le roi Henry va faire à Catherine, ce qui reprend le schéma des comédies avec leur *happy end*. C'est grâce à cette réconciliation dite très charnellement que Shakespeare transforme la chronique historique belliqueuse et pleine de violents contrastes en une fable de réconciliation, d'apaisement, de stabilité dans la hiérarchie du monde.

Relativement à *Richard III* et *Richard II*, Shakespeare, dans les deux parties de *Henry IV* et dans *Henry V*, s'est donné une plus grande liberté pour mélanger les genres. En fait, le goût populaire pour la chronique a toujours été très fort, et c'est très naturellement que les éléments « vulgaires » de la comédie viennent s'insérer dans ce drame historique. L'humour ne dépareille pas le ton épique

Dossier

et l'exaltation du héros national. À côté du héros, il y a la cohorte des comparses comiques qui forment contraste. Bardolph est l'ivrogne, Pistolet une sorte de matamore tonitruant, grandiloquent, dans lequel la critique a reconnu une parodie de la grandiloquence du *Tamberlaine* de Marlowe. Filou est le caporal rancunier, sournois et cachant sa couardise sous une prudence de parole. Chacun illustre une humeur particulière dans la grande figure d'un peuple qui apprend, en partie pour sa gloire, en partie à ses dépens, non seulement à se reconnaître comme une nation guidée par un roi, mais encore à observer l'« héroïsme » de ce roi à une distance respectueuse. Conquête d'une identité, certes, mais pas au prix d'un assentiment aveugle. Les figures populaires portent un regard critique sur l'image héroïque que l'épopée voudrait donner de l'homme. Dans leur cas, la liberté critique de leur regard sur la machine de l'Histoire qui les broie se rapproche du champ de la tragédie. Les héros de comédie entrent dans la tragédie par la porte d'un jugement distancié porté sur l'histoire des grands hommes de ce monde. Comédie, ironie *tragique* et liberté *critique* vont de pair.

L'humour contribue en fait au réalisme du drame ; il est une manière d'ouvrir le drame sur la variété infinie de la vie humaine et sur les événements de l'Histoire qui sont susceptibles d'être interprétés, chaque fois différemment, selon l'humeur personnelle de celui qui les traverse. Ici il n'y a pas qu'une histoire et une chronique, mais des multitudes d'histoires individuelles. L'humour est donc la liberté des individus pris dans l'Histoire, excluant tout dogmatisme, toute théorie imposée. De ce point de vue, Shakespeare se relie à une tendance profonde de la pensée anglaise, portée vers l'empirisme, le pluralisme, l'expérience de la création, plutôt que vers le constat uniforme et définitif.

Ouvrant donc un espace critique, un espace indéfini au sein du drame, le registre de l'humour (comme tout à l'heure celui du discours amoureux) indique que la réalité n'a jamais dit son dernier mot. Dans l'humour, le monde possible reste ouvert et entoure de tous côtés le monde réel. L'humour explore l'inconnu, remet en question les assurances les mieux établies ou les plus héroïques. Dans *Henry V*, on ne peut pas oublier que c'est un personnage comique qui relève le défi du roi lui-même (IV, 7, 115-119). Cela signifie que, *structurellement*, la comédie relève le défi de l'épopée, et qu'elle en est l'exact pendant. Le souverain resterait désincarné et terne s'il n'était pas à tel moment de la pièce tout proche de ses soldats couards mais spirituels qui vont combattre pour lui mais pensent également à sauver une peau qui n'est pas celle des héros. Le roi doit devenir à l'image de ses guerriers de comédie ; en même temps, il doit rehausser les traits de comédie pour les transformer dans ceux du drame où va éclater aux yeux de tous sa souve-raineté [1].

---

1. Gardons cependant à l'esprit que ce sera principalement la fonction du mariage avec Catherine d'incarner et de rendre visible le triomphe du roi sur terre, mais aussi au ciel, puisque chacun des spectateurs de Shakespeare a appris à identifier la valeur absolue du mariage comme l'union de l'esprit et du corps de deux êtres dans un sacrement religieux inviolable.

③ ──── *Représenter l'Histoire*

Dans *Henry V* résonne une conception très moderne de l'Histoire et de ses acteurs, conception dont la première composante rejoint la question du droit naturel. Qu'est-ce qui fonde, en effet, l'allégeance au souverain ?

DROIT NATUREL, DROIT DIVIN

Pour mieux faire entendre cette notion de nature, relisons le passage suivant du prologue de l'acte II. Le chœur, évoquant le complot d'assassinat contre la personne du roi, utilise l'image de la relation parent-enfant :

> Ah, Angleterre, miniature de ta propre grandeur, ainsi qu'un corps menu doué d'un cœur puissant, que ne ferais-tu, quand l'honneur te l'ordonne, si tous tes enfants t'aimaient selon la nature [*were all thy children kind and natural*] ! Mais vois, France a trouvé en toi le point faible, une nichée de cœurs vides qu'il emplit d'un or et de trahison ; trois hommes corrompus [1] [...].

Cette corruption se traduit par la conspiration ; et ici, en l'occurrence, conspirer, c'est n'être pas touché par le sentiment naturel de respect filial pour la personne du roi. Pour Shakespeare, c'est « naturellement » que devrait se mettre en place un monde hiérarchisé et harmonieux, en quoi il est classique et proche de la conception que Cicéron expose dans un passage du *De Finibus* :

> Les stoïciens établissent aussi la nécessité de concevoir que c'est la nature qui fait que les pères aiment leurs enfants, et que c'est de là que toute société humaine tire son origine. La configuration même de tous les membres du corps fait bien voir que la nature a apporté une grande attention à tout ce qui appartient à la génération ; et il serait inconcevable qu'elle eût pris tant de soins de la formation des

---

1. II, 1, 16-22, p. 56-57.

enfants, et qu'elle ne se fût pas souciée qu'on prît soin de les élever. La force de la nature [*vis naturæ*] se fait en cela remarquer, même dans les bêtes. [...] Comme il est donc clair que c'est elle qui nous donne de l'aversion pour la douleur, il est clair aussi que c'est elle qui nous fait aimer ceux qui sont sortis de nous. C'est d'elle pareillement que nous vient la liaison naturelle entre tous les hommes ; en sorte que tout homme, par cela seul qu'il est homme, ne doit point être étranger pour un autre homme [1].

La « vis naturæ » de Cicéron est le principe organisateur de la filiation, qui est une image miniature du rapport des hommes entre eux. La qualité de rapport qu'elle suppose affecterait, par contagion, l'ensemble de la nature, et jusqu'au gouvernement des hommes. Un tel système promeut en fait un retour vers l'origine. Car, très spontanément, la bonne manière de faire telle ou telle chose se trouve être dictée par la référence aux ancêtres, le respect de la coutume, l'invocation d'une loi divine. La loi divine vient ici épauler et perfectionner la loi naturelle ; c'est cette continuité qui permet d'asseoir l'assurance royale, l'autorité souveraine de Henry.

DE LA NATURE À LA POLITIQUE

Seulement, si cette continuité n'était pas un problème, il n'y aurait ni guerre contre la France, ni effroi devant la mort, ni surtout obsession du mariage et de la naissance. Le drame de *Henry V*, en d'autres termes, traduit une situation profondément moderne : les principes de l'organisation en société (cités, villes portuaires, royaumes, rapports de forces, possessions, richesses, systèmes d'alliances familiales, etc.) révolutionnent le sens de l'Histoire ; de naturelle, divine et immuable qu'elle était, la loi du roi descend dans l'arène du contingent. Plus généralement, l'homme se détache de l'ordre divin qui lui assignait une place précise et étroitement solidaire du tout dans la grande chaîne de l'être. Le voilà contraint d'entrer tout à la fois dans le champ de l'Histoire et du social, de l'investigation rationnelle et de la réforme politique. De l'état de créature vouée au déchiffrement des intentions du Créateur il passe, au gré des nécessités imposées par l'événement, à l'état de créateur de lui-même et du monde. Il y a là un équivalent de la révolution

---

1. Cicéron, *De Finibus*, III, 19, 62-63, trad. J.-V. Le Clerc, 1821.

copernicienne qui fait de l'homme, et non plus de Dieu, le centre potentiel du système. Et, comme dans la révolution copernicienne, les choses ne vont pas sans heurts ni sans angoisses, sans apparentes régressions ni sans réactions brutales.

On notera d'ailleurs que, si le système politique français a pu réaliser pour un temps une construction idéologique correspondante en la personne de Louis le Grand, Roi-Soleil dont l'autorité émane de Dieu, il n'en est pas ainsi ni dans l'Italie du XVIe siècle, où le double pouvoir temporel et spirituel du pape pose un problème insurmontable, ni dans l'Angleterre troublée du XVIIe, où le monarque ne saurait prétendre à un statut de cet ordre. Le XVIIIe siècle effectuera le recentrage de toute la pensée politique sur le sujet affranchi de la définition qu'il recevait au sein de la vision théologique du monde.

Dès lors, c'est un homme plus général et aussi plus concret qui se trouve placé au centre du débat. Aux angoisses shakespeariennes que suscite la rupture peut-être définitive de la grande chaîne de l'être font écho des visions de l'homme détaché de l'ordre cosmique, pour le meilleur comme pour le pire ; notamment celle de Machiavel, où l'homme, libéré du cadre théologique, devient double. Selon les circonstances, en effet, le prince est lion ou renard. Car en aucun cas l'homme doué de *virtu* ne peut se dispenser de faire la bête [1] : le pouvoir est à ce prix. Du reste, le monde où existe le pouvoir politique est un monde qui obéit à la logique des fauves :

> Il faut savoir qu'il y a deux manières de combattre, l'une par les lois, l'autre par la force : la première sorte est propre aux hommes, la seconde propre aux bêtes ; mais, comme la première bien souvent ne suffit pas, il faut recourir à la seconde. Ce pour quoi il est nécessaire au Prince de savoir bien pratiquer et la bête et l'homme [2].

Chez Machiavel, c'est la nature même du monde historique, conçu comme un pur jeu de forces, qui détermine cette anthropologie du pouvoir fondée sur sa seule efficace. Si Shakespeare a condamné les « machiavels », en a fait des hommes pervertis et dif-

_____
1. Voir notre analyse du discours de Harfleur, présentation, p. 18.
2. Machiavel, *Le Prince* (1532), Gallimard, « Bibliothèque de la Pléiade », chap. XVIII, p. 341.

formes, tels Richard III ou Iago d'*Othello*, il sait aussi les rendre bien présents, et ce parce qu'ils savent tirer parti de cette dissociation (ou de cette dissimulation possible de l'âme) que le roi Henry V lui-même signale :

> Les services de chaque sujet appartiennent au roi, mais l'âme de chaque sujet est son bien propre [1].

Cette fragilité du lien roi-sujet permet presque à coup sûr la rébellion ; elle dit la liberté du sujet ou, tout au moins, le partage radical entre le monde privé et le monde public. Nous sommes alors dans une conception politique diamétralement opposée à la théorie de l'allégeance.

Cette expérience historique est aussi celle qu'analyse Thomas Hobbes (1588-1679). De la première partie du *Léviathan* (1651) se dégage l'image d'un homme dominé par la peur et l'agressivité et dont la nature même – et non plus la logique interne du politique – fait que le monde où il vit est celui de la guerre de tous contre tous. Alors que Machiavel disait comment conquérir et organiser ce monde, Hobbes s'attache à en démontrer l'impossibilité, sauf à reconstruire une nouvelle chaîne de l'être, qui placera en haut le Prince, lui soumettra l'outil politique qu'est devenue la religion et assurera la vie des sujets au prix de leur obéissance.

Shakespeare est pris entre ces deux conceptions ; son œuvre tout entière est travaillée par ces turbulences qui accompagnent, à partir du XVIe siècle, l'autonomie nouvelle accordée à l'homme, sujet indépendant, désenclavé dans un premier temps et qui, dans un second temps, cherche à explorer et exploiter les possibilités qui s'ouvrent à lui dans cette situation nouvelle.

Un des signes de la récurrence de cette question chez Shakespeare est le motif de la félonie et, plus encore, du régicide. Le critique Jan Kott relevait à propos que « le grand meurtre, le meurtre par lequel commence l'histoire est l'assassinat du roi ». Qu'il s'agisse, en effet, de l'usurpation de Bolingbroke, père du futur Henry V, ou du meurtre de Duncan par Macbeth, ces crimes n'émanent pas de la psychologie subjective des personnages, mais du déterminisme que la situation porte en elle. Il n'y a pas de héros a priori chez Shakespeare, il y a une situation qui est la guerre, et un

---

1. IV, 1, 165-166, p. 154-155.

homme qui doit incarner cette guerre. Il devient héros, c'est-à-dire qu'il se dote d'une épaisseur individuelle, précisément dans la mesure où il veut dominer cette situation qui le détermine. Il y a là un paradoxe : l'individu est héroïque au sens shakespearien parce qu'il n'est pas le pur transmetteur de l'épopée dans laquelle il s'insère et qu'il incarne comme personnage. Le héros de ce théâtre montre la divergence entre le temps de la vie individuelle et le cours des processus historiques que pourtant il entend conduire.

NAISSANCE DU HÉROS MODERNE

Dans la nuit qui précède Azincourt, les soldats anglais errent comme de pâles fantômes épuisés ; l'univers n'a plus aucune harmonie et l'angoisse triomphe. Mais c'est alors, parce qu'il consent à l'inintelligibilité du monde, que l'homme devient souverain.

Le roi doit pouvoir décider lui-même de risquer sa vie fantomatique pour bénéficier d'une nouvelle existence. En conséquence, il n'est souverain que par arbitraire, que parce qu'il est, en quelque sorte, contraint de régner. Voilà qui inverse la perspective du droit naturel classique : l'univers étant inintelligible, et la domination n'impliquant pas qu'on comprenne cet univers, il n'y a plus de limites connaissables à la conquête de la nature par l'homme. L'homme n'a que son spectre à perdre, s'il veut gagner le sceptre royal dans la guerre, mais il demeure à jamais un spectre s'il ne passe pas par une phase de chaos, s'il n'a pas été contraint par lui. Au début de *Henry V*, on voit un roi qui n'en est pas vraiment un, et qui décide de le devenir, en toute conscience. Mais cette construction consciente doit peu à peu céder devant le cheminement imprévu de l'Histoire. Ce que nous dit le drame historique, c'est que notre horizon est limité par l'Histoire, qu'il n'y a plus de cité de Dieu, et pas non plus de cité de l'homme naturel.

S'il est contraint par le chaos, l'homme de la Renaissance n'est pas pour autant toujours capable de lui donner forme. Démenti radical à l'ordre cosmique auquel adhéraient les contemporains de Shakespeare, le chaos effraie, fait peser la menace de la régression, de la destruction ; sauf à espérer la Providence divine, qui permet aux choses de la nature de consentir à trouver un ordre.

Le drame historique de Shakespeare vit donc de cette *limite* de l'Histoire – l'Histoire n'est pas totalement sensée – que le théâtre, la scène elle-même, limitée dans l'espace et le temps, peut excel-

Dossier

lemment représenter. Il n'est pas indifférent que l'essentiel de *Henry V* se concentre dans les scènes de la nuit qui précède la bataille d'Azincourt. Il s'agit d'un moment intermédiaire, la nuit des angoisses, *la nuit du théâtre*, précède la victoire d'un jour ; ce passage est nécessaire à Shakespeare pour mieux situer le sens et les possibilités de son théâtre. La victoire d'un jour est à son tour une victoire intermédiaire, un intermède comme cette parenthèse qu'ouvre le théâtre dans la généralité obscure de l'Histoire.

UN THÉÂTRE POUR ROYAUME

Un héros qui est aussi un anti-héros, un tragique qui flirte avec le comique, voilà comment, selon Jan Kott [1], le théâtre de Shakespeare appartient à l'espace du grotesque.

« À l'image stéréotypée de l'homme Jan Kott oppose systématiquement le rictus grotesque ; au dogme d'une histoire « douée de raison et de nécessité » il oppose le concept du grand Mécanisme, qui est une métaphore singulièrement métaphysique d'une raison négative et perverse, d'une considérable obstination dans la malfaisance. Il ne fait pas de doute que cette métaphore aide à comprendre certains aspects de l'œuvre de Shakespeare, dans la mesure justement où cet auteur participait encore de l'esprit médiéval. Il n'empêche que l'on ne peut détacher cet aspect-là de l'ensemble – comme Jan Kott le fait souvent –, et oublier que, replacés dans le contexte qui est le leur, ils changent soudain de signification. [...] Aussi, s'il est peut-être vrai que, pour Shakespeare, l'Histoire était absurde en général [2], il savait à l'occasion lui imposer le sens généralement admis par ses contemporains.

Pour être lucide et amère, son apologie de la monarchie Tudor reste une façon de juger ce qui fut au moyen de ce qui est, et donc de dégager une finalité dans le magma historique – de décider qu'il existe une bonne et une mauvaise violence. [...] L'histoire, pour absurde qu'elle soit, n'est pas nécessairement malfaisante. Même la lutte pour le pouvoir connaît ses temps morts, ses plages, grâce auxquels, comme Ferdinand et Miranda [3], un couple protégé peut

---

1. *Shakespeare, notre contemporain, op. cit.*, p. 41-48.
2. Alors la loi naturelle pourrait s'imposer de nouveau : c'est précisément cette intervention qui devient impossible avec *Henry V*, et plus encore avec *Hamlet*. Dans les deux pièces, la référence à l'ancestral comme mythe de légitimation se révèle caduque.
3. Couple principal de *La Tempête*.

recommencer à vivre. Ce qui le protège, ce n'est plus un absolu, mais un effort humain – fragile, parce qu'il est humain –, crispé, parce qu'il assume une expérience redoutable. Et sans aucun « optimisme », Shakespeare, dont la conscience historique était plus vaste que celle de ses personnages, Shakespeare savait que, même dans l'univers de la violence, même après la chute des dieux, le pire n'est pas toujours sûr. Cela aussi fait partie de sa grandeur [1].

Ainsi donc, le théâtre a pour fonction de rehausser la condition de l'homme et de son monde en lui faisant contempler la totalité et l'éternité comme des idéaux. C'est ce qu'on pourrait appeler la limitation « moderne » du drame historique shakespearien ; seule une conclusion de comédie, seule l'harmonie poétique du drame comme drame peut nous faire croire à la validité du corps éternel et invisible du roi. C'est seulement au théâtre qu'il nous est loisible de rêver à la perfection sur terre. La volonté du roi fut de rêver la perfection de son royaume, et qu'importe si la réalité oppose tous ses démentis : la liberté et la volonté du spectateur peuvent lui emboîter le pas. Ainsi seront comblés les vœux du chœur qui, dans le prologue, se lamente :

Que n'ai-je pour théâtre un royaume [2] !

La réponse du dramaturge est toute trouvée, elle semble nous dire que nous avons « pour théâtre une histoire », nous avons « histoire et théâtre », ou plus exactement le théâtre pour dire et montrer en même temps l'Histoire. Le royaume est traduit en théâtre, après avoir été traduit (limité de manière « moderne ») en Histoire. Il y a traduction dans la mesure où il y a passage dans une autre unité de temps, dans un autre espace (une réduction que les chœurs de chaque acte ne cessent de proclamer). Au théâtre, l'Histoire n'est représentable que comme coexistence dans le temps du passé, du présent et de l'avenir, et c'est dans cette coexistence qu'elle devient compréhensible. La vision de théâtre n'est qu'un instant, qu'un fragment d'Histoire, l'existence finie du héros soulignant en retour que le cours de l'Histoire l'emporte et qu'il ne peut que l'accompagner provisoirement. L'épopée n'est qu'une chose provisoire.

1. Richard Marienstras, « *Shakespeare, notre contemporain*. À propos du livre de Jan Kott », *Les Langues modernes*, janvier-février 1965, p. 50-51.
2. Prologue, 3.

273

4 — William Hazlitt :
contre le patriotisme de Henry V

William Hazlitt (1778-1830) est un auteur romantique anglais,
ami de Samuel Taylor Coleridge et de Charles Lamb, qui furent
tous deux les plus grands critiques shakespeariens de leur temps.
Contrairement à eux, son admiration pour la pièce de *Henry V*
reste limitée. Mais, puisque le refus dit quelque chose de son
contraire, il nous a semblé particulièrement intéressant de tra-
duire l'essai de Hazlitt, où ce critique dénonce le patriotisme anglais et, même si sa pensée est à bien des égards injuste, Hazlitt
inaugure une nouvelle manière de lire ce texte très intimidant
qu'est *Henry V*. Avec Hazlitt, le génie redevient un objet pour la
critique. L'essai qui suit est extrait de l'ouvrage intitulé *Characters of Shakespeare's Plays* (« Les personnages des pièces de
Shakespeare ») [1] :

> Henry V est un monarque très aimé de la Nation anglaise, et il
> semble qu'il l'ait été aussi de Shakespeare, qui fait beaucoup
> d'efforts pour excuser les actions du roi en nous montrant le carac-
> tère d'un homme désigné comme « le roi des bons ». Il mérite peu
> cet honneur. Il aimait la guerre et la mauvaise compagnie – à part
> cela, nous savons bien peu de chose de lui. Il était sans vergogne,
> dissolu et ambitieux – oisif ou malfaisant. En privé, il semblait
> n'avoir aucune idée de la décence commune du comportement ; dans
> les affaires publiques, il semblait n'avoir aucune notion de la règle
> qui sépare le bien du mal, et préférait la force brutale, qu'il recou-
> vrait à l'occasion du vernis léger de l'hypocrisie religieuse ou des
> conseils de ses archevêques. Ses principes ne changèrent ni avec sa
> situation ni avec ses fonctions. Son aventure de Gadshill fut le pré-
> lude à l'affaire d'Azincourt, à ceci près qu'elle fut moins sanglante ;

1. W. Hazlitt, *The Characters of Shakespeare's Plays* (1820), coll.
« Prophets of Sensibility, Precursors of Modern Cultural Thought », éd.
Harold Bloom, New York, Yale University-Chelsea House, 1983, p. 143-
145 ; nous traduisons.

Falstaff était bien modeste dans ses incitations à la violence et à l'outrage, comparé au pieux et prudent archevêque de Cantorbéry qui donnait au roi *carte blanche*, à l'aide de l'arbre généalogique de sa famille, pour voler et assassiner les vastes longitudes et latitudes étrangères – afin de sauver les possessions de l'Église au pays. Cela apparaît dans les discours de Shakespeare, où les motifs cachés qui meuvent les princes et leurs conseillers dans la guerre et le gouvernement sont mieux révélés que dans les discours émanant du trône ou du siège du lord Chancellor. Parce qu'il ne savait pas comment gouverner son propre royaume, Henry décida de faire la guerre à ses voisins. Parce que son droit à la couronne d'Angleterre était douteux, il revendiqua celle de France. Parce qu'il ne savait pas comment exercer à bon escient l'énorme pouvoir qui venait de lui tomber dans les mains, il entreprit immédiatement (ressource évidente et facile de la souveraineté) de faire tout le mal qu'il pouvait. Même si les monarques absolus avaient assez d'esprit pour découvrir les objets d'une louable ambition, ils savaient seulement redonner du gonflant à leurs volontés en adhérant à la formule la plus sacrée de la prérogative royale, « le droit divin des rois à mal gouverner », parce que la volonté triomphe seulement lorsqu'elle s'oppose à la volonté de l'autre, parce que c'est alors seulement que se révèle l'orgueil du pouvoir, jamais lorsqu'elle consulte les droits et les intérêts d'autrui, et toujours lorsqu'elle insulte et piétine toute justice et toute humanité. Henry déclare sa résolution : « La France étant à nous, nous la plierons à nous craindre, ou la déchirerons toute » (I, 2, 225-227) – résolution digne d'un conquérant que celle de détruire tout ce qu'il ne peut réduire en esclavage ; et, ce qui ajoute encore à la blague, il fait porter toute la responsabilité des conséquences de son ambition sur ceux qui ne se soumettront pas sans sourciller à sa tyrannie. Telle est l'histoire du pouvoir royal ; depuis le commencement et jusqu'à la fin du monde – avec cette différence qu'autrefois, lorsque les peuples adhéraient à leur allégeance, la guerre avait pour objet de déposer les rois ; et récemment, depuis que les peuples se sont détournés de leur allégeance, la guerre sert à restaurer les rois dans leur trône, et à faire cause commune contre le genre humain. L'objet de notre récente invasion et conquête de la France a été de restaurer le monarque légitime, descendant d'Hugues Capet. Henry V, à son époque, a fait la guerre au descendant d'Hugues Capet et l'a déposé, en arguant du fait qu'il était un usurpateur illégitime.

[…]

Il est vrai que Henry V était un héros, un roi d'Angleterre et le conquérant du roi de France. Pourtant, nous éprouvons fort peu d'admiration et bien peu d'amour pour lui. C'était un héros, c'est-à-dire qu'il était prêt à sacrifier sa propre vie pour le plaisir de détruire des milliers d'autres vies : il était roi d'Angleterre, non pas un roi constitutionnel ; et nous aimons seulement les rois selon la loi ; enfin, il s'était rendu maître du roi de France, et pour cela nous l'aimons mieux que s'il avait conquis le peuple de France. De quelle manière l'aimons-nous ? Nous l'aimons dans la pièce. Là, il est un monstre très aimable, un fort splendide spectacle. De même que nous observons la panthère ou le lion dans leur cage à la Tour de Londres, et tirons un sentiment d'horreur plaisante à voir leurs yeux brillants, leurs pattes de velours et leurs rugissements féroces, de même nous éprouvons un délice très romantique, héroïque, patriotique et poétique devant les déclarations et les hauts faits de notre jeune Harry, quand ils apparaissent sur la scène et se limitent à des décasyllabes ; là – dans l'orchestre – aucun sang ne jaillit du coup qui blesse nos oreilles ; nulle récolte n'est détruite par les sabots des chevaux, aucune cité n'est la proie des flammes, aucun jeune enfant n'est massacré et les cadavres ne s'amoncellent pas en des tas puants dès le lendemain.

Voici pour la politique de la pièce ; venons-en maintenant à sa poésie. Peut-être l'une des images les plus frappantes jamais inventées par Shakespeare est celle qui est donnée de la guerre dans les premiers vers du chœur :

> Ô que n'ai-je une muse de feu, prête à s'élever
> Au ciel le plus radieux de l'invention,
> Que n'ai-je un royaume pour théâtre, des princes comme acteurs
> Et des monarques pour contempler la scène qui s'amplifie.
> Alors Harry le belliqueux, sous son vrai jour,
> Adopterait la posture de Mars, et *à ses talons*
> tenus en laisse comme des chiens, la famine, l'épée et le feu
> *mendieraient un emploi* [1] !

Rubens, s'il l'avait peinte, n'aurait pas amélioré cette métaphore. La conversation entre l'archevêque de Cantorbéry et l'évêque d'Ely, relativement au soudain changement dans les manières de Henry V, compte parmi les *Beautés* bien connues de Shakespeare. De fait, elle est admirable tant pour sa beauté que pour sa grâce. Il nous est parfois arrivé de penser que Shakespeare, en décrivant « la réforme » du prince, pensait peut-être à sa propre personne :

> Et c'est merveille que sa grâce l'ait pu glaner,
> Alors qu'il s'adonnait à de vaines occupations,
> Fréquentait des illettrés vulgaires, irréfléchis,

---

1. Prologue, 1-8. Trad. modifiée. Souligné par W. Hazlitt.

Et passait tout son temps en débauches, banquets et jeux ;
Jamais on n'observa chez lui nulle étude,
Nul effort pour se retirer et s'enfermer
À l'écart des lieux publics et populaires.

ELY.
Le fraisier pousse sous l'ortie ;
Et les baies salubres prospèrent et mûrissent mieux,
Environnées de fruits de vile essence ;
Ainsi le prince a-t-il celé sa contemplation
Sous un voile de dérèglement, quand, sans nul doute,
Elle poussait comme l'herbe d'été, plus vite la nuit,
Cachée au regard, mais avec la faculté de croître [1].

Voilà un compte rendu du progrès de l'esprit du poète aussi vraisemblable que ceux que contiennent tous les Essais consacrés à l'érudition de Shakespeare.
[...]
Il est intéressant d'observer que dans toutes ces pièces, qui donnent une image admirable de l'esprit du *bon vieux temps*, l'inférence morale ne dépend pas du tout de la nature des actions, mais de la dignité ou de la médiocrité des personnes qui les commettent [...] La puissance était le droit, sans équivoque ni faux-semblant, en cet âge héroïque et chevaleresque. La substitution de la puissance au droit, même en théorie, compte parmi les raffinements et les abus de la philosophie moderne.
Il est difficile de concevoir plus belle description rhétorique des effets de la subordination dans une république.

ELY. [...] Dans un gouvernement, le haut, le milieu et le bas, quoique parties séparées, restent à l'unisson, l'ensemble formant un plein et naturel accord, comme en musique.

CANTORBÉRY.
C'est pourquoi le ciel partage la cité humaine entre divers offices, mettant sans cesse en œuvre les efforts de chacun, avec pour but ou objectif l'obéissance ; ainsi travaillent les abeilles, ces créatures qui, par une loi de nature, enseignent les effets de l'ordre aux royaumes des peuples. Elles ont un roi et des officiers de rangs divers. Les uns, comme magistrats, punissent au-dedans ; d'autres, en commerçants, s'en vont courir au-dehors les risques du négoce ; d'autres, en soldats, armés de leurs aiguillons, mettent à sac les boutons de velours de l'été, et rapportent ce butin en

---

1. I, 1, 53-65. Trad. modifiée.

marche joyeuse au pavillon royal de leur empereur ; celui-ci,
affairé en sa majesté même, surveille les maçons qui bâtissent en
chantant des toits d'or ; les sujets policés qui pétrissent le miel ;
les pauvres portefaix qui se pressent avec leurs lourdes charges à
son étroite porte ; le juge à l'œil grave, au bourdonnement maussade, qui livre à de pâles exécuteurs le bourdon bâillant de
paresse... J'en déduis ceci, que des forces nombreuses, se rapportant pleinement à un même dessein, peuvent opérer selon des
directions opposées, comme maintes flèches lancées de divers
points atteignent une même cible ; comme maints chemins divers
gagnent une même ville ; comme maints ruisseaux d'eau douce
gagnent une même mer ; comme maintes lignes se joignent au
centre du cadran ; ainsi peuvent mille actions, une fois lancées,
finir en un seul but, et bien s'accomplir sans échec [1].

Henry V est une pièce de second rang dans l'œuvre de Shakespeare.
Toutefois, en citant des passages comme celui-ci, extraits de ses
seules pièces de second rang, nous pourrions faire un volume
« digne de louanges ».

Dossier

---

1. I, 2, 180-214.

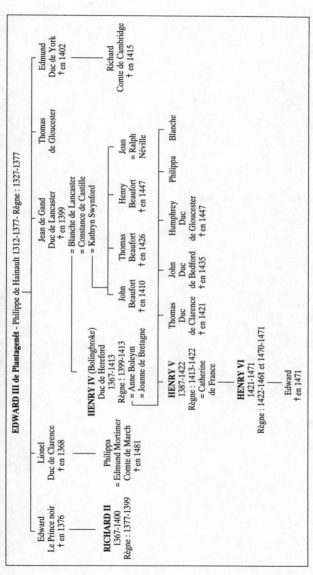

Lignée des rois d'Angleterre

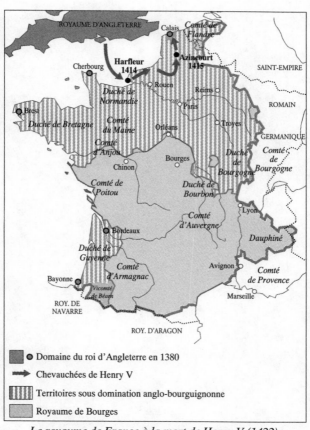

Le royaume de France à la mort de Henry V (1422)

CHRONOLOGIE

CHRONOLOGIE

	VIE CULTURELLE ET HISTOIRE DE L'ANGLETERRE	VIE CULTURELLE ET HISTOIRE DU MONDE
1483	Couronnement de Richard III.	
1485	Couronnement de Henry VII Tudor. Fin de la guerre des Deux Roses.	
1492		Christophe Colomb découvre l'Amérique.
1493		Le pape partage le Nouveau Monde entre l'Espagne et le Portugal. *Traité de la peinture* de Léonard de Vinci.
1500		*La Tentation de saint Antoine* et *La Nef des fous* de Jérôme Bosch.
1504		*Lettres* d'Amerigo Vespucci.
1509	Couronnement de Henry VIII.	*Éloge de la folie* d'Erasme de Rotterdam.
1516	*L'Utopie* de Thomas More.	
1519		Magellan fait le tour du monde. Conquête du Mexique par Cortez. Mort de Léonard de Vinci.

1522		Traduction du Nouveau Testament par Luther.
1525	Traductions anglaises de la Bible, par Tyndale et Coverdale (achevées en 1535).	
1531	Henry VIII se proclame chef de l'Église d'Angleterre.	
1532		Publication du *Prince* de Machiavel. Conquête du Pérou par Pizarro. *Gargantua et Pantagruel* de Rabelais.
1534		Ignace de Loyola fonde la Compagnie de Jésus.
1536		*Le Dialogue des courtisans* de l'Arétin.
1543		*De revolutionibus orbium cælestium* de Copernic. *De corporis humani fabrica* de Vésale.
1546		*Poèmes* de Michel-Ange.
1552	Soulèvement de l'Écosse.	*Histoire des Indes* de Las Cases.
1554		*Les Aventures de Lazarillo de Tormes*.

		VIE CULTURELLE ET HISTOIRE DE L'ANGLETERRE	VIE CULTURELLE ET HISTOIRE DU MONDE
1559		Couronnement d'Elizabeth.	
1564		23 avril, naissance de William Shakespeare. Pie V excommunie la reine Elizabeth. Le lord maire interdit les spectacles dans la cité de Londres.	Mort de Michel-Ange.
1572			Nuit de la Saint-Barthélemy.
1576		Burbage construit le premier théâtre de Londres.	
1577		Voyage de Drake autour du monde. Pillage des comptoirs espagnols au Chili et au Pérou.	
1579		Traduction des *Vies des hommes illustres* de Plutarque, par North.	
1580		*L'Arcadie* de Sidney.	*Les Essais* de Montaigne (livres I et II). *La Jérusalem délivrée* du Tasse. L'Espagne s'empare du Brésil.

C H R O N O L O G I E

1586	Représentation de la *Tragédie espagnole* de Thomas Kyd.	
1588	Destruction de l'Invincible Armada.	*Introduction à la nouvelle astronomie* de Tycho Brahé.
1589	Essex débarque au Portugal, à la tête de l'armée anglaise.	
1592	*Richard III* de Shakespeare.	
1593	Mort de Marlowe.	
1594	Shakespeare, *Roméo et Juliette*.	
1595	Soulèvement de l'Irlande.	
1595-1596	Shakespeare, *Le Songe d'une nuit d'été*.	
1596	Essex et Drake attaquent Cadix.	
1597	*Les Essais* de Bacon. Fermeture des théâtres et emprisonnement de Ben Jonson.	
1598	Construction et ouverture du théâtre du *Globe*.	
1599	*Henry V* de Shakespeare.	

CHRONOLOGIE

	VIE CULTURELLE ET HISTOIRE DE L'ANGLETERRE	VIE CULTURELLE ET HISTOIRE DU MONDE
1600	*De magnete* de Gilbert. La Terre est décrite comme un aimant.	Giordano Bruno est brûlé à Rome après sa condamnation par l'Inquisition.
1601	Complot d'Essex. Le 7 février, représentation au théâtre de *Richard II*. 25 février, exécution d'Essex. Sanglante répression du soulèvement des Pays-Bas. *Hamlet* de Shakespeare.	
1603	Mort d'Elizabeth. Couronnement de Jacques Ier. Traduction des *Essais* de Montaigne par John Florio.	
1605	Shakespeare, *Le Roi Lear* et *Macbeth*. Complot des Poudres et *Volpone* de Ben Jonson.	*Don Quichotte* de Cervantès.
1606		Naissance de Corneille.
1608	*Coriolan* de Shakespeare.	
1610		*Sidereus nuntius* de Galilée.

1611	Traduction autorisée de la Bible.	
1612	La Tempête de Shakespeare. Shakespeare retourne à Stratford.	
1613	Incendie du théâtre du Globe.	
1616	William Shakespeare meurt le 23 avril.	Mort de Cervantès.
1618		Condamnation par l'Église du système de Copernic. Début de la guerre de Trente Ans.
1622		Naissance de Molière.
1623	Premier « folio ». Édition d'ensemble des œuvres de Shakespeare.	La Cité du Soleil de Campanella.
1628	Harvey découvre le principe de la circulation du sang.	
1631		La vie est un songe de Calderon.
1632		Dialogue sur les deux grands systèmes du monde de Galilée.
1633		Galilée abjure ses convictions devant le tribunal de l'Inquisition.

VIE CULTURELLE ET HISTOIRE DE L'ANGLETERRE		VIE CULTURELLE ET HISTOIRE DU MONDE
		Le Cid de Corneille.
		Discours de la méthode de Descartes.
		Naissance de Racine.
		Mort de Galilée. Naissance de Newton.
		Molière fonde l'illustre théâtre.
Révolution bourgeoise en Angleterre. Les puritains triomphants ferment les théâtres.		
Exécution de Charles Ier.		
Proclamation du Commonwealth.		

1636

1639

1642

1649

C H R O N O L O G I E

BIBLIOGRAPHIE

OUVRAGES SUR SHAKESPEARE

ABITEBOUL Maurice, *Le Théâtre au temps de Shakespeare*, ARIAS, 1995.
CHAUVIRÉ Roger, *Le Temps d'Élizabeth*, Didier, 1960.
DELUMEAU J., *La Civilisation de la Renaissance*, Arthaud, 1967.
FLUCHÈRE Henri, *Shakespeare, dramaturge élizabéthain*, 1966, Gallimard.
GIRARD René, *Shakespeare, les feux de l'envie*, Grasset, 1990.
JONES-DAVIES Margaret, *Shakespeare, le théâtre du monde*, Balland, 1987.
KOTT Jan, *Shakespeare, notre contemporain*, Julliard, 1962 ; rééd. Payot, Petite Bibliothèque, 1978.
LAROQUE François, *Shakespeare comme il vous plaira*, Gallimard, Découvertes, 1991.
MARIENSTRAS R., *Le Proche et le Lointain*, Minuit, 1983.
SIBONY Daniel, *Avec Shakespeare*, Grasset, 1988.
SUHAMY Henri, *Shakespeare*, Le Livre de Poche, 1996.
VENET, Gisèle, *Temps et vision tragique. Shakespeare et ses contemporains*, Presses de la Sorbonne Nouvelle, université Paris-III, 1985.
VIGNAUX Michèle, *L'Invention de la responsabilité*, Presses de l'École normale supérieure, 1995.
–, *Shakespeare*, Nathan-Université, 1995.

Ouvrages sur Henry V

Allmand Christopher, *Henry V*, Berkeley, University of California Press, 1992.

Battenhouse R.W., « Henry V as heroic comedy », in *Essays on Shakespeare and the Elisabethan Drama in Honor of Hardin Craig*, ed. R. Hosley, Columbia, Mo, 1962, p. 163-182.

Bloom Harold, *William Shakespeare's Henry V*, New York, Chelsea, 1988.

Boswell-Stone W. G, *Shakespeare's Holinshed : The Chronicle and The Historical Plays Compared*, New York, Benjamin, Blom, 1966.

Branagh Kenneth, *Henry V by William Shakespeare. A Screen Adaptation by Kenneth Branagh*, Londres, Chatto & Windus, 1989.

Candido Joseph, *Henry V : An Annotated Bibliography*, New York, Garland Publishing, 1983.

Kinsford Charles, *Henry V, The Typical Mediaeval Hero*, Cambridge University Press, 1923.

Muir Kenneth, *The Sources of Shakespeare's Plays*, Londres, Methuen, 1977.

Nicoll Allardyce and Josephine, *Holinshed's Chronicle, As Used in Shakespeare's Play*, Londres, Dent, 1975.

Olivier, Laurence, *On Acting*, New York, Simon and Schuster, 1986.

Rothwell, Kenneth and Melzer, Annabelle Henkin, *Shakespeare on Screen*, New York, Neal-Schuman Publishers Inc., 1990.

Saccio Peter, *Shakespeare's English Kings ; History, Chronicle and Drama*, Londres, Oxford University Press, 1977.

Shakespeare William, *The Life of Henry the Fifth*, Wilson, John Dover, Cambridge University Press, 1968.

Stribrny Z., « *Henry V* and history », in *Shakespeare in a Changing World : Essays*, ed. A. Kettle, 1964, p. 84-101.

Wilson J. Dover, *The Fortunes of Falstaff*, Cambridge, 1943.

Winny J., *The Player King*, Oxford University Press, 1968.

ARTICLES SUR *HENRY V*

BRADDY H., « Shakespeare's *Henry V* and the french nobility », *TSSLL*, III, 1961, p. 189-196.

DICKINSON H., « Reformation of Prince Hal », *ShQ*, XII, 1961, p. 33-46.

JORGENSEN P.A., « Accidental judgments, casual slaughters and purposes mistook : critical reactions to Shakespeare's Henry V », *Shakespeare Association Bulletin*, XXII, 1947, p. 51-61.

–, « The courtship scene in Henry V », *MLQ*, XI, p. 180-188.

LANE Robert, « "When Blood Is Their Argument" : Class, Character, and Historymaking in Shakespeare's and Branagh's *Henry V* » *ELH*, Baltimore, MD, 61 : 1. 1994.

PATTERSON Annabel, « Back by Popular Demand : The Two Versions of *Henry V* », Renaissance Drama, Evanston, *IL*. vol. 19., 1988.

PRICE G. R, « *Henry V* and *Germanicus* », *ShQ*, XII, 1961, p. 57-60.

RIBNER I., « The political problem in Shakespeare's lancastrian tetralogy », *SP* XLIX, 1952, p. 171-184.

SALOMON Brownell, « The Myth Structure and Rituality of *Henry V* », *Yearbook of English Studies*, Londres, 23:1, 1993.

TRAVERSI D.A., « Henry the Fifth », *Scrutiny*, IX, 1941, p. 352-374.

OUVRAGES GÉNÉRAUX

COLLINS Stephen L., *From Divine Cosmos to Sovereign State*, Oxford University Press, 1989.

DUBY Georges, *Le Chevalier, la femme et le prêtre*, Hachette-Pluriel, 1985.

FRYE Northrop, *Shakespeare et son théâtre*, Paris, Boréal, 1986.

KOYRÉ Alexandre, *Du monde clos à l'univers infini*, Gallimard, 1961.

MAUROIS André, *Histoire d'Angleterre*, Fayard, 1937.

ONIONS C.T., *A Shakespeare Glossary*, Clarendon Press, Oxford, 1911-1982.

SENGUPTA, *Shakespeare's Historical Plays*, Oxford University Press, 1964.

STONE Lawrence, *The Crisis of Aristocracy, 1558-1641*, Oxford, 1965.

TAYLOR, Frank et ROSKELL, John S., *Gesta Henrici Quinti. The Deeds of Henry the Fifth*, Oxford, Clarendon Press, 1975.

ARTICLE and ESSAYS

BRADDY, H., « Shakespeare, Henry V and the french nobility », SSF, III, 1961, p. 184-196.

DICKSON, D., « Restoration of Henry III », SSQ, XIII, 1961, p. 1-10.

KNORRHARD, R., « Accidental jc torracter struggle structure and purpose in book central tradition in Shakespeares Henry V », Shakespeare Association Bulletin, XVII, 19, p. 51-61.
« The comhand scene in Henry V », MLQ, XI, p. 180-188.

LYNE, Ralph, « What blood b : Then Argument in Class Char acter and Ghostwriting in Shakespeare's and Homer's Henry V », SQ, Baltimore, MD, 21, 1961.

PATTERSON, Annabel, « Back by Popular Demand: The two Versions of Henry V », Renaissance Drama, Evanston, Il, vol 19, 1988.

PRICE, H., « Henry V and Germanicus », SQ, XII, 1961, p. 57-60.

RIBNER, Irving, « The political problem in Shakespeare's Lancastrial tetralogy », SP, XLIX, 1952, p. 101-191.

SALOMON, Brownell, « The Myth: structure and Meaning of Henry V », Yearbook of English studies, London, 213, 1992.

TRAVERS, D.S., « Henry VI » in Scrutiny, IX, 1941, p. 352-374.

OUVRAGES GENERAUX

CHELDER, Serdrick L., From Dream Tongue to Sovereign State, Oxford University Press, 1996.

DUBY, Georges, Les Chevalier, la féodalité le moyen, Hachette, Flauot, 1995.

PAUL Harding, Shakespeare à son théâtre, Paris, Breal, 1988.

KOYRE, Alexandre, Du monde clos à l'univers infini, Gallimard, 1965.

MELVOIN, Sibrid : History and travel, Harold, 1977.

ONIONS C.T., A Shakespeare Glossary, Clarendon Press, Oxford, 1951-1962.

SHIPMAN, Thomas, « Histoire of Plays, Oxford University Press.

STONE Lawrence, The Crisis of Aristocracy, Oxford, Oxford 1965.

STRUCK, Ethel : Reason, John S., Gods Theater Catot, The Press, Of Berkeley Publis, Oxford, Chicago Press, 1978.

DERNIÈRES PARUTIONS

GF-CORPUS

GF - DOSSIER

GF Flammarion

00/10/82049-X-2000 — Impr. MAURY Eurolivres, 45300 Manchecourt.
Nº d'édition FG112004. — mai 2000. — Printed in France.